UNE AUTRE FAÇON D'APPRENDRE

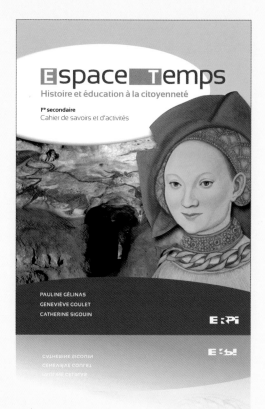

ÉDITION EN LIGNE

La version num~~érique~~ de votre cahier c~~omprend~~:

- tout le contenu du cahie~~r~~ ;
- tous les « Ailleurs » ;
- environ 20 biographies d'hommes et de femmes qui ont marqué l'histoire ;
- plusieurs cartes muettes ;
- une trentaine de liens Internet par dossier, y compris des liens vidéo.

VOICI COMMENT ACCÉDER À LA VERSION NUMÉRIQUE DE VOTRE CAHIER

❶ Rendez-vous à l'adresse **http://enligne.pearsonerpi.com/histoire/1**

❷ Cliquez sur « **S'inscrire** » et suivez les instructions à l'écran.

L'accès est valide pour 12 MOIS.

Code d'accès ▶ EH12ST-GRSSS-BANKA-SEWAN-NOBBY-TOTES

Besoin d'aide ? ▶ http://assistance.pearsonerpi.com

W12475 (A11244)

Espace Temps

Histoire et éducation à la citoyenneté

1re secondaire
Cahier de savoirs et d'activités

PAULINE GÉLINAS

GENEVIÈVE GOULET

CATHERINE SIGOUIN

E RPi Éducation ▸ Innovation ▸ Passion

5757, rue Cypihot, Saint-Laurent (Québec) H4S 1R3 ▸ erpi.com
TÉLÉPHONE : 514 334-2690 TÉLÉCOPIEUR : 514 334-4720 ▸ erpidlm@erpi.com

Directrice à l'édition
Chantale Quirion

Chargées de projet
Lucie Choquette
Dominique Page
Hélène Pelletier

Réviseurs linguistiques
Dominique Page
Guy Bonin (Boîte à outils)

Correcteurs d'épreuves
Pierre-Yves L'Heureux
Richard Lavallée

Recherchistes (photos, textes et droits)
Pierre Richard Bernier
Jocelyne Gervais
Marie-Chantal Masson

Directrice artistique
Hélène Cousineau

Coordonnatrice aux réalisations graphiques
Sylvie Piotte

Couverture
Frédérique Bouvier

Conception graphique et édition électronique
Interscript

Cartographe
Groupe Colpron

Réviseurs scientifiques
Michel Fortin
Département d'histoire
Université Laval

Renaud Lussier
Département d'histoire
UQAM

Didier Méhu
Département d'histoire
Université Laval

Consultants pédagogiques
Sylvain Bélanger
École Jean-Baptiste-Meilleur
Commission scolaire des Affluents

Édith Boily
Cité étudiante Roberval
Commission scolaire Pays-des-Bleuets

David Choinière
Collège Mont-Sacré-Cœur
Granby

Stéphane Cloutier
École Pierre-Bédard
Commission scolaire des Grandes-Seigneuries

Christine Fillion
École secondaire Roger-Comtois
Commission scolaire de la Capitale

Valérie Ftouh-Ghammat
Collège Regina Assumpta
Montréal

Sandra Jacques
École secondaire de Neufchâtel
Commission scolaire de la Capitale

Jean Laverdière
École secondaire Louis-Jacques-Casault
Commission scolaire de la Côte-du-Sud

Jean-Guy Noël
Polyvalente Benoît-Vachon
Commission scolaire de la Beauce-Etchemin

Dépôt légal – Bibliothèque et Archives nationales du Québec, 2011
Dépôt légal – Bibliothèque et Archives Canada, 2011

Imprimé au Canada   1234567890 II 15 14 13 12
ISBN 978-2-7613-4923-9   12475 ABCD   OF10

Table des matières

Un **aperçu** de ton **cahier**

● Les pages d'ouverture

Pour te permettre de situer dans le temps la période à l'étude.

Pour te permettre de situer dans le monde le territoire de la ou des sociétés étudiées dans le dossier.

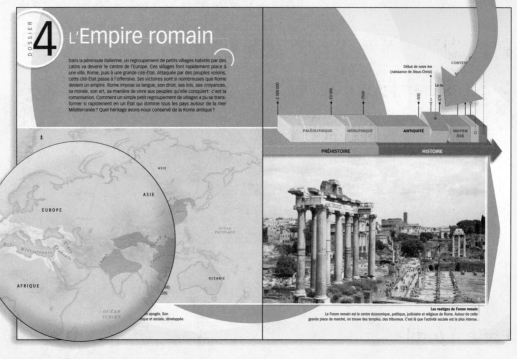

Les questions de la page **AU DÉPART** te mettront en appétit et t'aideront à te familiariser avec le sujet du dossier.

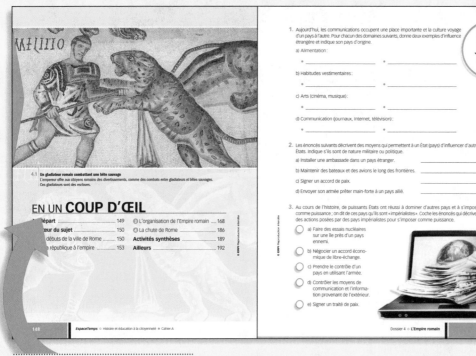

Pour voir d'un coup d'œil le contenu d'un dossier.

Quelques pages d'un dossier

○ La section **AU CŒUR DU SUJET** te fournit toute l'information dont tu as besoin pour bien comprendre la matière abordée.

○ Des éléments d'information complémentaires, intéressants et parfois cocasses.

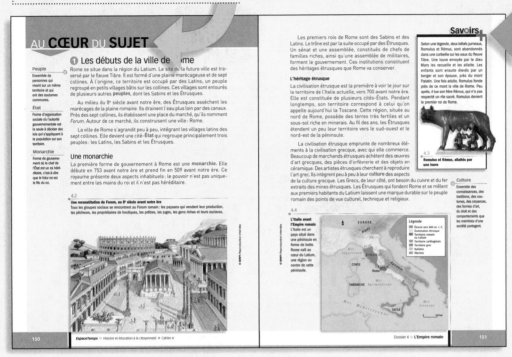

○ Le picto **BAO** t'indique que tu trouveras dans la Boîte à outils des renseignements et des trucs qui te seront utiles pour faire les activités en cours.

○ Des activités nombreuses et variées t'invitent à vérifier ta compréhension des textes.

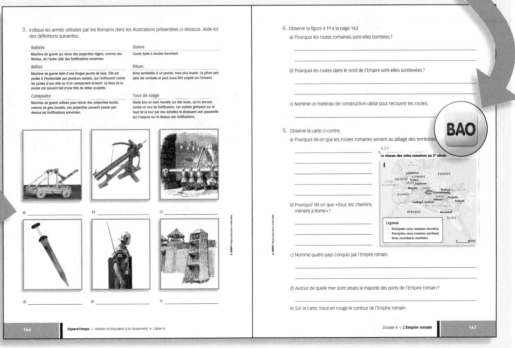

Écrits en bleu, les termes difficiles et les concepts à l'étude sont définis dans la marge de la page où ils apparaissent la première fois. Tu les retrouveras dans le glossaire, à la fin de ton cahier.

Pour te permettre de faire des liens entre la société à l'étude et notre monde d'aujourd'hui.

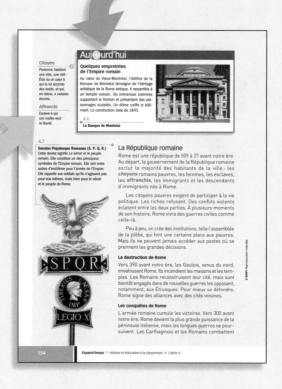

Un bref aperçu de ce qui se passait ailleurs dans le monde, à la même époque.

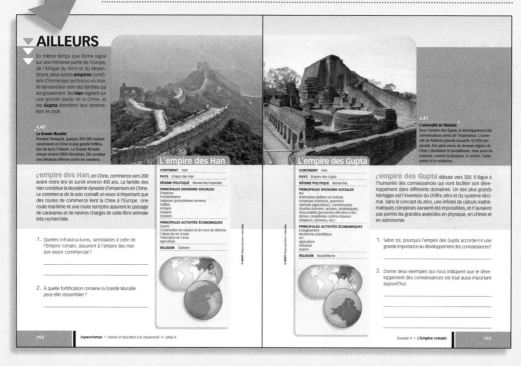

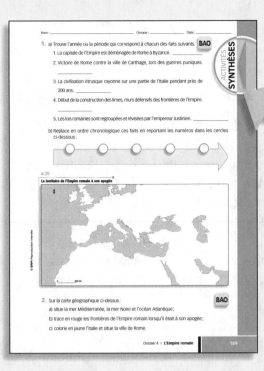

Pour t'amener à faire un retour sur les points les plus importants du dossier.

Glossaire

Les mots difficiles et les concepts à l'étude rassemblés en un seul endroit.

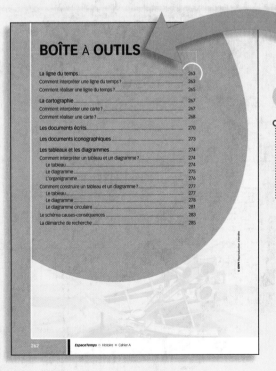

Boîte à outils

De l'information pour t'aider à faire les activités en cours ou te permettre de mieux comprendre ce que tu viens de lire.

En route vers l'histoire

La mesure du temps est essentielle pour comprendre l'histoire. Elle permet d'organiser les événements dans une suite logique et de les situer les uns par rapport aux autres. Sans la mesure du temps, il serait impossible d'imaginer nos vies telles que nous les connaissons aujourd'hui. À quelle heure dois-tu te réveiller pour être à temps à l'école ? À quand remonte ton dernier rendez-vous chez le dentiste ? Combien de mois dure ton abonnement à la bibliothèque municipale ? une année scolaire ? Dans combien d'années auras-tu le droit de voter ? En mesurant le temps, il est possible d'organiser de façon cohérente nos vies personnelles et sociales. Il est aussi possible de mieux comprendre le cours de l'histoire.

L'horloge astronomique de Prague, construite au 15e siècle, et un calendrier égyptien datant de l'Antiquité

L'Intihuatana, ou la pierre sacrée, située au sommet de l'ancienne cité inca du Machu Picchu au Pérou, aurait servi de cadran solaire

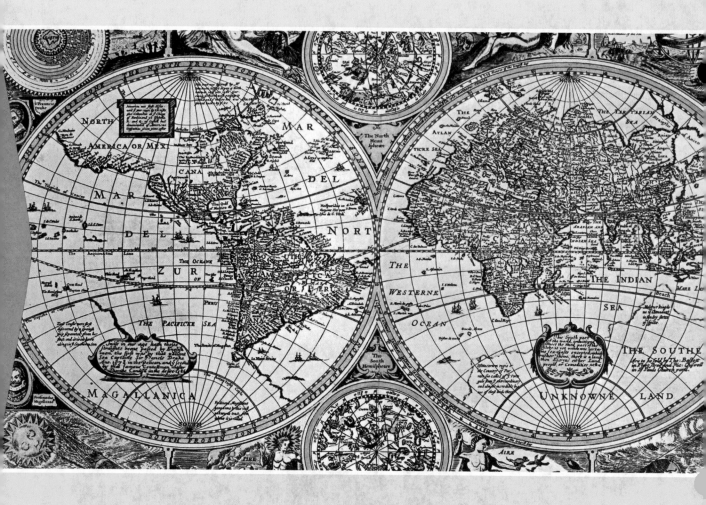

EN UN **COUP D'ŒIL**

Les unités de mesures du temps

En histoire, nous étudions de longues périodes de temps. Pour ce faire, nous utilisons notamment un vocabulaire qui détermine une durée de temps précise : des *mesures déterminées*. Nous utilisons aussi un vocabulaire qui détermine des durées de temps moins précises comme un moment, une génération, une époque, une période ou une ère. Ce sont des *mesures indéterminées*.

1. À l'aide de la banque de mots, remplis le tableau ci-dessous :

60 secondes	
60 minutes	
24 heures	
7 jours	
52 semaines	
10 années	
100 années	
1000 années	

- Une minute
- Une heure
- Une semaine
- Un siècle
- Une année
- Un millénaire
- Une décennie
- Un jour

2. Pour chacun des énoncés suivants, indique quelle unité de mesure du temps est la plus appropriée :

a) De l'an 1 à l'an 1000.　_____

b) Une pause publicitaire à la télévision.　_____

c) De 1341 à 1350.　_____

d) Du dimanche au samedi.　_____

e) De 401 à 500.　_____

f) La durée d'un cours d'histoire au secondaire.　_____

g) Le 25 décembre, c'est Noël.　_____

h) La durée d'une journée d'école.　_____

i) La vie d'une personne.　_____

3. Selon toi, quelle unité de mesure est utilisée le plus fréquemment en histoire ?　_____

4. Relie chaque mot à la bonne définition.

Période marquée par un événement ou un personnage important.

Durée entre la naissance d'un enfant par rapport à celle de ses parents.

Bref intervalle de temps.

Durée plutôt longue qui commence à un point précis et qui se termine à un point précis.

Durée caractérisée par une série d'événements semblables.

- Une génération
- Une période
- Une époque
- Une ère
- Un moment

5. Parmi les énoncés suivants, encercle ceux qui représentent une durée indéterminée.

- La génération de mes grands-parents.
- Je suis né le 3 décembre 1997.
- Il y a eu plusieurs glaciations sur Terre.
- Sous la dictature de Jules César, l'Empire romain contrôle la Gaule.
- En 476, l'Empire romain d'Occident disparaît.
- Platon a vécu de 428 à 348 avant notre ère.

L'ordre chronologique

Nous situons aussi des événements en fonction d'autres événements, selon :

▶ l'*antériorité*, c'est-à-dire lorsqu'un événement se produit *avant* un autre ;

▶ la *postériorité*, c'est-à-dire lorsqu'un événement se produit *après* un autre ;

▶ la *simultanéité*, c'est-à-dire lorsqu'un événement se produit *en même temps* qu'un autre.

En histoire, il est essentiel de placer les événements en ordre chronologique, c'est-à-dire l'ordre dans lequel ils se sont déroulés. Pour ce faire, il faut classer les événements du plus ancien au plus récent.

Savoirs

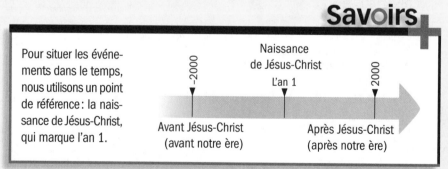

Pour situer les événements dans le temps, nous utilisons un point de référence : la naissance de Jésus-Christ, qui marque l'an 1.

-2000

Naissance de Jésus-Christ
L'an 1

2000

Avant Jésus-Christ (avant notre ère)

Après Jésus-Christ (après notre ère)

1. a) Sur la ligne du temps ci-dessous, place les événements suivants en ordre chronologique. Chaque intervalle équivaut à 200 ans.

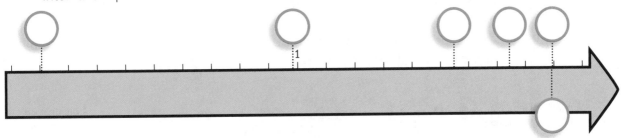

A. Mort de Cléopâtre VII d'Égypte, le 12 août -30.

B. Découverte de l'Amérique par Christophe Colomb, en 1492.

C. Règne du roi Hammourabi de Babylone, de -1792 à -1750.

D. Début de la première croisade vers Jérusalem, en 1095.

E. Exécution de Louis XVI de France, le 21 janvier 1793.

F. Révolution française, de 1789 à 1799.

b) Indique quels événements se sont passés avant notre ère.

_____

_____

_____

2. Parmi les événements cités ci-dessus, donne un exemple :

a) d'antériorité.

_____

_____

_____

b) de postériorité.

_____

_____

_____

c) de simultanéité.

_____

_____

_____

0.1

Cléopâtre VII d'Égypte (–69 à –30)

La ligne du temps

L'histoire et le temps sont intimement liés : représenter le temps permet de situer et de repérer tous les faits historiques. Pour représenter le temps en histoire, nous utilisons la ligne du temps. Il s'agit d'une droite orientée, comme en mathématiques.

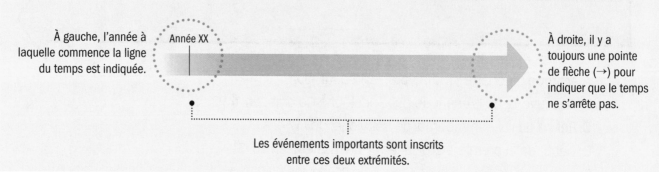

À gauche, l'année à laquelle commence la ligne du temps est indiquée.

Année XX

À droite, il y a toujours une pointe de flèche (→) pour indiquer que le temps ne s'arrête pas.

Les événements importants sont inscrits entre ces deux extrémités.

Interpréter une ligne du temps

1. Sur la ligne du temps ci-dessous, indique l'horaire de la journée du gardien du musée du Louvre, à Paris. Sur chaque ligne au-dessus de la ligne du temps, inscris les heures de la journée. Dans les cercles à l'intérieur de la ligne du temps, inscris la lettre qui correspond à ce que doit faire le gardien à chaque heure de la journée. Certaines réponses sont déjà données.

BAO

Voici son horaire :

De 9 h à 10 h : accueil des visiteurs (**A**)

De 10 h à 11 h : surveiller la salle des antiquités égyptiennes (**B**)

De 10 h 30 à 11 h 30 : donner des explications aux visiteurs (**C**)

De 11 h à 12 h : surveiller la salle des antiquités grecques (**D**)

De 12 h à 13 h : dîner (**E**)

De 13 h à 14 h 30 : surveiller la salle des antiquités romaines (**F**)

De 14 h 30 à 15 h : pause (**G**)

De 15 h à 16 h : surveiller la salle des peintures italiennes (**H**)

a) Complète la ligne du temps.

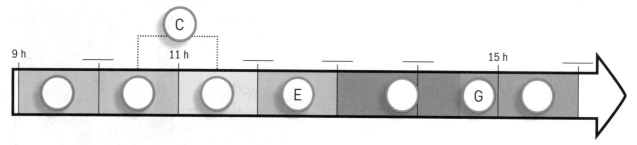

b) En général, combien de temps dure une occupation pour le gardien ? _____

c) Nomme une occupation du gardien qui a eu lieu *avant* de surveiller les antiquités grecques.

_____

_____

d) Nomme une occupation du gardien qui a eu lieu *après* celle des antiquités romaines.

_____

e) Nomme une occupation du gardien qui a eu lieu *en même temps* que deux autres.

_____

0.2
Le musée du Louvre à Paris

2. Observe la ligne du temps suivante.

BAO

0.3

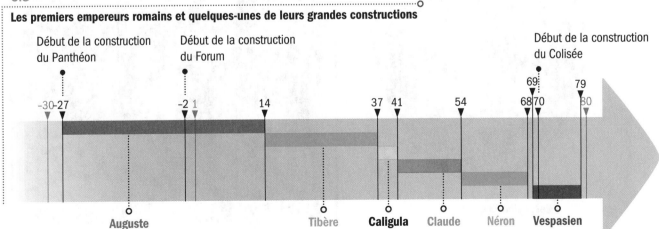

Les premiers empereurs romains et quelques-unes de leurs grandes constructions

a) Nomme un empereur qui a *précédé* le règne de l'empereur Claude.

_____

b) Nomme une construction qui a débuté *après* le règne de l'empereur Tibère.

_____

c) Nomme un empereur qui a régné *après* la construction du Forum.

_____

d) Nomme un empereur qui a régné *en même temps* que la construction du Panthéon.

_____

e) Nomme un empereur qui a régné *avant* l'empereur Auguste.

_____

_____

f) Qui a régné le plus longtemps ?

_____

g) Qui a régné le moins longtemps ?

_____

Savoirs+

Un anachronisme, qu'est-ce que c'est ?

On parle d'anachronisme lorsqu'un fait, un personnage ou un événement se situe à une époque où il n'existait pas.

Peux-tu relever un anachronisme sur cette image ?

0.4
Vespasien (9 - 79)

Construire une ligne du temps

1. a) Réponds aux questions suivantes.

1. Quelle est ton année de naissance ? _____

2. En quelle année as-tu fêté ton 1er anniversaire ? _____

3. À 5 ans, tu as commencé la maternelle. C'était en quelle année ? _____

4. En quelle année as-tu commencé ta 1re année ? _____

5. En quelle année as-tu découvert ton premier groupe de musique préféré ? _____

6. En quelle année as-tu terminé ta 6e année ? _____

7. Cette année, tu as commencé l'école secondaire. En quelle année sommes-nous ? _____

b) Divise la ligne du temps ci-dessous en 15 intervalles (1 partie = 1 cm). Chaque intervalle est égal à une année.

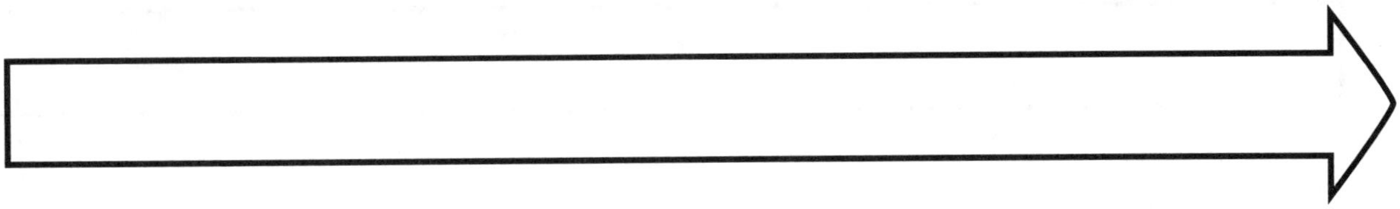

c) Inscris à gauche l'année de ta naissance. Pour les autres intervalles, continue la numérotation, en ajoutant une année à la fois.

d) Situe sur la ligne du temps toutes les réponses que tu as écrites aux numéros 2 à 7 de la question a).

e) Fais un trait qui relie l'année du début de l'école primaire jusqu'à la fin de ta 6e année.

f) Nomme un événement qui s'est déroulé *avant* ton entrée à la maternelle.

_____

g) Nomme un événement qui s'est déroulé *après* la fin de ta 6e année.

_____

h) Nomme un événement qui s'est déroulé *en même temps* que tu fréquentais l'école primaire.

_____

i) Pendant combien de temps as-tu fréquenté l'école primaire ?

_____

2. Voici cinq cathédrales qui ont été cons- truites en France, au Moyen Âge.

Cathédrale	Années de construction
Cathédrale Notre-Dame de Paris	De 1163 à 1345
Cathédrale de Chartres	De 1194 à 1220
Cathédrale de Bourges	De 1195 à 1230
Cathédrale de Reims	De 1211 à 1275
Cathédrale d'Amiens	De 1220 à 1264

La cathédrale Notre-Dame de Paris
Cette cathédrale figure parmi les plus imposantes de France. La Rose Sud, l'un de ses principaux vitraux, fait près de 13 mètres de diamètre.

a) Divise la ligne du temps ci-dessous en 9 intervalles (1 intervalle = 1,5 cm). Chaque intervalle est égal à 25 ans.

b) À gauche de la ligne du temps, inscris l'année 1150. Continue la numérotation en utilisant des intervalles de 25 années.

c) Situe sur la ligne du temps toutes les années de construction des cinq cathédrales. Pour chacune, indique l'année qui marque le début de sa construction et l'année qui en marque la fin. Utilise une couleur différente pour chaque cathédrale. Si les périodes de construction se chevauchent, tu peux les placer l'une sous l'autre.

d) Quelle cathédrale était en construction *pendant* la construction de toutes les autres ? _____

e) Quelles cathédrales ont été construites presque *en même temps* ? _____

f) Quelle cathédrale a vu sa construction commencer *après* toutes les autres ? _____

g) Quelle cathédrale a été achevée la dernière *avant* la cathédrale de Paris ? _____

h) Combien de temps a *duré* la plus courte construction ? Et de quelle cathédrale s'agit-il ? _____

Les grandes périodes historiques

L'histoire s'échelonne sur une très longue période. Elle commence 3300 ans avant notre ère, avec l'invention de l'écriture. Les historiens ont divisé en périodes préhistorique et historique les années qui précèdent et qui suivent l'invention de l'écriture. Aussi, la préhistoire compte deux grandes périodes et l'histoire en compte quatre :

PRÉHISTOIRE -2 500 000 à -3300	Paléolithique	-2 500 000 à -10 000
	Néolithique	-10 000 à -3300
HISTOIRE -3300 à aujourd'hui	Antiquité	-3300 à 476
	Moyen Âge	476 à 1492
	Temps modernes	1492 à 1789
	Époque contemporaine	1789 à aujourd'hui

1. Sur la ligne du temps suivante, inscris les périodes historiques au bon endroit.

BAO

Aujourd'hui

-2 500 000   -10 000   -3300   1   476   1492 1789

2. Indique quelle période historique a été :

a) la plus courte. _____

b) la plus longue. _____

3. Combien d'années a duré l'Antiquité ? _____

Les chiffres romains

Les chiffres romains constituent un système de numérotation utilisé par les Romains il y a 2000 ans. Les Européens l'ont conservé pendant plusieurs siècles, jusqu'à ce que les échanges commerciaux avec des peuples du Moyen-Orient leur fassent découvrir les chiffres arabes. De nos jours, la numérotation romaine ne sert plus que pour le nom des rois, des empereurs ou des papes. La plupart des ouvrages l'utilisent toujours pour numéroter les siècles.

Ainsi, nous écrivons XXe siècle au lieu de 20e siècle ou Louis XVI au lieu de Louis 16.

Savoirs+

Pas de zéro ! Pas de fraction !

Le zéro n'existe pas dans le système de numérotation romain, car les Romains ne le considéraient pas comme un nombre. Il est seulement possible d'écrire des nombres entiers. Il n'y a donc pas de fractions.

Comment fonctionnent les chiffres romains ?

Les chiffres romains sont en fait des lettres ! On compose un nombre en associant sept lettres de l'alphabet latin (le nôtre), selon une méthode bien réglée. Les sept lettres sont : I, V, X, L, C, D, M. Elles représentent, dans l'ordre, les nombres : 1, 5, 10, 50, 100, 500 et 1000.

Pour composer tous les autres nombres, on additionne ou on soustrait « les lettres » à partir d'un noyau. Par exemple, en mettant « 1 » devant « 5 », cela signifie qu'il faut soustraire 1 de 5. Ainsi, le composé « IV » représente le chiffre 4. Lorsqu'on met « 1 » après « 5 », cela signifie qu'il faut additionner 1 et 5. Le composé « VI » signifie 6.

Pour former certains nombres, il faut effectuer les deux opérations : d'abord soustraire, ensuite additionner. Ainsi, le symbole XCV doit se lire à partir de la lettre C. On soustrait le chiffre qui précède, X, et on additionne celui qui suit, V, ce qui donne 100 - 10 + 5 = 95.

Trois des sept lettres (I, X et C) peuvent se répéter jusqu'à trois fois. Par exemple, tu peux écrire III = 3, mais CCCC = 400 est impossible. Seule la lettre « M » peut être répétée à l'infini.

Voici comment écrire les chiffres romains de **1 à 10** :

1	I		6	VI (le I à droite signifie qu'il faut l'ajouter au V)
2	II		7	VII
3	III		8	VIII
4	IV (le I à gauche signifie qu'il faut le retrancher du V)		9	IX
5	V		10	X

1. Remplis les tableaux suivants en inscrivant les chiffres romains qui manquent.

a) De 11 à 19 :

11		14	XIV	17	XVII
12	XII	15		18	
13		16		19	

b) De 20 à 100 :

20	XX	50		80	LXXX
30		60	LX	90	XC
40		70		100	

c) De 200 à 4000 :

200	CC	600		1000	M
300		700		2000	
400	CD	800	DCCC	3000	MMM
500	D	900	CM	4000	MMMM

2. Transforme chacun des exemples suivants en chiffres romains.

a) 39. _____

b) 153. _____

c) 507. _____

d) 2011. _____

e) 3274. _____

f) 16ᵉ siècle. _____

g) 19ᵉ siècle. _____

h) Le roi de France
   Henri 4. _____

i) Ton âge. _____

j) Ton année
   de naissance. _____

3. Encore aujourd'hui, les chiffres romains apparaissent sur des objets utiles, comme des montres et des horloges. Complète le cadran d'horloge suivant en chiffres romains.

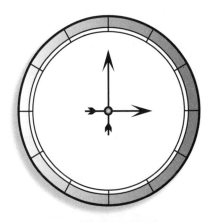

La carte du monde

En histoire, la carte du monde permet de bien comprendre où se sont déroulés les divers événements qui ont façonné l'histoire.

La carte historique

0.6

L'étendue des glaces lors de la dernière glaciation, 12 000 ans avant notre ère

N

Légende

☐ _____

■ _____

0   3000 km

1. Sur la carte ci-dessus :

BAO

a) Situe les sept continents dans les cases rouges. Consulte ton Mini-atlas au besoin.

b) Situe les trois océans dans les cases bleues.

c) Dans la légende, inscris s'il s'agit de glace ou de terre émergée.

d) Quelle période représente cette carte ? _____

e) Où as-tu trouvé cette information ? _____

f) Selon toi, trouve-t-on aujourd'hui sur la Terre autant de glace qu'à cette époque ? Explique ta réponse.

_____

_____

_____

_____

2. Observe les deux cartes ci-dessous pour faire les activités de la page suivante.

0.7

Carte A : Les voies romaines au 2ᵉ siècle

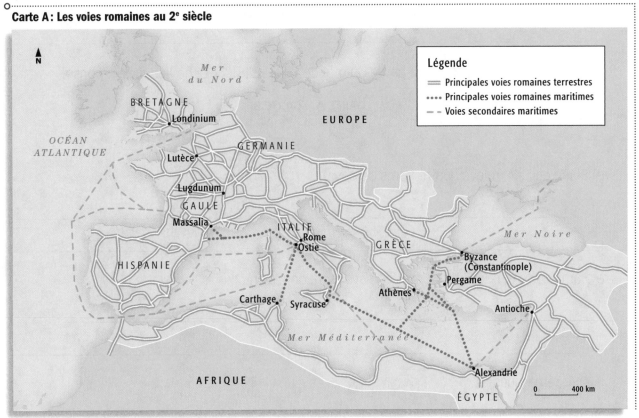

0.8

Carte B : l'Europe

a) Quelle région du monde est représentée sur les deux cartes ? _____

b) Lis le titre de la carte A. Quels renseignements te donne-t-il ?

_____

c) Quelle carte représente cette partie du monde aujourd'hui ? Coche la bonne réponse.

d) Sur la carte A, relève quatre noms de pays.

_____   _____

_____   _____

e) Sur la carte B, relève les noms des pays mentionnés en d).

_____   _____

_____   _____

f) Que remarques-tu ?

_____

_____

3. Parmi les villes suivantes, encercle celles qui n'ont pas le même nom aujourd'hui.

> • Rome • Athènes • Lutèce • Londinium

a) Comment se nomment ces villes aujourd'hui ? _____

b) Qu'ont en commun ces quatre villes aujourd'hui ?

_____

c) Dans la légende de la carte A, on remarque qu'il y a deux types de voies romaines. Quelles sont-elles ?

_____

_____

d) Selon toi, serait-il possible d'illustrer sur la carte B, sans la modifier, les voies de transport d'aujourd'hui ? Explique ta réponse.

_____

_____

_____

_____

4. Sur la rose des vents suivante, inscris les mers et les océans qui se trouvent sur les deux cartes.

Les causes et les conséquences en histoire

Pour tout événement en histoire, il est possible de définir les causes qui l'ont précédé et les conséquences qui l'ont suivi.

Causes et conséquences : leur utilité

▶ La ou les **causes** d'un événement ou d'un fait nous permettent de comprendre pourquoi cet événement a eu lieu.

▶ La ou les **conséquences** d'un événement ou d'un fait nous permettent de comprendre quels sont les impacts de cet événement. Une conséquence peut être négative ou positive.

Cause → Événement/fait → Conséquence

Temps ──────────────────────────────→

Par exemple, dans le cas d'une guerre, le schéma causes-conséquences pourrait ressembler à celui-ci :

CAUSES (AVANT)	ÉVÉNEMENT OU FAIT	CONSÉQUENCES (APRÈS)
L'un des deux pays voulait agrandir son territoire et posséder plus de richesses.	Une guerre entre deux pays.	À cause des combats, beaucoup de gens meurent et des habitations sont détruites.

1. Imagine que le dentiste découvre une carie sur une de tes dents. Donne un exemple de cause et un exemple de conséquence de cet événement.

BAO

CAUSE (AVANT)	ÉVÉNEMENT OU FAIT	CONSÉQUENCE (APRÈS)
_____ _____ _____ _____ _____	Le dentiste découvre une carie sur une de tes dents.	_____ _____ _____ _____ _____

2. Lis le texte ci-contre au sujet du mode de vie des hommes préhistoriques. Ce texte aborde des causes et des conséquences des nombreux et longs déplacements des premiers hommes.

BAO

Surligne en jaune des causes de ces nombreux déplacements et, en bleu, des conséquences de ces déplacements.

La vie des premiers hommes préhistoriques était difficile. En effet, ils devaient constamment se déplacer sur de grandes distances. Il n'était pas facile de trouver des animaux et de les chasser pour se nourrir. Ils devaient aussi trouver des plantes et les cueillir pour s'alimenter. En raison de cette nécessité de se déplacer constamment, les premiers hommes ne pouvaient pas avoir d'habitations fixes. Ils étaient aussi contraints à fabriquer des outils faciles à transporter, mais pas toujours efficaces.

3. Voici un fait historique :

«À l'époque où les Romains dominaient le territoire autour de la mer Méditerranée, ils ont construit beaucoup de routes.»

a) Lis la liste des causes et des conséquences de ce fait historique qui ont été placées pêle-mêle.

b) Ensuite, à côté de chacun des énoncés, écris *cause* ou *conséquence*.

L'armée romaine pouvait circuler efficacement. _____

Le territoire romain était très grand. _____

Le commerce et les marchandises circulaient rapidement. _____

Les routes reliaient toutes les régions du territoire romain. _____

Les Romains devaient avoir une solution de rechange
aux routes maritimes. _____

4. Au Moyen Âge, en plus des nombreuses guerres, la population était aux prises avec des problèmes de récoltes. À l'aide de la banque de réponses, remplis le tableau ci-dessous, selon que les énoncés sont des causes ou des conséquences des problèmes de récoltes au Moyen Âge.

BAO

0.9
Un chevalier du Moyen Âge

- La famine est fréquente.
- Le sol des terres agricoles est pauvre et manque d'engrais.
- Les paysans font de petites récoltes.
- Les instruments agricoles sont en bois et fragiles.

CAUSES (AVANT)	ÉVÉNEMENT	CONSÉQUENCES (APRÈS)
_____ _____ _____ _____ _____	Les problèmes de récoltes au Moyen Âge.	_____ _____ _____ _____ _____

1 La préhistoire

Pendant des millions d'années, nos ancêtres ont vécu en nomades. Cela signifie qu'ils changeaient de territoire à mesure qu'ils avaient épuisé la nourriture qui s'y trouvait. Nos ancêtres étaient des chasseurs-cueilleurs. Pourquoi des êtres humains ont-ils un jour décidé de s'installer de façon permanente à un endroit et d'y fonder un village? Qu'est-ce qui les a poussés à inventer l'élevage et l'agriculture? Quelles ont été les conséquences de ce nouveau mode de vie?

Les premiers villages

Il s'est écoulé des millions d'années depuis les premiers homininés nomades vivant en petits groupes jusqu'aux êtres humains qui ont fondé les premiers villages, dans la région du Croissant fertile, vers 10 000 avant notre ère.

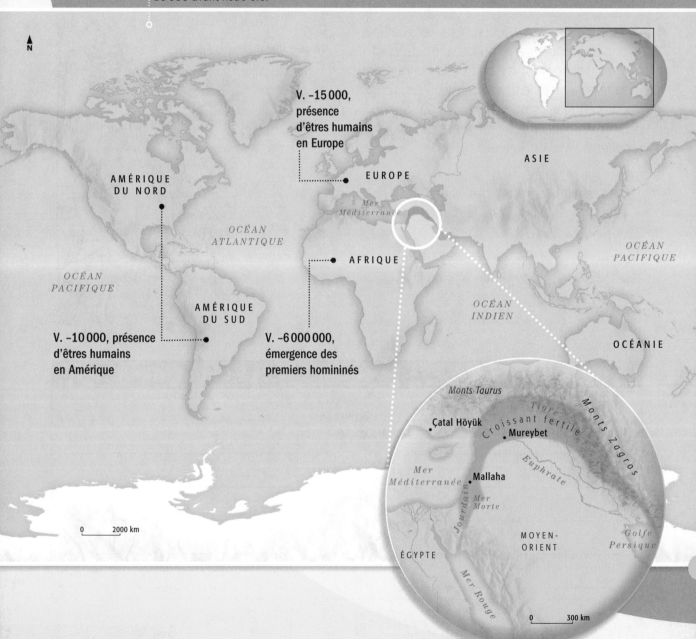

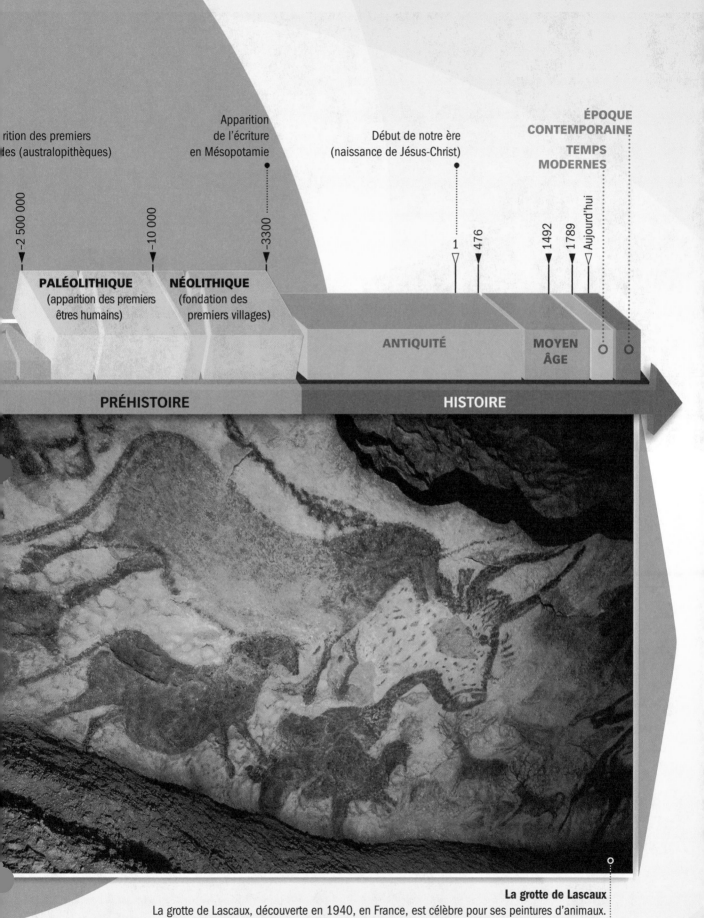

rition des premiers
des (australopithèques)

−2 500 000

Apparition
de l'écriture
en Mésopotamie

−10 000

−3300

Début de notre ère
(naissance de Jésus-Christ)

1

476

ÉPOQUE
CONTEMPORAINE
TEMPS
MODERNES

1492

1789

Aujourd'hui

PALÉOLITHIQUE
(apparition des premiers
êtres humains)

NÉOLITHIQUE
(fondation des
premiers villages)

ANTIQUITÉ

MOYEN
ÂGE

PRÉHISTOIRE

HISTOIRE

La grotte de Lascaux

La grotte de Lascaux, découverte en 1940, en France, est célèbre pour ses peintures d'animaux.
Cette grotte remonte à 15 000 ans avant notre ère. Sur une période de 500 ans, des êtres humains ont peint
sur ses parois rocheuses de nombreux animaux tels que de grands taureaux, des vaches, des chevaux et des cerfs.

1.1 Stonehenge

Stonehenge est un ensemble de monuments préhistoriques datant d'environ 3700 ans avant notre ère. Ce site, découvert en Angleterre, est composé de dolmens et de menhirs. Les dolmens ont la forme de tables gigantesques, et les menhirs sont de hautes pierres allongées. Les experts croient que la disposition en cercle de ces monuments a une signification astronomique et que le site était un lieu sacré. Les pierres ont été transportées sur de longues distances. La plus lourde pèse 40 tonnes.

D'après toi, comment d'aussi grosses pierres ont-elles été transportées jusqu'à ce site ?

EN UN **COUP D'ŒIL**

1. Chaque jour, tu rencontres des gens. La relation qui existe entre toi et ces personnes peut être, par exemple, d'ordre familial, professionnel ou commercial.

Lis les énoncés suivants et associe-les au type de relation approprié.

a) Ta tante t'invite à une fête qu'elle organise en l'honneur de ta cousine.

b) Ton enseignante d'histoire t'explique tes résultats d'examen.

c) Tu achètes des fraises d'un marchand de fruits au marché local.

> Relation professionnelle
>
> Relation commerciale
>
> Relation familiale

2. Parmi les tâches suivantes, souligne celles que tu sais faire.

Coudre un bouton.	Extraire une dent.	Creuser une piscine.
Tondre le gazon.	Faire cuire un œuf.	Administrer un vaccin.

3. a) Imagine que tu es la seule personne sur Terre. Serais-tu capable d'accomplir toutes les tâches mentionnées au numéro 2? Précise ta réponse.

_____

_____

b) Supposons que l'argent n'existe pas. Comment pourrais-tu faire pour obtenir de l'aide?

_____

_____

4. Associe chacune des professions suivantes à la tâche appropriée. Inscris le bon chiffre dans chaque cercle.

◯ Infirmier/infirmière

◯ Cuisinier/cuisinière

◯ Dentiste

◯ Préposé/préposée à l'entretien paysager

> 1. Tondre le gazon.
>
> 2. Extraire une dent.
>
> 3. Garnir un plat.
>
> 4. Administrer un vaccin.

1.2

La spécialisation des tâches

Aujourd'hui, les tâches de beaucoup de travailleurs nécessitent des connaissances et des habiletés particulières.

❶ Les deux âges de pierre

Les premiers êtres humains ont vécu à l'âge de pierre, plus précisément aux périodes de la préhistoire nommées le « paléolithique » et le « néolithique ». Ces deux mots sont formés à partir de racines grecques. Le préfixe *paléo* signifie « ancien » et le préfixe *néo* signifie « nouveau ». Le suffixe *lithique* veut dire « pierre ». Les termes *paléolithique* et *néolithique* désignent donc les deux âges de pierre de la préhistoire : l'ancien et le nouveau.

1.3

Des outils fabriqués par nos premiers ancêtres

Un outil en pierre taillée du paléolithique.

Un outil en pierre polie du néolithique. Le polissage donne à l'outil une surface lisse qui permet le frottement. Des grains ont été broyés sur la surface de cette meule.

La façon de travailler la pierre distingue ces deux âges. Au cours du paléolithique, les outils sont fabriqués en pierre taillée, tandis qu'au néolithique, ils sont fabriqués en pierre polie.

Le paléolithique commence il y a environ 2,5 millions d'années. Cette période correspond aux plus anciennes traces connues d'activités humaines. C'est aussi la période où le corps humain subit les plus grandes transformations.

1.4

La reconstitution d'un village du néolithique

Le néolithique débute vers 10 000 ans avant notre ère et dure environ 6500 ans. Cette période marque une activité intense du cerveau humain. L'être humain invente de nouveaux outils et de nouvelles techniques. Ces inventions sont nécessaires pour qu'il s'adapte à son nouveau mode de vie : la culture de végétaux, la domestication d'animaux et la construction de villages.

1. Sur la ligne du temps ci-dessous :

a) colorie le segment qui représente la période du paléolithique, puis celui qui représente la période du néolithique. Utilise une couleur différente pour chaque segment ;

b) inscris les dates de début et de fin de chaque période ;

c) écris les mots *paléolithique* et *néolithique* sur les segments appropriés.

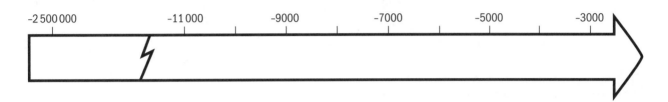

2. Trouve les mots correspondant aux énoncés ci-dessous, puis place-les dans la grille pour découvrir le mot caché.

a) Préfixe signifiant « ancien ».

b) Est fabriqué en pierre taillée au cours du paléolithique.

c) Pierre polie servant à broyer.

d) A subi le plus de transformations durant le paléolithique.

e) Peut être broyé avec une pierre lisse.

f) Qualifie la pierre dont sont faits les outils du néolithique.

MOT CACHÉ : _____

3. Associe chacun des énoncés suivants à la période préhistorique correspondante. Inscris la lettre **P** ou la lettre **N** dans les cercles.

| Paléolithique **(P)** | Néolithique **(N)** |

◯ Période signifiant « nouvel âge de pierre ».

◯ Période durant laquelle les êtres humains construisent les premiers villages.

◯ Période signifiant « ancien âge de pierre ».

◯ Période correspondant aux plus anciennes traces connues de l'activité humaine.

◯ Période durant laquelle l'être humain apprend à élever des animaux.

❷ L'origine de l'espèce humaine

Homo

Mot d'origine latine signifiant « homme » et désignant le genre auquel appartient notre espèce humaine, l'*Homo sapiens*.

Tout porte à croire que l'espèce humaine est originaire d'Afrique. Les traces les plus anciennes de nos ancêtres ont en effet été découvertes dans l'est du continent africain. Elles remontent à l'époque de la formation de la mer Rouge, il y a plus de trois millions d'années.

On a longtemps cru que la première espèce appartenant au genre humain était l'***Homo** habilis*. Cependant, la découverte récente de l'homme du lac Rodolphe (*Homo rudolfensis*) au Kenya, en Afrique, révèle l'existence d'un être humain encore plus ancien.

1.5

Une classification des ancêtres de l'être humain

Au paléolithique, il existait plusieurs espèces humaines appartenant au genre *Homo*. Aujourd'hui, il n'en reste qu'une seule : l'*Homo sapiens*. L'australopithèque n'appartient pas au genre *Homo*. C'est un cousin éloigné.

SUPERFAMILLE .... **HOMINOÏDES**

FAMILLE .... **HOMINIDÉS** **GIBBONS** (singes)

SOUS-FAMILLE .... **HOMININÉS** **PONGIDÉS** (grands singes)

GENRE .... *HOMO* **AUSTRALOPITHÈQUE**

ESPÈCES .... *HOMO RUDOLFENSIS*
HOMO HABILIS
HOMO ERGASTER
HOMO ERECTUS
HOMO HEIDELBERGENSIS
HOMO NEANDERTALENSIS
HOMO SAPIENS

1.6

Un *Homo sapiens* du paléolithique
Certaines espèces humaines qui ont vécu à une même époque se sont affrontées. Par exemple, la disparition de l'*Homo neandertalensis* s'expliquerait en partie par des conflits avec l'*Homo sapiens*.

Une lente dispersion

Il semble que l'*Homo erectus* ait été le premier à sortir de l'Afrique. Beaucoup plus tard, l'*Homo sapiens* aurait lui aussi quitté ce continent pour se rendre en Europe et en Asie. Il y a environ 40 000 ans, il aurait atteint l'Amérique en traversant le détroit de Béring. Les déplacements des premiers êtres humains n'ont pas été rapides. À chaque génération, des groupes de chasseurs s'éloignaient de quelques kilomètres supplémentaires, en quête de nourriture. C'est ainsi qu'après des milliers d'années, l'*Homo sapiens*, la seule espèce humaine à avoir survécu, peuple aujourd'hui la Terre entière.

L'évolution des premiers êtres humains

Pour appartenir au genre *Homo*, il faut posséder certaines caractéristiques, dont la marche sur deux pieds, un cerveau développé et la capacité de saisir des objets avec les mains. L'australopithèque saisit des objets avec ses mains et, même s'il passe beaucoup de temps dans les arbres, marche sur ses deux pieds. Mais son cerveau est plus petit et moins développé que celui des espèces du genre *Homo*.

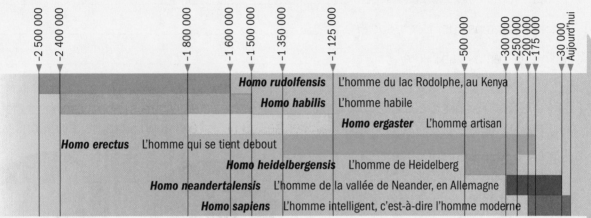

1. Sur quel continent les premiers êtres humains seraient-ils apparus? _____

2. Pourquoi les premiers êtres humains ont-ils quitté ce continent pour aller s'installer ailleurs? Entoure la réponse.

a) Parce que la population était devenue trop nombreuse.

b) Parce que la nourriture était devenue rare.

c) Parce que le climat était trop rude.

3. Quel est le nom de la plus ancienne espèce humaine connue à ce jour?

_____

4. Le mot d'origine latine *Homo* désigne-t-il la famille, la sous-famille ou le genre qui comprend notre espèce humaine?

_____

5. Indique les années pendant lesquelles chacune des espèces humaines suivantes a existé. **BAO** Aide-toi de la ligne du temps ci-dessus.

a) L'*Homo habilis*: _____

b) L'*Homo erectus*: _____

c) L'*Homo neandertalensis*: _____

d) L'*Homo sapiens*: _____

6. Nomme la ou les espèces humaines qui ont vécu :

a) avant l'*Homo rudolfensis*. _____

b) avant l'*Homo ergaster*. _____

c) après l'*Homo heidelbergensis*. _____

d) en même temps que l'*Homo sapiens*. _____

e) en même temps que l'*Homo habilis*. _____

7. Examine les deux crânes ci-dessous. L'un appartient à l'*Homo erectus*, l'autre, à l'*Homo sapiens*. Indique comment les éléments suivants se sont transformés au fil de l'évolution. Entoure tes réponses.

a) L'arcade sourcilière (protubérance du front vis-à-vis des sourcils) :

    Elle a augmenté.   Elle a diminué.

b) Les mâchoires :

    Elles ont augmenté.   Elles ont diminué.

c) La boîte crânienne :

    Elle a augmenté.   Elle a diminué.

d) Le front :

    Il a augmenté.   Il a diminué.

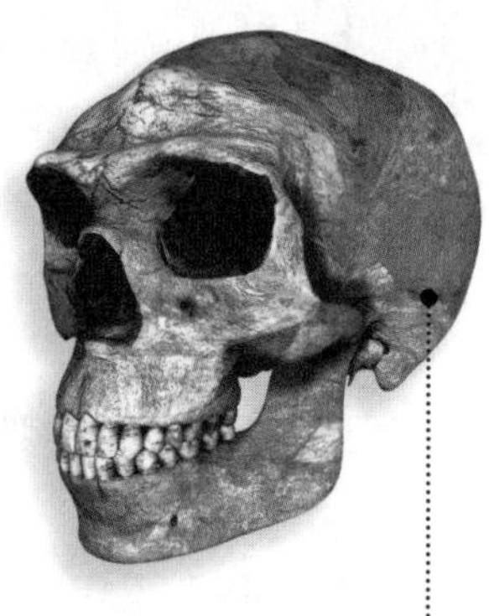

Homo erectus
(–1 350 000 à –175 000)

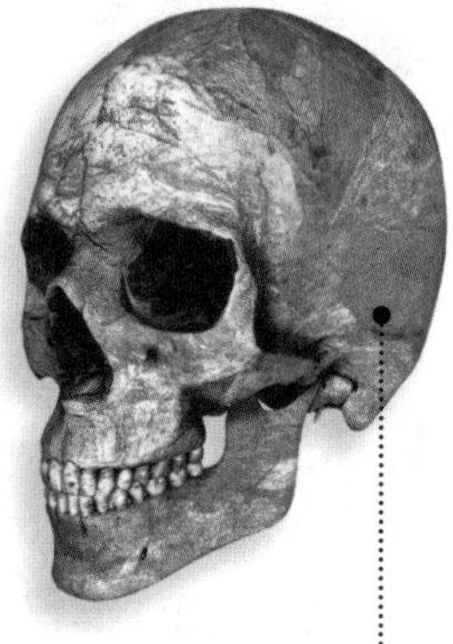

Homo sapiens
(–200 000 à aujourd'hui)

8. Voici Lucy, une australopithèque dont les ossements ont été découverts en 1974. Les australopithèques sont les premiers bipèdes, c'est-à-dire les premiers à marcher sur deux pieds. Peut-on les considérer comme les ancêtres des êtres humains ? Explique ta réponse.

_____

_____

_____

_____

_____

_____

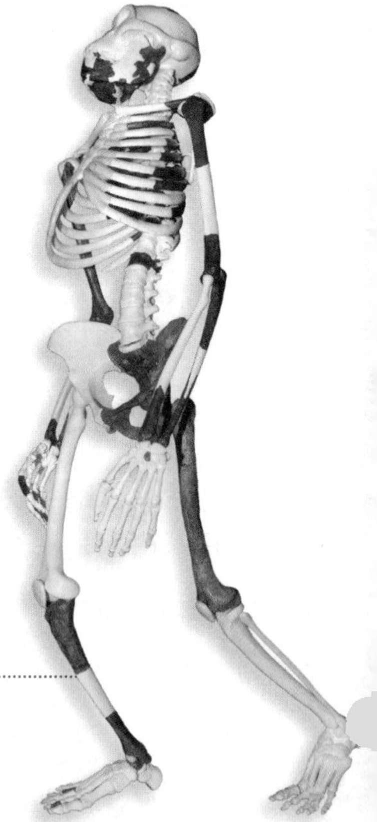

1.8

Lucy

Découverte en Éthiopie, la célèbre australopithèque a vécu il y a environ trois millions d'années. Le nom qui lui a été donné est inspiré du titre d'une chanson des Beatles, groupe anglais de musique pop des années 1960.

Les premières traces de la sous-famille des homininés : sites des principales découvertes fossiles

Les recherches des archéologues montrent que les premiers êtres humains et l'australopithèque sont apparus dans l'est de l'Afrique. Les espèces qui ont quitté ce continent ont dû passer par le Moyen-Orient. Certaines sont allées vers l'Asie, d'autres vers l'Europe.

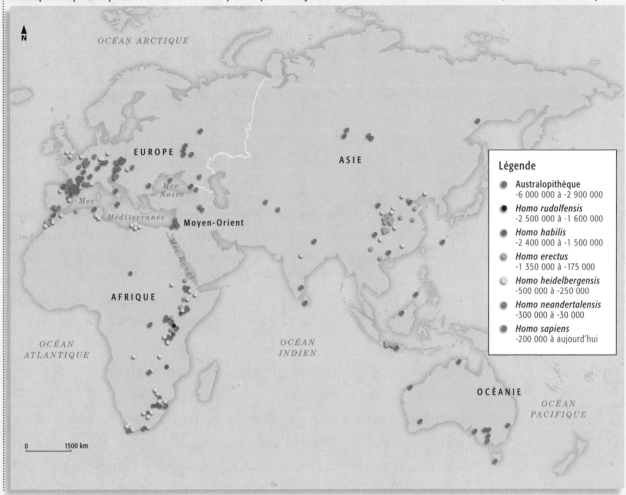

Légende

- Australopithèque
  -6 000 000 à -2 900 000
- *Homo rudolfensis*
  -2 500 000 à -1 600 000
- *Homo habilis*
  -2 400 000 à -1 500 000
- *Homo erectus*
  -1 350 000 à -175 000
- *Homo heidelbergensis*
  -500 000 à -250 000
- *Homo neandertalensis*
  -300 000 à -30 000
- *Homo sapiens*
  -200 000 à aujourd'hui

1. Nomme le ou les continents où l'*Homo erectus* a habité.

_____

2. Nomme le ou les continents où l'*Homo neandertalensis* a habité.

_____

3. a) Quelle espèce humaine a habité le territoire le plus étendu ?

_____

b) Nomme les continents que cette espèce a peuplés.

_____

❸ Le mode de vie des nomades

Toutes les espèces humaines du paléolithique sont nomades. Cela signifie qu'elles demeurent dans un lieu aussi longtemps qu'elles y trouvent assez de nourriture pour satisfaire leurs besoins. Elles peuvent rester une journée ou plusieurs mois au même endroit. Dès qu'il n'y a plus assez de fruits, de noix, de racines ou de gibier, elles changent de place. Certaines espèces suivent les migrations d'animaux. La plupart vivent en petits groupes de quelques dizaines d'individus seulement. Les déplacements sont ainsi plus faciles.

Les nomades vivent sous tous les climats. Leur alimentation varie selon les régions et les saisons. Puisqu'ils ont besoin d'eau pour survivre, ils s'installent près d'une rivière ou d'un fleuve. Durant les glaciations, la végétation devient rare dans les régions couvertes de glace et de neige. Le même phénomène se produit dans les régions plus chaudes, où il n'y a pas de neige. En effet, comme une grande quantité d'eau est emprisonnée sous forme de glace, les pluies diminuent et les végétaux se raréfient. Les nomades doivent alors manger plus de viande. Comme la nourriture est peu abondante et peu variée, ces groupes ont une brève espérance de vie.

L'invention de nouveaux outils pour pêcher le poisson et attraper des oiseaux leur permet de diversifier davantage leur alimentation.

L'espèce humaine doit sa survie à sa capacité de :

- construire des abris pour se protéger de ses **prédateurs** ;
- confectionner des vêtements pour se garder au chaud ;
- fabriquer des armes pour se défendre ou pour chasser.

Elle doit également sa survie à des habitudes sociales, comme le partage de la nourriture et la prise en charge des personnes malades par des membres du groupe.

Prédateur

Être humain ou animal qui se nourrit des proies qu'il chasse.

1.10

Une reconstitution du mode de vie nomade

Les nomades se séparent les tâches liées à la survie. La nourriture trouvée est partagée entre tous les membres du groupe.

1. Toutes les espèces humaines du paléolithique sont nomades. Explique ce que signifie « être nomade ».

_____

_____

2. Le mode de vie des nomades est soumis à des contraintes importantes. Associe les énoncés ci-dessous à l'une ou l'autre des contraintes suivantes.

| La rareté et la faible diversité de la nourriture | La menace des prédateurs | Les rigueurs de l'hiver |

a) De jour en jour, les fruits, les plantes et les animaux nécessaires à l'alimentation sont plus difficiles à trouver.

_____

b) Les nomades doivent constamment se protéger contre les attaques des bêtes sauvages.

_____

c) Les plantes gèlent, les membres du groupe doivent fabriquer des vêtements chauds et des abris qui les protègent du froid, du vent et de la neige.

_____

3. Indique si les énoncés suivants sont vrais ou faux. Reformule les énoncés erronés.

VRAI ○ FAUX ○ a) Certaines espèces humaines nomades se déplacent selon les migrations d'animaux.

_____

_____

VRAI ○ FAUX ○ b) La plupart des groupes nomades comprennent des centaines d'individus.

_____

_____

VRAI ○ FAUX ○ c) L'invention de nouvelles armes de chasse et de pêche permet aux nomades de varier leur alimentation.

_____

_____

VRAI ○ FAUX ○ d) L'espèce humaine se fabrique des armes uniquement pour se nourrir.

_____

_____

❹ La sédentarisation

La Terre a connu, au fil des millénaires, plusieurs cycles de glaciation et de réchauffement.

Les conditions climatiques qui se sont créées à la fin de la dernière période glaciaire, il y a environ 12 000 ans avant notre ère, ont été propices à la **sédentarisation** des populations humaines, c'est-à-dire à leur installation de façon permanente au même endroit.

Sédentarisation
Établissement d'un groupe de personnes de façon permanente dans un lieu.

Les glaciations

Les premiers êtres humains ont dû affronter des périodes de glaciation. Lorsque la température moyenne de la planète diminue de quelques degrés, des glaciers continentaux se forment. Ces glaciers emmagasinent une grande portion de l'eau terrestre, soit 1/30 du volume des océans. La quantité d'eau emmagasinée est tellement importante que le niveau de la mer diminue d'environ 120 mètres. Là où la mer est peu profonde, des bandes de terre émergent.

1.11

Trois degrés à peine...
Au moment d'une glaciation, la température moyenne baisse d'environ trois degrés seulement, mais cela suffit pour que de vastes régions se recouvrent de glace et que la quantité de nourriture disponible diminue.

C'est ainsi qu'apparaît un pont terrestre entre la Sibérie (en Asie) et l'Alaska (en Amérique du Nord) : on le nomme la « Béringie ». C'est par ce passage, aujourd'hui devenu le détroit de Béring, que l'espèce humaine a atteint l'Amérique.

Depuis environ deux millions d'années, il y a eu plusieurs glaciations. Chaque période glaciaire est suivie d'une période de réchauffement. Lors de la dernière glaciation, une glace très épaisse a recouvert le Canada et une partie des États-Unis, ainsi que presque tout le nord de l'Europe et de l'Asie. Cette glace, d'une épaisseur pouvant atteindre trois kilomètres, était si lourde que la croûte terrestre s'est enfoncée d'un kilomètre.

L'étendue des glaces lors de la dernière glaciation, 12 000 ans avant notre ère

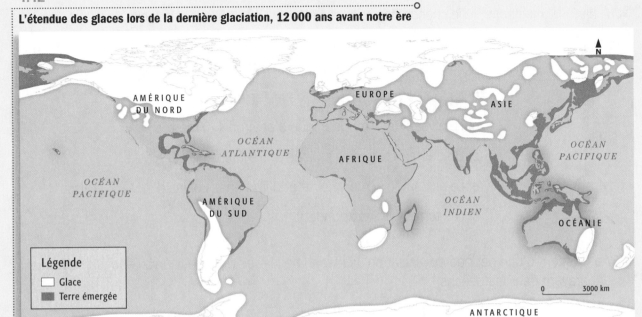

Les glaciations sont dues à divers facteurs, mais le déclencheur est toujours un changement dans la **révolution** de la Terre autour du Soleil. Sur une période de 100 000 ans, la trajectoire de la Terre change de forme : elle passe d'un cercle presque parfait à un cercle plutôt aplati. Ce changement fait varier la quantité d'énergie solaire que reçoit la planète et, du même coup, sa température moyenne.

La fin de la dernière glaciation

Lorsque la température moyenne de la Terre recommence à s'élever, les glaciers fondent. Comme la pression de la glace sur la croûte terrestre diminue, celle-ci remonte. Il faudra pourtant quelques milliers d'années avant que les continents retrouvent leur niveau original. Cela est dû au fait que toute l'eau libérée des glaciers ne retourne pas immédiatement vers les océans : une partie reste piégée à l'intérieur des terres. D'immenses plans d'eau apparaissent alors et se transforment à mesure que les continents se redressent.

Après la dernière glaciation, les animaux acclimatés au froid remontent vers le nord, tandis que de nouvelles espèces les remplacent : mouton, chèvre, bœuf, cochon. Les cours d'eau se remplissent de poissons. De nouveaux végétaux se répandent, en particulier les céréales (orge, blé) et les légumineuses (lentilles, pois).

Certaines régions deviennent très fertiles. Au Moyen-Orient, par exemple, les céréales et les légumineuses sont si abondantes que les chasseurs-cueilleurs peuvent en faire des provisions. N'étant désormais plus obligés de se déplacer constamment pour se nourrir, ils commencent à s'installer en permanence au même endroit : c'est le début de la sédentarisation.

Révolution

Mouvement d'une planète autour de son étoile. Une révolution complète de la Terre autour du Soleil dure une année (365 jours).

1. À l'aide d'une flèche, relie chacun des énoncés suivants à la période à laquelle il se rapporte.

Réchauffement du climat

Glaciation

a) La température moyenne de la planète diminue de quelques degrés.

b) La température moyenne de la Terre s'élève.

c) Le niveau de la mer diminue d'environ 120 mètres.

d) Un passage terrestre se crée entre la Sibérie et l'Alaska.

e) Le niveau de la mer monte et d'immenses plans d'eau apparaissent.

f) Les terres fertiles abondent.

2. Au moment d'une période de glaciation, le niveau de la mer diminue. Où va l'eau qui se trouvait auparavant dans les océans ?

_____

_____

_____

3. Un pont terrestre entre la Sibérie, en Asie, et l'Alaska, en Amérique du Nord, a permis à l'espèce humaine d'atteindre l'Amérique. Comment nomme-t-on ce pont ?

_____

4. Sur une période de 100 000 ans, la trajectoire terrestre varie : elle passe d'une forme plutôt ronde à une forme plus aplatie. Observe l'illustration ci-dessous. Selon toi, pourquoi la forme de la trajectoire de la Terre fait-elle varier la température de la planète ?

_____

_____

_____

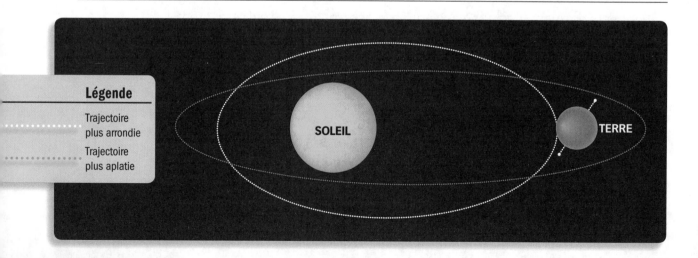

Légende

Trajectoire plus arrondie

Trajectoire plus aplatie

SOLEIL

TERRE

5. Depuis environ deux millions d'années, il y a eu plusieurs glaciations, entrecoupées de périodes de réchauffement. À quand remonte la fin de la dernière glaciation ? Trace un « X » dans le cercle approprié.

⭕ À 100 000 ans avant notre ère.　　　⭕ À 50 000 ans avant notre ère.

⭕ À 12 000 ans avant notre ère.　　　⭕ À environ 100 ans.

6. a) Décris ce que chacune des illustrations suivantes représente.

b) Entoure les illustrations qui montrent des changements survenus **après** la dernière glaciation.

1. _____

2. _____

3. _____

4. _____

7. Au cours du néolithique, les chasseurs-cueilleurs commencent à se sédentariser dans une région très fertile. Quelle est cette région ? Trace un « X » dans le cercle approprié.

⭕ a) Le Moyen-Orient.　　　⭕ b) L'Afrique.　　　⭕ c) L'Amérique du Nord.

Le Croissant fertile

On nomme « Croissant fertile » une région du Moyen-Orient très fertile à la fin de la dernière glaciation et dont la forme ressemble à un croissant. Cette région est une bande étroite qui longe les **contreforts** des monts Zagros, à l'est, et des monts Taurus, au nord, et qui descend vers le sud en suivant la faille de la mer Morte.

Contrefort
Chaîne de montagnes qui borde une chaîne principale et qui est moins élevée que celle-ci.

La région du Croissant fertile

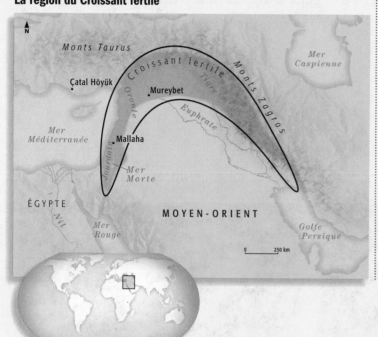

Les plateaux de cette zone sont propices à l'apparition de l'agriculture. Leur situation géographique et les précipitations annuelles, qui dépassent 300 millimètres de pluie, permettent l'**irrigation** naturelle du sol.

C'est là, dans cette zone fertile, que sont apparus les premiers groupes humains sédentaires et les premiers villages.

Irrigation

Arrosement artificiel des terres à des fins agricoles.

1. Sur la carte ci-contre :

a) colorie en vert la région du Croissant fertile.

b) situe les monts Zagros et les monts Taurus.

c) situe la mer Méditerranée, la mer Rouge, le golfe Persique et la mer Caspienne.

d) sur les filets prévus à cet effet, écris le nom des trois villages situés aux endroits marqués d'un point :

BAO

1.14

Le Croissant fertile

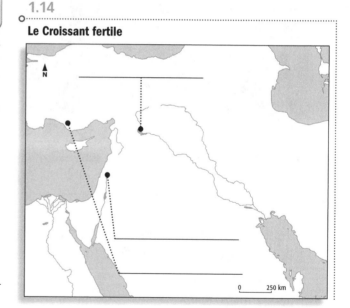

2. Qu'est-ce qu'un contrefort ?

_____

_____

_____

3. Pourquoi la région appelée « Croissant fertile » est-elle propice à l'apparition de l'agriculture à la fin de la dernière glaciation ?

_____

_____

L'origine de l'agriculture

Environ 14 000 ans avant notre ère, des groupes humains ont commencé à se construire des abris permanents dans la région du Croissant fertile. Mais ils demeurent des chasseurs-cueilleurs. S'ils abandonnent le **nomadisme**, c'est parce qu'ils récoltent assez de fruits, de noix, de céréales et de légumineuses au même endroit pour garantir leur sécurité alimentaire pendant toute l'année. Il en va de même pour leur approvisionnement en viande : le gibier est facile à chasser et abondant. De plus, les techniques pour pêcher le poisson et capturer les oiseaux sont efficaces. C'est dans cet environnement où la nourriture est abondante et variée qu'apparaissent les premiers villages.

Les plus anciens villages connus remontent à 12 000 ans avant notre ère. Mallaha en est un exemple. Construit près du fleuve Jourdain, en Israël actuel, ce petit village est situé dans un milieu qui offre, en toutes saisons, des conditions favorables à une installation permanente.

Vers 10 000 avant notre ère, des villageois commencent à cultiver la terre. C'est le début de l'agriculture. Les premiers cultivateurs apprennent à domestiquer divers végétaux. Ils les cultivent pour se nourrir (céréales, légumineuses), se soigner (ail, lin), se vêtir (lin, chanvre) ou encore pour fabriquer des teintures (garance, millepertuis). La **domestication** des plantes sauvages précède de peu celle des animaux.

Nomadisme
Mode de vie des nomades. Ils vivent de la chasse et de la cueillette et n'ont pas d'habitation fixe.

Domestication
Contrôle de la croissance et de la reproduction d'un animal ou d'une plante.

1.15

L'ancêtre du blé
Le blé a été domestiqué dans la région du Croissant fertile. Il provient d'une céréale sauvage appelée « engrain ».

Un épi de blé sauvage.

Un épi de blé cultivé (domestique).

1. Complète les définitions des mots *nomade* et *sédentaire* à l'aide des mots ci-dessous.

> • ressources • survie • fréquemment • endroit • permanence • besoins

a) Nomade : être humain qui se déplace _____ sur un grand

territoire, selon les _____ du groupe auquel il appartient et

les _____ disponibles.

b) Sédentaire : être humain qui habite en _____ au même

_____ et qui en tire la nourriture et les objets nécessaires à

la _____ du groupe auquel il appartient.

2. Indique si les énoncés suivants sont vrais ou faux. Reformule les énoncés erronés.

VRAI FAUX

a) Environ 14 000 ans avant notre ère, des êtres humains se construisent des habitations permanentes tout en demeurant des chasseurs-cueilleurs.

_____

_____

VRAI FAUX

b) Dans la région du Croissant fertile, les chasseurs-cueilleurs n'abandonnent pas le nomadisme, car les sources de nourriture ne suffisent pas à assurer leur alimentation pendant de longues périodes.

_____

_____

VRAI FAUX

c) Si des groupes humains sont devenus sédentaires, c'est parce que leur environnement leur procurait à longueur d'année toute la nourriture dont ils avaient besoin.

_____

_____

VRAI FAUX

d) Les plus anciens villages connus ont été fondés il y a 12 000 ans.

_____

_____

VRAI FAUX

e) Les premiers villageois apprennent à domestiquer les végétaux pour nourrir leurs animaux domestiques.

_____

_____

3. Dans le tableau ci-dessous, classe les plantes suivantes selon leur usage.

Chanvre   Céréales   Ail   Lin

Millepertuis   Garance   Légumineuses

PLANTES POUR SE NOURRIR	PLANTES POUR SE VÊTIR	PLANTES POUR SE SOIGNER	PLANTES POUR TEINDRE
_____	_____	_____	_____
_____	_____	_____	_____

La domestication des animaux

Les êtres humains ont d'abord domestiqué de petits animaux faciles à capturer, en particulier ceux qui fréquentaient les mêmes points d'eau et mangeaient les mêmes plantes. À l'origine, on domestiquait les animaux pour se nourrir.

Le chien a été domestiqué vers 10 500 avant notre ère. Comme il avait l'habitude de s'approcher des campements et des villages, attiré par les carcasses abandonnées, les chasseurs-cueilleurs l'ont apprivoisé. Il servira plus tard à garder les troupeaux.

Vers 10 000 avant notre ère, l'être humain commence à mettre des bêtes dans des enclos. Il peut ainsi s'assurer une source permanente de viande, sans avoir à se soucier des sécheresses et des migrations d'animaux. Dans la région du Croissant fertile, on domestique le mouton et la chèvre, deux espèces dociles, en contrôlant les déplacements des troupeaux sauvages.

Domestiquer un animal oblige à en prendre soin. Les premières espèces domestiquées sont herbivores, donc faciles à nourrir. Le bœuf, comme le mouton et la chèvre, est domestiqué entre 8500 et 8000 avant notre ère. Sa domestication est suivie un peu plus tard par celle du cochon.

Chaque espèce animale domestiquée contribue à la survie de l'être humain en lui fournissant de quoi se nourrir et se vêtir.

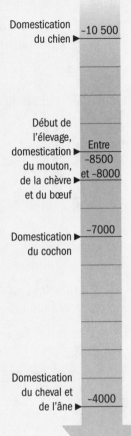

Domestication du chien ► -10 500

Début de l'élevage, domestication ► du mouton, de la chèvre ► et du bœuf — Entre -8500 et -8000

Domestication ► du cochon — -7000

Domestication du cheval et de l'âne ► — -4000

---

1. Pourquoi l'être humain commence-t-il à garder des bêtes dans des enclos ?

_____

_____

_____

2. Trouve les mots correspondant aux énoncés ci-dessous, puis place-les dans la grille pour découvrir le mot caché.

a) Animal domestiqué dans la région du Croissant fertile.

b) Animal domestiqué vers 4000 avant notre ère.

c) On domestique les animaux pour la manger.

d) Animal domestiqué vers 8500 avant notre ère.

e) Animal domestiqué vers 7000 avant notre ère.

MOT CACHÉ : _____

La poterie

La poterie joue également un rôle dans la survie des villageois. Par exemple, il devient possible, grâce aux récipients en argile, de mettre les céréales et les légumineuses à l'abri des animaux, de la pluie et du vent. La conservation des aliments est donc facilitée. De plus, ces récipients permettent de transporter l'eau du fleuve vers les maisons, ainsi que le lait tiré des chèvres et des vaches.

Pour durcir les objets en argile, on les fait chauffer sur des feux de foyer en plein air, d'où leur nom d'objets en « terre cuite ». Le modelage de figurines en terre cuite remonte à environ 10 000 ans avant notre ère, tandis que la fabrication d'ustensiles en terre cuite, tels des récipients, est apparue environ 2 500 ans plus tard.

1. La poterie a contribué à la survie des premiers villageois. Indique deux usages des récipients en argile à l'époque du néolithique.

_____

_____

_____

_____

_____

_____

2. a) Nomme deux objets fabriqués en argile au néolithique.

_____

_____

_____

b) Comment fait-on durcir les objets en argile ?

_____

_____

_____

1.16
Un vase en terre cuite datant du néolithique

❺ Les premiers villages

Les villages abandonnés depuis des millénaires sont enterrés sous une couche de terre plus ou moins épaisse. Il arrive que des gens trouvent par hasard, à proximité de ces villages ensevelis, des objets qui sont remontés à la surface du sol. Les archéologues commencent alors à fouiller l'endroit. Diverses techniques scientifiques leur permettent de déterminer l'âge des communautés qui ont vécu dans ces villages.

C'est ainsi qu'on a découvert les traces des plus anciens villages connus, établis dans le Croissant fertile. Parmi ceux-ci, on trouve Mallaha, Mureybet et Çatal Höyük.

Fosse

Trou creusé par l'être humain dans le sol.

Sépulture

Lieu où le corps d'une personne décédée est déposé.

1.17

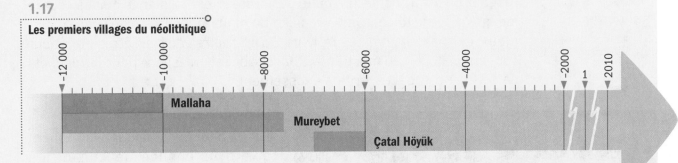

Les premiers villages du néolithique

Mallaha

Mureybet

Çatal Höyük

Mallaha (de 12 000 à 10 000 avant notre ère)

Mallaha, situé dans la vallée du Jourdain, en Israël, est un des lieux où l'on observe les premiers signes de sédentarisation. On y trouve des **fosses** pour entreposer la nourriture, des **sépultures** à proximité des habitations et des ustensiles de cuisine trop lourds pour être transportés. Sa superficie totale et sa population nous sont encore inconnues, car on n'a jusqu'à maintenant fouillé qu'une partie de ce site préhistorique.

Les ossements trouvés sur place nous fournissent des indices sur l'environnement du village. Par exemple, les restes d'oiseaux marins indiquent la proximité de marécages, tandis que certains ossements d'animaux révèlent la présence de forêts denses aux alentours.

Il n'y a pas vraiment d'agriculture à Mallaha. Le seul animal domestiqué est le chien. L'alimentation repose donc sur la cueillette et la chasse. Les habitants cueillent du blé et de l'orge sauvages, ainsi que des amandes et des pistaches. La récolte saisonnière est si abondante qu'on parvient à faire des réserves pour plusieurs mois. Le gibier est très

1.18

Une reconstitution du village néolithique de Mallaha

diversifié : gazelle, daim, cerf, sanglier, chèvre, renard, tortue et lézard. De plus, on pêche des mollusques et des poissons, et on chasse des oiseaux, par exemple le canard.

Les premières maisons permanentes

Les habitations de Mallaha présentent trois nouveautés : des morceaux de pierre à la base des murs, une charpente en bois et une structure faite de rondins taillés en forme de poteau.

À moitié creusées dans le sol, les maisons sont circulaires ou semi-circulaires. La base des murs est protégée par un muret de pierres, soutenu par des poteaux de bois. On croit que le haut des murs était composé de roseaux ou de branches. La taille des poteaux et la distance qui les sépare indiquent que le toit pouvait être fait d'un matériau lourd ou de peaux d'animaux. Les habitations mesurent de 2,5 à 8 mètres de diamètre. L'intérieur contient un foyer, un **mortier** fixé dans le sol et un espace pour les déchets de cuisine (carapaces, arêtes et ossements).

La production à Mallaha

Les habitants de Mallaha fabriquent divers ustensiles de cuisine en **basalte** : pilons, meules, broyeurs et récipients. Sur le site archéologique, on a également trouvé des fragments d'outils faits d'os : aiguilles, spatules, poinçons et hameçons. On a même découvert un morceau de corne sculpté.

Une nouvelle technique fait son apparition : la production de lames en **silex** dentelées qu'on insère dans des manches en bois. On obtient ainsi des outils plus efficaces, comme les faucilles, qui servent à la récolte.

Les villageois fabriquent également des objets décoratifs, comme des figurines en calcaire.

1.19

Une sépulture trouvée dans le village de Mallaha
Ce collier a été découvert sous le crâne d'un nouveau-né.

La hiérarchie sociale à Mallaha

Selon les chercheurs, la présence de bijoux dans les sépultures indique qu'il y a une **hiérarchie sociale** au sein d'une population. En effet, les bijoux sont un signe de richesse qui révèle l'existence de personnes puissantes ou privilégiées. Les chercheurs ont retracé l'emplacement de plus d'une centaine de corps à Mallaha, mais n'ont trouvé que très peu de bijoux. Les morts étaient enterrés seuls, par deux, ou par groupe de trois ou plus. On ignore si ces diverses façons de mettre les corps en terre sont des signes de hiérarchie.

Aujourd'hui

Dans certains pays, il y a des gens qui habitent encore dans des grottes. Jusque tout récemment, en Turquie, dans la région de la Cappadoce, des gens habitaient dans ce qu'on appelle les «cheminées de fées». Il s'agit de colonnes faites de **tuf** et de basalte, des roches volcaniques. La pluie et le vent ont érodé ces roches et formé des colonnes. Ces colonnes, qui se terminent en pointe, semblent porter un chapeau. La roche de basalte qui coiffe les colonnes finit par tomber. La matière à l'intérieur de ces colonnes est facile à creuser.

1.20

Des cheminées de fées... encore habitées il n'y a pas si longtemps

Tuf
Roche composée de matières projetées par les volcans et solidifiées par l'eau de pluie. Elle peut facilement être réduite en poudre.

---

1. Indique les dates approximatives de début et de fin des trois villages suivants. Aide-toi de la ligne du temps *Les premiers villages du néolithique,* à la page 43.

BAO

a) Mallaha : de _____ à _____.

b) Mureybet : de _____ à _____.

c) Çatal Höyük : de _____ à _____.

2. Dans quel pays actuel se trouvent les ruines de Mallaha ? _____

3. Sur quoi l'alimentation des habitants de Mallaha repose-t-elle ?

_____

4. Quel animal les habitants de Mallaha ont-ils domestiqué ? _____

5. Quelle forme ont les habitations du village de Mallaha ?

_____

6. Les habitants de Mallaha ont amélioré l'efficacité de leurs outils grâce à l'invention d'une nouvelle technique. De quelle technique s'agit-il ?

_____

_____

7. Qu'avaient en commun les tombes découvertes à Mallaha ?

_____

Mureybet (de 12 000 à 7600 avant notre ère)

Mureybet est un site préhistorique situé sur la rive gauche du fleuve Euphrate, en Syrie. En 1974, la mise en service d'un barrage l'a noyé sous les eaux du lac Assad. Les scientifiques avaient cependant eu le temps d'examiner ce lieu. Ils y ont découvert plusieurs **innovations** importantes : des maisons rectangulaires reposant sur des fondations, le début de l'agriculture et de l'élevage, ainsi que de nouvelles façons de tailler la pierre.

Mureybet couvrait environ 2 hectares, soit 0,02 kilomètre carré. Au fil des siècles, les villageois ont construit des habitations sur les ruines d'anciennes maisons. Ils ont fini par former une colline haute de 12 mètres.

Les habitations

Au début, les habitations de Mureybet ressemblent à celles de Mallaha : elles sont rondes et en partie creusées dans le sol. Des murets divisent l'espace intérieur. La plus grande pièce contient un foyer. Le toit est plat et composé d'une structure de bois recouverte d'argile.

Innovation

Chose nouvelle, nouveauté.

Vide sanitaire

Espace vide entre le sol et le plancher permettant d'isoler la maison contre le froid et l'humidité.

Par la suite, les maisons sont bâties directement au niveau du sol. Les divisions intérieures sont plus marquées et des banquettes sont construites le long des murs.

Plus tard, une grande transformation se produit : on commence à construire des maisons rectangulaires. Cette architecture révolutionnaire facilite la division de l'espace intérieur et permet d'agrandir les habitations, au besoin. Une autre nouveauté fait son apparition : des maisons sont bâties sur des fondations. Les pièces habitables sont donc surélevées par rapport au sol. L'espace entre le plancher et le sol aurait servi de **vide sanitaire** et à l'entreposage de la nourriture.

Les débuts de l'agriculture

Mureybet est l'un des nombreux sites où l'on trouve les plus anciennes traces d'activités agricoles. Les premières cultures sont le blé, l'orge, les pois et les lentilles. La chasse est toujours présente. Elle s'oriente surtout vers le gros gibier : gazelles, moutons et bœufs. L'élevage des chèvres et des moutons débute.

1.21

Les vestiges d'une maison rectangulaire de Mureybet

La production à Mureybet

Les villageois fabriquent des outils de plus en plus gros, ainsi que des armes. À ces fins, ils utilisent de nouveaux matériaux, qui viennent de plus en plus loin, notamment de régions où l'on pratique l'extraction minière. L'usage de la pierre polie se développe. La technique du polissage permet une utilisation plus efficace de la pierre. Le nombre d'instruments destinés à la mouture augmente. De nouvelles techniques pour tailler la pierre apparaissent.

Le basalte, le grès et le calcaire servent à fabriquer les ustensiles de cuisine. Une nouvelle utilisation de l'argile est découverte : on en faisait déjà des figurines, désormais on l'emploie aussi pour façonner de petits récipients. La production de bijoux (bracelets et anneaux de pierre polie) et de figurines se poursuit.

La hiérarchie sociale à Mureybet

À Mureybet, les habitants enterrent leurs morts entre les maisons ou dans des maisons abandonnées. La sépulture individuelle est la plus répandue. Dans certaines fosses, on a trouvé des perles et des vases. Les personnes ainsi **inhumées** avaient probablement une position sociale élevée.

En même temps qu'une certaine hiérarchie semble émerger, la vie collective se développe. En général, le village comprend quelques bâtiments plus grands que les habitations. Ces constructions servaient probablement d'espace communautaire. Entre les maisons, de grandes fosses-foyers permettent la préparation collective des viandes.

1.22
Une figurine trouvée à Mureybet

Inhumer
Mettre en terre le corps d'un mort.

1.23
Les vestiges d'un bâtiment communautaire
Sur le site archéologique de Mureybet, en Syrie, les archéologues ont mis au jour, au centre du village, un grand bâtiment de forme circulaire. Ce bâtiment avait sans doute plusieurs fonctions (rassemblements des villageois, cérémonies rituelles, stockage des denrées, etc.).

1. Dans quel pays actuel se trouve le site archéologique de Mureybet ? _____

2. Pourquoi les fouilles archéologiques sur le site de Mureybet sont-elles désormais impossibles ?

_____

_____

3. Observe bien les deux photos suivantes.

Les vestiges d'une maison de Mallaha

Les vestiges d'une maison de Mureybet

a) Quelle différence importante observes-tu entre les vestiges des deux maisons ?

_____

_____

_____

b) Laquelle de ces deux maisons vient après l'autre dans le temps ?

_____

4. Quelle activité fournit le blé et l'orge aux habitants de Mureybet ? _____

5. Quels objets correspondent à une nouvelle utilisation de l'argile à Mureybet ?

_____

6. a) Que trouve-t-on dans certaines sépultures de Mureybet ?

_____

b) Que pourrait signifier la présence de ces objets dans les sépultures ?

_____

_____

Çatal Höyük (vers 7000 à 6000 avant notre ère)

Vers 7500 avant notre ère, plusieurs villages sont devenus si grands et si populeux que certains chercheurs les qualifient de villes. C'est le cas de Çatal Höyük (prononcer « tchatal euyuk »), en Turquie. Pendant sa plus grande expansion, elle couvre 13 hectares, soit 0,13 kilomètre carré, et compte 5000 habitants. Elle est située dans une zone qui domine une plaine traversée par une rivière.

Le site archéologique de Çatal Höyük est bien conservé. Les fouilles menées à cet endroit révèlent des innovations dans l'architecture des maisons, l'outillage, l'utilisation de matériaux et la production artistique. Mais ce qui rend Çatal Höyük si exceptionnelle, c'est l'ampleur de sa production et de ses échanges.

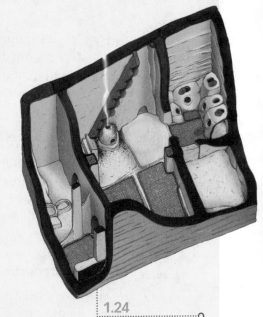

1.24
Une reconstitution de l'intérieur d'une maison de Çatal Höyük

Des maisons-forteresses

À Çatal Höyük, les maisons ont une particularité marquante : elles sont collées les unes aux autres et n'ont pas de portes donnant vers l'extérieur. La seule façon d'y entrer et d'en sortir est de passer par le toit en utilisant une échelle.

Une partie des tâches quotidiennes sont exécutées sur les toits des maisons. Ceux-ci forment une immense terrasse à plusieurs paliers. Des chercheurs croient que ce type d'architecture avait une fonction « défensive », parce qu'il rendait difficiles les attaques ennemies.

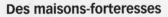

1.25
Une reconstitution du village néolithique de Çatal Höyük

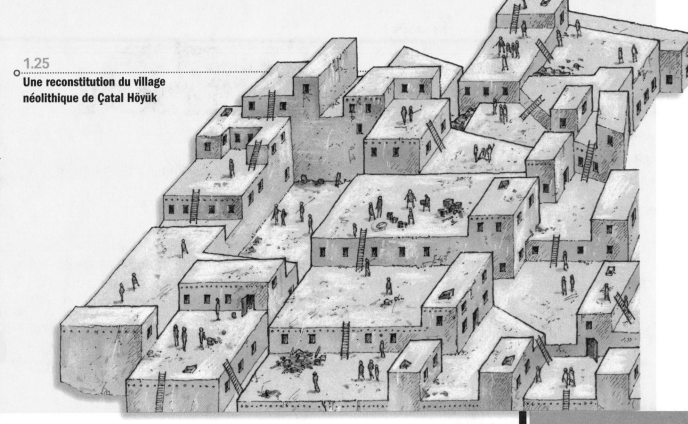

Brique crue

Brique faite à partir
de terre argileuse,
d'eau et de paille, et
séchée au soleil.

Pouvoir

Capacité pour
une personne ou
un groupe de per-
sonnes de prendre
des décisions qui
ont des effets sur
l'ensemble de leur
communauté.

Le village de Çatal Höyük compte environ 1000 maisons. Ces constructions sont faites de **briques crues**, soutenues par du bois et enduites d'argile. À l'intérieur, les maisons renferment une ou deux pièces. On y trouve un foyer central, un four encastré dans un mur et des banquettes pour s'asseoir.

De nombreuses maisons ont un sanctuaire domestique. Il s'agit d'une pièce ornée de peintures murales qui aurait servi à des fins religieuses. On y trouve plusieurs représentations de scènes de chasse, d'animaux menaçants et de divinités. Les dieux et les déesses sont également représentés par des figurines en terre cuite. Ces petites statuettes associent les déesses à la fécondité, et les dieux, à la domination d'animaux.

La production

L'agriculture est bien lancée. Les habitants de Çatal Höyük cultivent surtout le blé et les lentilles. L'élevage occupe encore peu de place. Pour combler les besoins alimentaires, on pratique toujours la chasse.

La production artisanale est importante, notamment celle des armes. Un nouveau matériau, l'obsidienne, sert à fabriquer des poignards. L'obsidienne est une roche d'origine volcanique extraite des régions avoisinantes. Coupante comme du verre, elle est noire ou translucide et présente des teintes de gris, de vert ou de rouge. L'exploitation de cette pierre est très intense à Çatal Höyük. De nombreux vestiges d'ateliers de production en témoignent. On a découvert des objets en obsidienne dans des régions si éloignées du Moyen-Orient qu'il est maintenant acquis que cette roche était au cœur des échanges commerciaux.

1.26

Un poignard en obsidienne

La ville est aussi reconnue pour sa poterie. Ses habitants maîtrisent la fabrication de récipients en terre cuite. Ils savent aussi sculpter le marbre pour en faire des vases polis et des bijoux.

La hiérarchie sociale à Çatal Höyük

Dans une ville aussi populeuse que Çatal Höyük, la population avait sans doute des règles à observer. On ne sait rien concernant l'organisation d'un quelconque **pouvoir** politique dans cette société. La plupart des chercheurs considèrent qu'il n'y a aucune trace de hiérarchie sociale.

Les sépultures ne fournissent aucun indice à ce sujet, car elles contiennent toutes des objets. Les tombes individuelles sont rares, les morts sont la plupart du temps enterrés dans les maisons.

1. Dans quel pays actuel se trouve le site archéologique de Çatal Höyük? _____

2. Qu'est-ce qui distingue tout particulièrement Çatal Höyük?

   _____

3. Comment entre-t-on dans une maison de Çatal Höyük?

   _____

4. Indique si les énoncés suivants sont vrais ou faux. Reformule les énoncés erronés.

   VRAI FAUX   a) En règle générale, les dieux de Çatal Höyük sont associés à la guerre.
   ○   ○
                 _____

   VRAI FAUX   b) Les objets en obsidienne sont au cœur des échanges commerciaux.
   ○   ○
                 _____

5. Indique si les énoncés suivants se rapportent aux villlage de Mallaha, de Mureybet ou de Çatal Höyük.

   a) Les maisons ont un espace entre le sol et le plancher
      qui sert, notamment, à entreposer la nourriture.   _____

   b) C'est le plus gros des trois villages étudiés.   _____

   c) Premier site où l'on a trouvé des signes de sédentarisation,
      par exemple des fosses pour entreposer la nourriture et
      des sépultures à proximité des maisons.   _____

   d) La façon dont ce village est construit lui assure une protection
      contre les attaques ennemies.   _____

   e) Premier village où l'on a fait l'élevage des moutons
      et des chèvres.   _____

   f) De nombreuses maisons ont un sanctuaire décoré de peintures
      murales représentant des scènes de chasse, des animaux
      menaçants et des divinités.   _____

   g) Les murs des maisons sont composés de roseaux et de
      branches, et certains toits sont faits de peaux d'animaux.   _____

   h) Les habitants de ce village fabriquent beaucoup d'objets,
      notamment des armes.   _____

   i) Dans ce village, la sépulture individuelle est la plus répandue.   _____

6. a) Qu'est-ce que l'obsidienne ? _____

b) Pourquoi est-elle appropriée à la fabrication des armes ?

_____

_____

_____

_____

7. Dans le tableau suivant, indique quels éléments de la colonne de gauche s'appliquent aux villages mentionnés. Coche les cases appropriées.

	MALLAHA	MUREYBET	ÇATAL HÖYÜK
L'alimentation			
Agriculture			
Élevage			
Chasse			
Cueillette			
Les habitations			
Circulaires			
Rectangulaires			
Présence d'un foyer			
La production			
Ustensiles de cuisine			
Armes			
Poterie			
Bijoux			
Figurines			
La situation géographique			
Cours d'eau à proximité			

8. Le village de Çatal Höyük avait une superficie de 0,13 kilomètre carré. Un terrain de football mesure en moyenne 137 mètres sur 60 mètres. À combien de terrains de football équivaut la superficie de Çatal Höyük ?

_____

❻ La vie en société

Les êtres humains ont toujours vécu en groupes. Au paléolithique, ils forment des groupes de petite taille. Au néolithique, les villages peuvent atteindre quelques milliers d'individus. La vie en **société** est un gage de survie, car les habiletés physiques et intellectuelles des uns complètent celles des autres. Plus les groupes humains sont nombreux, plus les inventions et les formes d'art se multiplient. Toutefois, la découverte chez les populations voisines de ressources inexistantes chez soi peut susciter l'envie. Le désir de s'approprier les ressources naturelles et les terres fertiles des autres entraîne souvent la guerre entre communautés.

La production

Pendant des milliers d'années, les populations humaines prennent dans la nature ce dont elles ont besoin pour survivre. C'est l'époque de la prédation : l'être humain est un chasseur et un cueilleur qui se nourrit de ses proies ainsi que des végétaux qui l'entourent.

Le néolithique connaît une des plus importantes transformations de l'histoire de l'humanité : la prédation fait place à la **production**. Ce changement est si déterminant que plusieurs archéologues le qualifient de « révolution néolithique ». L'être humain ne se contente plus de prendre ce qu'il peut trouver dans son environnement. Il commence à produire lui-même ce dont il a besoin.

Pour réaliser ce changement, les êtres humains ont dû accumuler des connaissances sur les végétaux, les animaux et les minéraux. Ils ont dû observer longuement la nature et s'exercer à l'imiter. Par exemple, pour semer d'une façon efficace, il leur a fallu comprendre le rôle des divers facteurs qui influent sur la croissance des végétaux : la pluie, le soleil, le vent, le froid, le type de sol, etc. Il ont aussi dû inventer des outils pour défricher la forêt, labourer la terre, entreposer les récoltes et transformer les aliments. De même, pour tirer le plus de lait possible des bêtes laitières, il leur a fallu comprendre le cycle de reproduction de ces animaux.

> **Société**
> Groupe assez important de personnes qui vivent dans un territoire et qui se donnent des règles de fonctionnement.
>
> **Production**
> Action de produire de la nourriture et des biens, ainsi que le résultat de cette action.

1. La vie en société est un gage de survie. Donne deux avantages que procure la vie en société au néolithique.

• _____

_____

_____

• _____

_____

_____

2. Complète le schéma ci-dessous en plaçant les éléments suivants au bon endroit.

- Néolithique.
- Période de changements importants dans l'histoire de l'humanité.
- Invention de divers outils agricoles.
- Début de la production alimentaire.
- Période pendant laquelle l'être humain chasse et cueille pour se nourrir.
- Accumulation de connaissances sur la nature.

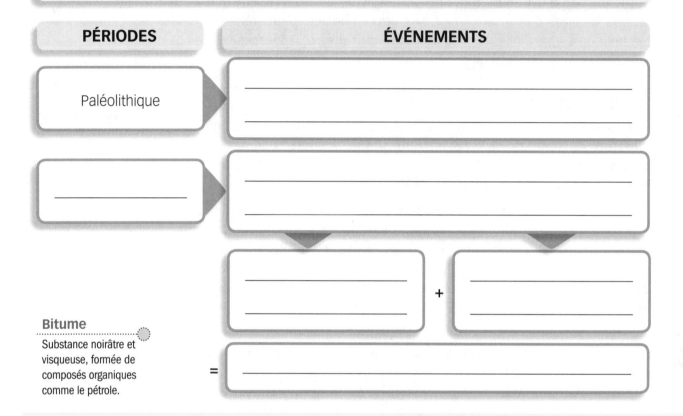

PÉRIODES	ÉVÉNEMENTS

Paléolithique → _____

_____ → _____

_____ + _____

= _____

Bitume
Substance noirâtre et visqueuse, formée de composés organiques comme le pétrole.

1.27 Quelques outils agricoles utilisés au Moyen-Orient pendant le néolithique

OUTIL	FONCTION	COMPOSITION
Bâton à fouir	Déraciner les plants. Percer des trous dans la terre où les semences seront déposées. Extraire les mauvaises herbes (sarcler).	La pointe du bâton à fouir est faite d'une pierre effilée fixée avec de minces lanières de cuir à l'extrémité d'un manche en bois.
Faucille	Couper les céréales à la base des tiges.	La faucille est constituée d'une ou plusieurs lames fixées à un manche. Ses lames sont en silex ou en obsidienne. Son manche, en bois, est souvent recourbé. Les deux parties sont collées avec du **bitume**.
Herminette	Trancher le sol durci. Abattre de petits arbres.	Cette petite hache est constituée d'une épaisse lame de silex effilée, ajustée dans un manche en bois.
Houe	Remuer la terre avant de semer pour la rendre plus facile à travailler. Récolter les parties souterraines des plantes.	La houe est munie d'un manche en bois et d'une lame de pierre assemblés selon un angle de 45°. La pierre est directement insérée dans le bois ou est fixée au manche par des lanières de cuir.
Meule et molette	Broyer les grains de blé pour les transformer en farine.	La meule est une pierre plate, plus ou moins épaisse, parfois légèrement creusée au centre. La molette, qui sert de pilon, a diverses formes selon les régions. On recueille la farine dans une peau glissée sous la meule.

1. Nomme chacun des outils représentés dans les illustrations suivantes. Aide-toi du tableau 1.27.

a) _____

b) _____

c) _____

d) _____

2. Que suis-je ?

a) Je sers à percer de petits trous dans le sol où les semences seront déposées.

_____

b) Nous servons à broyer les grains de blé.

_____

c) Je sers à remuer la terre avant de semer.

_____

d) Je sers à couper les céréales à la base des tiges.

_____

La propriété

Le concept de **propriété** apparaît petit à petit avec la sédentarisation. La vie dans les premiers villages repose surtout sur l'entraide. On ne cultive pas encore la terre, mais les récoltes tirées des plantes sauvages sont si abondantes qu'il est possible d'accumuler des réserves considérables. Et celles-ci constituent une richesse importante.

Lorsque l'agriculture apparaît, les récoltes représentent une richesse encore plus grande puisqu'elles sont le résultat d'un dur travail. Les cultivateurs cherchent donc à les protéger. Il en va de même pour la maison qu'ils ont construite, les objets qu'ils ont fabriqués ou échangés et les animaux qu'ils élèvent.

Tous les membres de la communauté développent aussi le sens de la propriété par rapport au **territoire** qu'ils habitent. Par exemple, ils estiment que les ressources alimentaires et minérales disponibles sur ce territoire appartiennent aux gens du village. Mais, au fil des siècles, une hiérarchie s'installe entre les habitants d'un même village, en fonction de ce que chacun possède.

Pour augmenter ses avoirs, une famille doit produire davantage de richesses. Ainsi, elle peut cultiver plus de céréales ou fabriquer divers objets

Propriété

Ce qu'une personne possède, par exemple des outils, une maison, des récoltes, une terre. La propriété peut aussi être collective.

Territoire

Étendue de terre sur laquelle une autorité gouverne.

Aujourd'hui

Notre société actuelle ressemble sur plusieurs points aux sociétés de la fin du néolithique. Comme les communautés de cette époque, nous vivons aujourd'hui dans des maisons rapprochées les unes des autres. Pour protéger nos biens personnels, tout comme notre territoire collectif, nous nous appuyons sur la force d'un groupe : la police ou l'armée. Le respect de la propriété et du territoire est un élément central des lois qui règlent notre vie.

en plus grande quantité : récipients en terre cuite, paniers de jonc, tapis de laine, vêtements de chanvre ou bijoux en cuivre. La croissance importante de la population, dès le début de la sédentarisation, entraîne une hausse de la production.

1. Pourquoi les agriculteurs des premiers villages accordent-ils beaucoup de valeur à leurs récoltes ?

_____

_____

2. Indique si les énoncés suivants sont vrais ou faux. Reformule les énoncés erronés.

VRAI　FAUX　a) Les récoltes tirées de la culture de la terre ont autant de valeur aux yeux des villageois que les récoltes tirées des plantes sauvages.

_____

VRAI　FAUX　b) La notion de propriété est reliée à la sédentarisation de l'être humain.

_____

VRAI　FAUX　c) Dans nos sociétés actuelles, le non-respect de la propriété et du territoire est condamné par la loi.

_____

La division du travail

Division du travail
Mode d'organisation du travail dans une société qui permet de multiplier les types de travail. Ainsi, chaque type de travail est exécuté par différentes personnes.

À l'époque des nomades, les tâches quotidiennes sont peu nombreuses, et tous les membres du groupe doivent savoir tout faire. Au néolithique, avec la sédentarisation, les tâches se multiplient au point qu'il devient impossible pour une seule personne de toutes les maîtriser. Peu à peu, certains individus développent des habiletés et se spécialisent dans des tâches particulières. C'est le début de la **division du travail**. Plusieurs activités, comme la poterie et la fabrication d'outils, deviennent des métiers.

La division du travail s'effectue selon divers critères : l'habileté manuelle, la force physique, l'endurance, les aptitudes intellectuelles, l'âge ou le sexe. Par exemple, grâce à leurs doigts fins, les enfants et les femmes ont de la facilité à tisser des fibres pour en faire des vêtements, des tapis et des couvertures. La vannerie, c'est-à-dire le tressage de fibres végétales pour en faire des paniers, exige aussi d'être adroit de ses mains.

Le transport des briques utilisées pour construire les maisons nécessite une force musculaire que les aînés n'ont plus. Ceux-ci peuvent cependant s'occuper de tâches comme la teinture des tissus ou la fabrication des colorants minéraux et végétaux.

La division du travail rend les membres d'une communauté dépendants les uns des autres : tous ont besoin du travail des autres pour survivre.

Auj⊕urd'hui

Depuis son apparition, la division du travail n'a jamais cessé d'exister. La quantité de métiers et de professions a continué d'augmenter, mais une réalité demeure : une personne ne peut accomplir qu'une fraction de l'ensemble des activités de sa communauté. Une part importante de nos vies dépend du travail des autres.

1. Qu'est-ce qui explique l'apparition de la division du travail au néolithique ?

_____

_____

2. Nomme deux activités qui deviennent des métiers au cours du néolithique.

_____

_____

3. Complète les phrases ci-dessous à l'aide des termes suivants :

- division du travail • sédentarisation • dépendance
- tâches • habiletés • domaines

La _____ amène la multiplication des _____. Petit à petit, des individus développent des _____ et se spécialisent dans des _____ particuliers. C'est le début de la _____. Cette forme d'organisation a pour effet de créer une _____ entre les membres d'une communauté.

4. Crois-tu que ta vie serait la même sans le travail des autres ? Explique ta réponse.

_____

_____

_____

_____

_____

5. Les illustrations suivantes montrent des membres d'un groupe sédentaire en train d'exécuter des tâches.

a) Indique le travail que fait chaque personnage. Aide-toi de la banque de réponses suivante.

> • Poterie • Tissage • Taille de silex • Vannerie

1 _____   3 _____

2 _____   4 _____

b) Indique les qualités que chacun de ces personnages doit posséder pour faire ce travail. Aide-toi de la banque de réponses suivante.

> • Habileté et adresse • Force physique et endurance
> • Connaissance des matériaux

1 _____   3 _____

_____   _____

2 _____   4 _____

_____   _____

Les échanges

Les échanges débutent tôt entre les communautés sédentaires. Des personnes parcourent à pied de très longues distances pour échanger des ressources naturelles ou des produits artisanaux. Les minéraux faciles à travailler sont très recherchés. Comme les ressources minérales diffèrent d'une région à l'autre, certaines communautés doivent s'approvisionner auprès d'autres villages. Souvent, ces villages sont situés à des centaines de kilomètres.

Le silex et l'obsidienne sont deux pierres qui deviennent rapidement indispensables pour fabriquer des outils. On a trouvé des objets en obsidienne dans toutes les régions du Croissant fertile. C'est donc dire qu'ils ont franchi des milliers de kilomètres.

Même le surplus de grains domestiqués fait l'objet d'**échanges**. À Mureybet, en Syrie, on a découvert des traces de la culture du seigle, une céréale qui ne pousse pas à l'état sauvage dans cette région. Les semences venaient de Turquie.

Au début, on se procure les produits dont on a besoin en faisant du **troc**, c'est-à-dire qu'on échange des biens contre d'autres biens. Peu à peu, des groupes se spécialisent dans les échanges.

Échange

Fait, pour une personne, de remettre un bien à une autre personne qui, en retour, donne aussi un bien à cette personne. L'échange peut être lié à des biens ou à des services.

Troc

Échange d'un bien ou d'un service contre un autre.

1.28

Des objets décoratifs
Ces bijoux et ces parures diverses ont été trouvés sur le site archéologique d'Hacilar, en Turquie actuelle.

1. Nomme deux minéraux servant à la fabrication d'outils.

_____

2. Que suis-je ?

a) Céréale qui ne pousse pas à l'état sauvage à Mureybet.

_____

b) Biens qui font l'objet d'échanges au néolithique.

_____

c) Échange de biens contre d'autres biens.

_____

Les déesses-mères

Au tout début du néolithique, vers 9500 avant notre ère, l'être humain représente des dieux en modelant de l'argile, en sculptant la pierre ou en peignant sur des murs. Il donne à ces divinités une apparence humaine.

Pendant tout le néolithique, ces représentations sont presque exclusivement féminines. Au début de l'agriculture, les villageois sont préoccupés par l'idée de ne pas avoir suffisamment d'aide pour cultiver leurs champs. Leur souhait d'avoir des enfants est exprimé dans la manifestation artistique de leur spiritualité. Ils prient donc des représentations de la fécondité.

C'est ainsi que les déesses sont représentées enceintes, en train d'accoucher ou d'allaiter. Leurs caractéristiques sexuelles sont très marquées. On donne à ces représentations le nom de « déesse-mère ». La déesse-mère symbolise à la fois la fécondité des êtres humains et celle de la terre.

1.29

La déesse-mère d'Hacilar

Cette statuette a été découverte sur le site du village néolithique d'Hacilar, en Turquie actuelle. Elle a été fabriquée entre 6200 et 5400 avant notre ère.

1. Observe l'image ci-contre et réponds aux questions suivantes. **BAO**

a) Que représente cette statuette ?

Une _____.

b) De quelle période date-t-elle ?

Du _____ .

c) Que symbolise-t-elle ?

La _____.

d) Où l'a-t-on trouvée ?

À Çatal Höyük, en _____.

e) Quel nom donne-t-on à cette statuette ?

Le nom de _____.

f) Selon toi, quel matériau a-t-on utilisé pour fabriquer cette statuette ?

De l' _____.

2. Pourquoi les gens vivant au néolithique priaient-ils des symboles de fécondité ?

_____

_____

7 Les effets de la sédentarisation

Avec la sédentarisation, le régime alimentaire des êtres humains change. Comme ils consomment davantage de calories, leur espérance de vie et leur taux de fécondité augmentent. Vers 10 000 avant notre ère, la Terre compte 10 millions d'habitants. Cinq mille ans plus tard, la population passe à 100 millions de personnes.

La croissance de la population est si rapide que les terres cultivées dans un village ne suffisent plus à nourrir tous ses habitants. On résout ce problème de trois manières :

- en défrichant plus de forêts pour obtenir de nouvelles terres agricoles ;
- en quittant la communauté pour aller s'établir ailleurs ;
- en s'appropriant par la force les terres ou les réserves alimentaires qui appartiennent à d'autres communautés.

Petit à petit, les sociétés humaines quittent les plateaux bien arrosés et descendent dans les vallées de façon à accroître leurs surfaces cultivables. Par la même occasion, elles vont profiter des terres fertilisées par le **limon** déposé par les fleuves.

Aujourd'hui

Dans nos sociétés actuelles, tout comme au néolithique, des groupes humains envahissent des territoires étrangers pour s'approprier leurs richesses. À l'intérieur d'une même communauté, les inégalités persistent entre les habitants : certains sont riches, d'autres sont pauvres. Cependant, dans les sociétés où tous ont le droit de vote et où le rang social n'est plus établi dès la naissance, les différences entre les classes sociales ont tendance à diminuer.

Limon
Particules de terre mêlées de débris organiques déposés par les eaux lors des inondations.

1. Pourquoi la population humaine augmente-t-elle de façon considérable avec la sédentarisation ?

_____

_____

_____

_____

_____

_____

2. Il arrive qu'un village n'arrive plus à nourrir sa population devenue trop nombreuse. Comment les villageois peuvent-ils résoudre ce problème ?

• _____

_____

_____

• _____

_____

_____

• _____

_____

_____

3. Dans le schéma causes-conséquences ci-dessous, place au bon endroit chacun des énoncés suivants. Écris la lettre qui correspond à l'énoncé.

BAO

a) La population augmente.

b) Les groupes humains descendent des plateaux.

c) Les terres cultivées des villages ne suffisent plus à nourrir les habitants.

d) Les êtres humains consomment davantage de calories.

_____ ▶ _____ ▶ _____ ▶ _____

1. a) Indique les années qui correspondent à chacune des espèces humaines suivantes.

1. *Homo neandertalensis* : _____

2. *Homo habilis* : _____

3. *Homo sapiens* : _____

4. *Homo erectus* : _____

b) Place ces quatre espèces humaines selon leur ordre d'apparition sur terre.

1. _____   3. _____

2. _____   4. _____

2. Indique les années qui marquent le début et la fin des villages suivants.

a) Mureybet :   b) Mallaha :   c) Çatal Höyük :

_____   _____   _____

3. Sur la ligne du temps ci-dessous :

BAO

a) situe le paléolithique et le néolithique, puis indique les années qui marquent le début et la fin de ces périodes.

b) écris le nom des villages de Mureybet, de Mallaha et de Çatal Höyük selon l'année de leur fondation. Fais un trait à l'endroit correspondant à cette année.

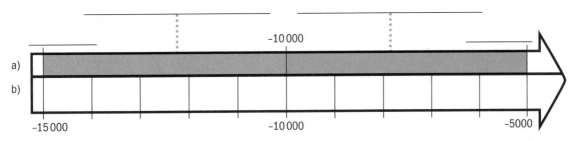

a)

b)

−15 000   −10 000   −5000

−10 000

4. Sur la carte géographique ci-contre :

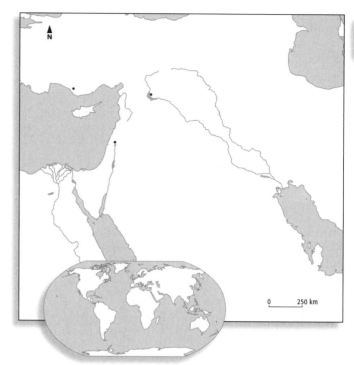

a) colorie en vert la région du Croissant fertile ;

b) trace un « X » sur le planisphère à l'endroit où est situé le Croissant fertile ;

c) situe la mer Méditerranée, la mer Caspienne, la mer Rouge, le golfe Persique et la mer Morte ;

d) situe les monts Zagros et les monts Taurus ;

e) situe les villages suivants : Mallaha, Mureybet et Çatal Höyük.

5. Associe chacun des énoncés et l'illustration ci-dessous au concept approprié. Inscris la lettre correspondant à l'énoncé ou à l'illustration dans le cercle prévu à cet effet.

a)

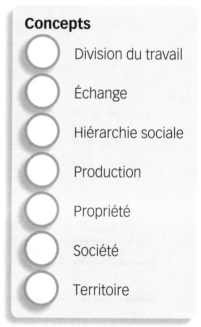

Concepts

◯ Division du travail

◯ Échange

◯ Hiérarchie sociale

◯ Production

◯ Propriété

◯ Société

◯ Territoire

b) Dans certaines fosses du village de Mureybet, on a découvert des perles et des vases. Les personnes inhumées avec ces objets avaient probablement une position élevée dans la communauté.

c) Avec l'avènement de l'agriculture, les récoltes représentent une richesse encore plus grande puisqu'elles sont le résultat d'un dur travail. Les cultivateurs cherchent donc à les protéger.

d) Le Croissant fertile est une région propice à l'agriculture. C'est dans cette région que se sont installés les premiers êtres humains qui se sont sédentarisés.

e) Les tâches se multiplient au point qu'il devient impossible pour une seule personne de toutes les maîtriser. Peu à peu, certains individus développent des habiletés et se spécialisent dans une tâche particulière.

f) À l'origine, on se procure les produits dont on a besoin en faisant du troc.

g) Les êtres humains ont toujours vécu en groupes. Au paléolithique, ils forment des groupes de petite taille. Au néolithique, les villages peuvent atteindre quelques milliers d'individus.

6. Réponds aux questions suivantes.

a) Sur quel continent seraient apparues les premières
   espèces humaines ?   _____

b) Comment appelle-t-on des êtres humains qui changent
   de territoire une fois qu'ils ont épuisé la nourriture
   qui s'y trouvait ?   _____

c) Au néolithique, les êtres humains ont commencé
   à domestiquer des animaux. Quel est le premier
   animal à avoir été domestiqué ?   _____

d) Quel nom donne-t-on aux statues du néolithique
   qui représentent des femmes enceintes ?   _____

7. Associe chacun des facteurs ci-contre à l'énoncé
   correspondant.

Facteurs

○ Agriculture

○ Croissant fertile

○ Domestication

○ Fin des glaciations

○ Fertilité du sol

a) Condition qui favorise la croissance de la végétation.

b) Culture du sol en vue de produire des végétaux pour
   se nourrir.

c) Région du Moyen-Orient favorable à l'établissement
   des êtres humains.

d) Événement qui marque le début du réchauffement
   du territoire.

e) Contrôle de la croissance et de la reproduction d'un
   animal ou d'une plante.

8. Dans un texte d'environ cinq lignes, explique comment les cinq facteurs mentionnés au
   numéro précédent ont aidé les êtres humains à se sédentariser. Dans ta réponse, utilise les
   termes *Agriculture*, *Croissant fertile*, *Domestication*, *Fin des glaciations* et *Fertilité du sol*.

   _____

   _____

   _____

   _____

   _____

   _____

   _____

2

Les premières civilisations

Au début de l'Antiquité, la période de l'histoire qui suit le néolithique, on assiste à la naissance de plusieurs grandes villes au Moyen-Orient. C'est l'apparition de la plus ancienne civilisation au monde. Comment se prennent alors les décisions qui concernent le groupe ? Qui décide des moyens pour assurer un développement harmonieux et prospère des communautés ?

C'est dans cette première civilisation que survient la deuxième plus grande révolution après l'agriculture : l'invention de l'écriture. Comme les humains peuvent désormais écrire l'histoire, cette période marque la fin de la « pré » histoire !

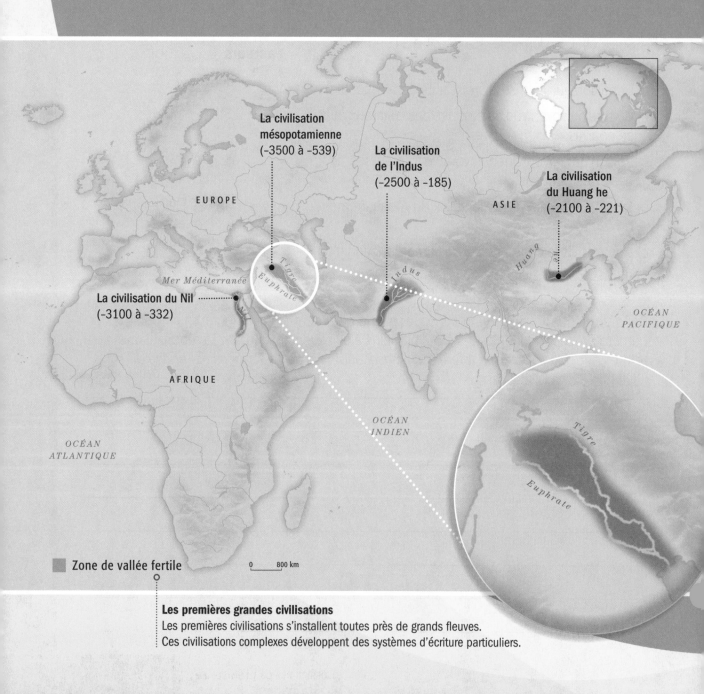

La civilisation
mésopotamienne
(–3500 à –539)

La civilisation
de l'Indus
(–2500 à –185)

La civilisation
du Huang he
(–2100 à –221)

La civilisation du Nil
(–3100 à –332)

EUROPE

ASIE

AFRIQUE

Mer Méditerranée

Tigre

Euphrate

Indus

Huang

OCÉAN
PACIFIQUE

OCÉAN
INDIEN

OCÉAN
ATLANTIQUE

Tigre

Euphrate

Zone de vallée fertile

0   800 km

Les premières grandes civilisations
Les premières civilisations s'installent toutes près de grands fleuves.
Ces civilisations complexes développent des systèmes d'écriture particuliers.

...parition des premiers
...èdes (australopithèques)

Apparition
de l'écriture
en Mésopotamie

Début de notre ère
(naissance de Jésus-Christ)

ÉPOQUE
CONTEMPORAINE

TEMPS
MODERNES

−10 000

−3300

−539

1

476

1492

1789

Aujourd'hui

L'émergence des
premières civilisations

PALÉOLITHIQUE

NÉOLITHIQUE

ANTIQUITÉ

MOYEN
ÂGE

PRÉHISTOIRE

HISTOIRE

Un détail de l'étendard d'Ur

L'étendard d'Ur a été découvert dans une tombe royale et date d'environ 2500 avant notre ère.
Ce panneau de l'étendard illustre la guerre, et plus particulièrement une victoire de l'armée
sumérienne. Les chariots représentés ici sont des chariots de guerre.

2.1 **Une scène de guerre**
La Mésopotamie regroupe de nombreuses cités qui se font souvent la guerre. Les grandes cités veulent contrôler le plus de territoires possible pour avoir accès à plus de ressources. Elles assurent ainsi leur survie et peuvent affirmer leur puissance.

EN UN **COUP D'ŒIL**

1. Définis ce qu'est l'analphabétisme.

_____

2. Une élève qui ne sait pas lire se trouve dans une classe où tous ses camarades savent très bien lire. Explique comment elle peut se sentir.

_____

_____

3. Quelles sont les chances pour un élève de se trouver un bon emploi à l'âge adulte s'il n'apprend pas à lire ? Explique ta réponse.

_____

_____

_____

4. Donne des exemples de ton utilisation de l'écriture au quotidien.

_____

_____

_____

5. Voici différentes écritures utilisées actuellement dans le monde. Associe-les à leur système d'écriture.

a) Écriture chinoise

b) Écriture arabe

c) Écriture inuit

d) Écriture cyrillique

6. L'écriture n'a pas toujours existé. Avant la venue de l'écriture, comment les êtres humains faisaient-ils pour transmettre les connaissances acquises au fil des années ?

_____

AU CŒUR DU SUJET

① Une première civilisation

Au cours de la période du néolithique, les humains commencent à vivre en groupes de plus en plus nombreux. Des villages apparaissent dans le Croissant fertile, surtout dans la région baignée par les fleuves Tigre et Euphrate qu'on appelle la Mésopotamie. C'est à cet endroit que s'est développée la première **civilisation**.

Civilisation

Ensemble des caractéristiques communes à une ou plusieurs sociétés.

Après le développement de techniques d'irrigation agricole, vers 5700 avant notre ère, les villages grossissent rapidement. Les systèmes d'irrigation visent trois buts : profiter de la montée des eaux des fleuves pour en mettre en réserve, en prévision des mois de sécheresse ; faire circuler l'eau le plus près possible des cultures pour fournir aux plants l'eau nécessaire à leur croissance ; et empêcher l'inondation des cultures lors des montées des eaux.

On aménage donc des bassins qui retiennent l'eau et servent ainsi de réservoirs. On creuse de nombreux canaux à partir d'un cours d'eau, et on sème des grains sur les terres entre les canaux. Le sol devient suffisamment humide pour nourrir les végétaux. La construction de digues et de barrages évite que les légumes et les céréales soient noyés lors des crues.

1. Situe les événements suivants sur la ligne du temps muette. Certaines dates sont manquantes. Consulte le texte aux pages 70 à 73 pour les trouver. Chaque division de la ligne du temps équivaut à 500 ans.

a) Fin du néolithique : –3300.

b) Nouvelles techniques d'irrigation pour l'agriculture : _____

c) Invention de l'écriture : vers –3300.

d) Début de l'Antiquité : –3300.

e) Fin de la préhistoire : –3300.

f) Civilisation mésopotamienne : –3500 à _____

g) Début de l'histoire : –3300.

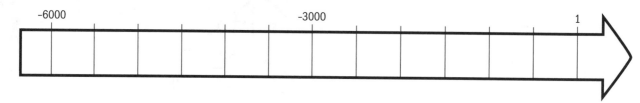

2. Quelle invention marque la fin de la préhistoire et le début de l'histoire ?

_____

Une région multiethnique

Des peuples venant de diverses régions envahissent des territoires en Mésopotamie ou s'y installent pacifiquement. C'est ainsi que les Sumériens, les Akkadiens et d'autres groupes ethniques s'établissent aux côtés de villageois qui habitent la Mésopotamie depuis 7500 avant notre ère.

Des conditions favorables

Le climat de la Mésopotamie est idéal pour la culture des céréales et des légumineuses. Depuis la fin de la dernière glaciation, les deux longs fleuves qui la traversent ont changé souvent leur cours, laissant sur les plaines des sédiments qui ont enrichi le sol. Même si la région est pauvre en matières premières (minéraux et forêts), les habitants tirent profit de sa situation géographique. La Mésopotamie est située dans une plaine entre des montagnes, ce qui rend les déplacements sur le territoire plus faciles. Certains échanges se font par voie fluviale. Aussi, la Mésopotamie est située à la jonction de trois continents, soit l'Afrique, l'Europe et l'Asie, ce qui facilite l'importation des ressources nécessaires à son développement et favorise le commerce.

Au début de l'Antiquité, soit vers 3300 avant notre ère, une **urbanisation** s'amorce sur les rives du Tigre et de l'Euphrate : des villages se transforment en villes. Environ 500 ans plus tard, la région se divise en grandes **cités**, qui fonctionnent comme des **royaumes**. L'organisation sociale devient plus complexe, notamment à Uruk, qui comptera une population de 50 000 personnes en 2700 avant notre ère. Cette première urbanisation marque le commencement du règne des Sumériens.

> **Urbanisation**
> Multiplication des villes et l'augmentation croissante du nombre d'habitants dans les villes.
>
> **Cité**
> Grande ville qui s'administre seule et qui n'est soumise à aucun autre gouvernement extérieur.
>
> **Royaume**
> Territoire gouverné par une reine ou un roi.
>
> **Empire**
> Gouvernement qui soumet plusieurs autres villes ou territoires à son autorité.

2.2

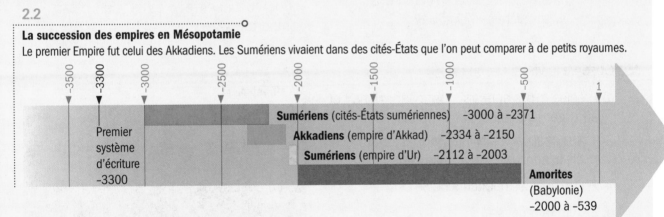

La succession des empires en Mésopotamie
Le premier Empire fut celui des Akkadiens. Les Sumériens vivaient dans des cités-États que l'on peut comparer à de petits royaumes.

Premier système d'écriture -3300

Sumériens (cités-États sumériennes) -3000 à -2371
Akkadiens (empire d'Akkad) -2334 à -2150
Sumériens (empire d'Ur) -2112 à -2003
Amorites (Babylonie) -2000 à -539

La première civilisation

La rivalité entre les cités mésopotamiennes entraîne des guerres et la domination de peuples par d'autres peuples. Ainsi, au cours des siècles, plusieurs **empires** se succèdent : sumérien, akkadien, assyrien, babylonien. Toutes ces sociétés, qu'elles soient alliées ou ennemies, appartiennent à la même civilisation. Elles partagent certaines caractéristiques sociales, culturelles, scientifiques et techniques. Par exemple, les formes d'art, comme la peinture murale, ainsi que les techniques de fonte des métaux sont semblables. La structure des gouvernements et des

Religion

Croyances en un ou plusieurs dieux, qui montrent aux humains des façons d'agir et de penser.

religions se ressemble aussi. Toutes ces sociétés maîtrisent les techniques de construction de canaux pour l'irrigation et, surtout, elles partagent le développement de l'écriture.

La civilisation mésopotamienne est la première de l'histoire. Elle donne à l'humanité ses premières villes et ses premières formes de gouvernement. Cette civilisation donne également à l'humanité trois outils qui vont faciliter son développement intellectuel, économique et scientifique : l'écriture, les mathématiques et l'astronomie.

1. Pour chacune des questions ci-dessous, trouve la réponse parmi les choix proposés. Inscris la réponse appropriée dans le cercle prévu à cet effet.

Pourquoi...

- ○ a) la Mésopotamie offre-t-elle des conditions idéales pour l'agriculture ?
- ○ b) la Mésopotamie a-t-elle une situation géographique idéale pour ceux qui désirent s'y établir ?
- ○ c) Uruk n'est-elle plus considérée comme un simple village de Mésopotamie ?
- ○ d) la civilisation mésopotamienne est-elle considérée comme la première de l'histoire ?

Parce que...

1. les plaines des régions du Tigre et de l'Euphrate regorgent de sédiments déposés par les cours d'eau.
2. c'est la première région du monde à voir naître des villes, des gouvernements plus complexes et l'écriture, qui a permis la transmission des données sur cette époque.
3. sa population est estimée à 50 000 personnes en 2700 avant notre ère.
4. la Mésopotamie est située à la jonction de trois continents et près de cours d'eau importants.

2. Observe le visuel ci-contre.

a) Précise quels acteurs s'opposent dans cet affrontement. Encercle ta réponse.

   1. Deux sociétés rivales appartenant à la civilisation mésopotamienne.

   2. Un roi et les habitants de sa cité.

b) Justifie ta réponse.

_____

_____

_____

_____

_____

2.3

Un affrontement

Une lente disparition

Différents peuples étrangers envahissent la Mésopotamie au fil des siècles. Les Perses deviennent maîtres de Babylone en 539 avant notre ère. La civilisation mésopotamienne disparaît définitivement avec l'invasion, en 129 avant notre ère, d'un peuple venu du nord de l'Iran, les Parthes. Les cultures des envahisseurs ont peu à peu remplacé celle de la civilisation mésopotamienne.

2.4

Les nombreuses villes de Mésopotamie

Plusieurs grandes cités des bords du Tigre et de l'Euphrate tentent de dominer les autres.

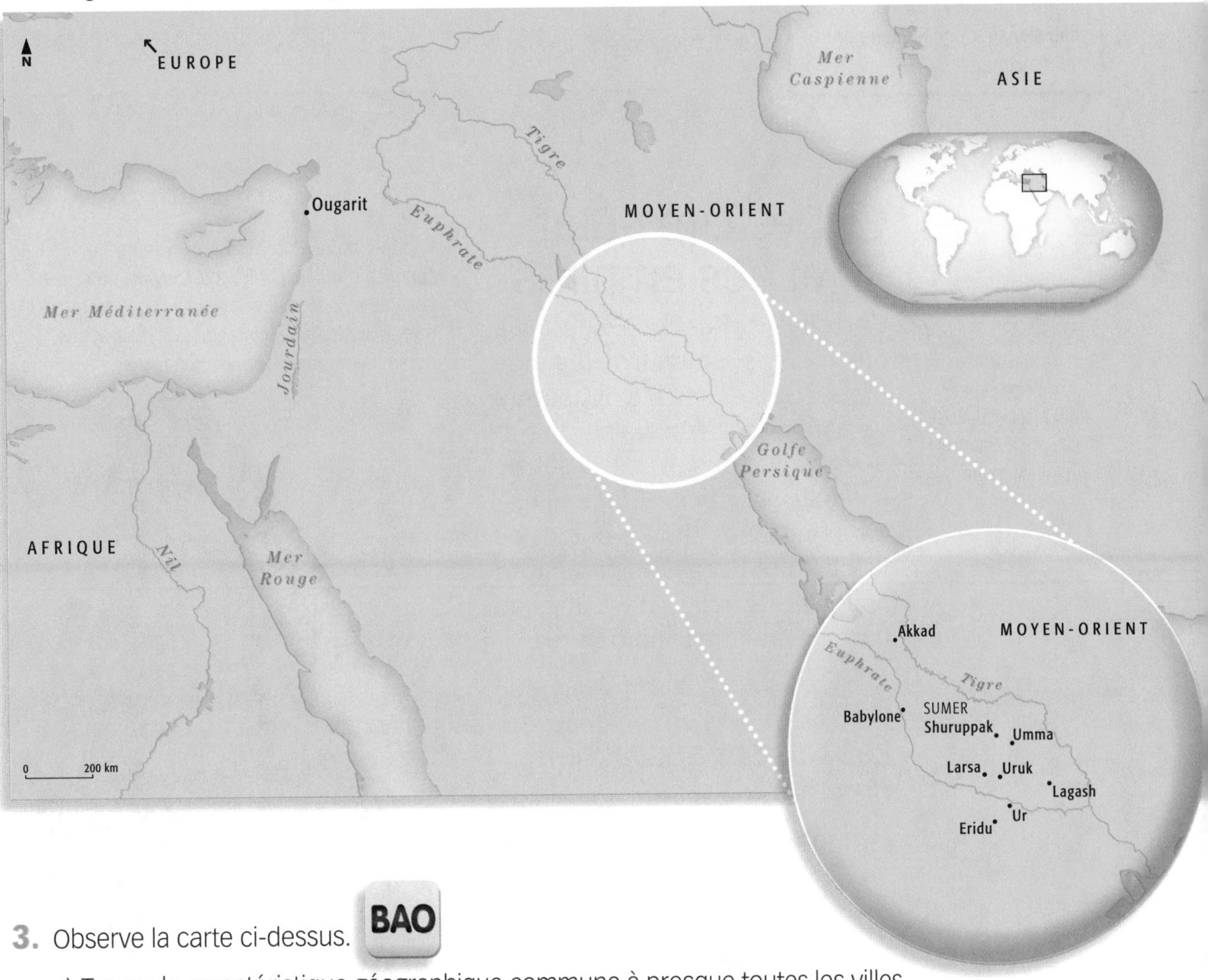

3. Observe la carte ci-dessus. **BAO**

a) Trouve la caractéristique géographique commune à presque toutes les villes.

_____

b) La civilisation mésopotamienne est au carrefour de trois continents. Nomme-les.

_____ _____ _____

c) Quels sont les plans d'eau importants qui entourent la Mésopotamie ?

_____

_____

4. Nomme deux facteurs qui permettent aux habitants de la Mésopotamie de développer un commerce.

_____

_____

_____

_____

❷ Des cités-État et des empires

Cité-État

Grande ville qui s'administre seule et qui n'est soumise à aucun autre gouvernement extérieur.

Une **cité-État** est une ville qui a les mêmes pouvoirs que nos États actuels. Ainsi, son gouvernement décide seul de ses lois et de ses relations avec les autres populations. La cité-État englobe les campagnes situées autour de la ville, qui l'approvisionnent en nourriture. Chaque cité a un chef, qui peut prendre le nom de « roi », « prince » ou « seigneur ».

Les rois se rapprochent des dieux

Pendant longtemps, les bâtiments les plus prestigieux sont réservés aux dieux. Mais, à partir de 2600 avant notre ère, des rois se font construire des palais. Peu après, certains rois tentent de s'approcher encore plus des puissances divines : ils affirment que leur pouvoir leur vient des dieux.

2.5

La stèle de la victoire du roi Naram-Sin (empire d'Akkad), vers 2200 avant notre ère

Les rois recourent aux gravures pour communiquer à leur peuple leurs grandes réalisations, notamment leurs victoires militaires.

2.6

Une reconstitution d'Ur, une cité-État sumérienne

Au cœur de la cité-État, les archéologues ont découvert des centaines de tombeaux ; 16 d'entre eux dataient de 2500 ans avant notre ère.

Murs défensifs · · · · · · Ziggourat

Les deux ennemis des cités-État

Les cités-État sont souvent en guerre. Chacune fortifie son territoire : de hauts murs encerclent les villes. Les ennemis d'une cité ne sont pas uniquement les autres cités. Les peuples encore nomades représentent également une menace. Errant dans les montagnes avoisinantes, ils s'approchent aussi des cultures des cités. Certains groupes nomades s'emparent de villes et se sédentarisent. D'autres s'intègrent à la société.

La fin des cités-État sumériennes est justement due à un chef de tribus nomades : Sargon. Il établit l'Empire akkadien en 2334 avant notre ère. Par la suite, des cités se révoltent et retrouvent leur indépendance. Puis de nouveaux empires naissent. Les cités-État et les empires se succèdent tout au long de l'histoire de la civilisation mésopotamienne. Dans l'un ou l'autre cas, leur défi reste le même : contrôler le plus de routes commerciales possible afin d'augmenter leur puissance.

Savoirs +

Les palais des dieux : les ziggourats

Des rois font construire des temples qu'on nomme « ziggourats ». Il s'agit d'une pyramide comptant plusieurs paliers. Au sommet, un sanctuaire constitue le point d'arrivée des dieux. La première ziggourat à avoir été construite est celle d'Ur.

2.7 Quelques caractéristiques des cités-État et des empires mésopotamiens

CITÉS-ÉTAT OU EMPIRE	FORMATION DES PREMIÈRES CITÉS-ÉTAT : les cités-État sumériennes (−3000)	NAISSANCE DU PREMIER VÉRITABLE EMPIRE : l'empire d'Akkad (−2334)	RENAISSANCE D'UN EMPIRE : l'empire d'Ur (−2112)	APPARITION ET RAYONNEMENT D'UN NOUVEL EMPIRE : la Babylonie (−2000)
Peuple régnant	**Sumériens**	**Akkadiens**	**Sumériens**	**Amorites**
Principales cités ou personnages importants	Plusieurs cités-État : Éridu, Ur, Larsa, Uruk, Shuruppak, Nippur, Lagash, Umma, Kish. Gilgamesh aurait été roi d'Uruk.	Le chef de l'empire, un ancien chef de tribus nomades, se donne le nom de Sargon, «roi légitime». La capitale de l'empire est Agadé, d'où le nom d'empire d'«Akkad».	Ur-Nammu est le roi fondateur de ce nouvel empire. Il unifie les territoires sumériens et akkadiens. Son empire dépasse les limites de la Mésopotamie.	Les Amorites, des nomades venus de la Syrie, prennent le pouvoir dans plusieurs cités sumériennes et akkadiennes, notamment à Babylone (−1894). Le roi Hammourabi (−1792), 6e roi de Babylone, conquiert des cités, détruit quelques royaumes et crée un nouvel empire : la Babylonie.
Langue	Apparition de l'écriture. Utilisation de l'écriture sumérienne dans l'administration.	La langue sumérienne est imposée dans l'administration de l'empire akkadien.	La langue écrite reste le sumérien mais, de plus en plus, la langue parlée est l'akkadien.	Le sumérien est la langue des lois, mais tend à devenir une langue morte, réservée au domaine religieux.
Justice, propriété et hiérarchie	Le mode de répartition des terres accroît les inégalités sociales. Par exemple, environ la moitié des terres sont la propriété des temples et des palais, tandis que l'autre moitié appartient à quelques familles riches. Parmi ceux qui ne possèdent pas de terres, certains deviennent fonctionnaires ou prêtres, mais un grand nombre de personnes sans métier défini (scribe, tisserand, maçon, marchand) deviennent esclaves.	Le roi s'approprie de plus en plus de terres appartenant à des familles.	Établissement du premier code de lois. Celui-ci prévoit une assistance aux veuves, aux orphelins et aux pauvres.	Le concept de propriété privée prend de l'importance. Des rois élaborent, dès −1934, des lois qui prévoient des amendes pour réparer les torts causés aux autres. Le roi Hammourabi adopte la loi du talion : on impose au criminel le même châtiment qu'il a fait subir à ses victimes.
Causes de leur disparition	Les cités-État sumériennes sont conquises par un chef de tribus nomades qui se sont sédentarisées dans des cités sumériennes.	Des cités-État veulent retrouver leur autonomie et se révoltent.	Le peuple d'Élam saccage la ville d'Ur (−2003). Invasion de nomades venant de l'ouest, les Amorites.	Déplacement des routes commerciales vers d'autres régions. Montée d'autres civilisations. Attaques répétées venant de peuples étrangers.

Justice

Application des règlements et des lois établis par un gouvernement.

1. a) Le chef de la cité-État est un personnage important.
Donne trois noms que peut porter le chef d'une cité-État.

- _____
- _____
- _____

b) Dans quel bâtiment le chef de la cité-État habite-t-il?

_____

c) Selon les chefs des cités-État, d'où leur provient leur pouvoir?

_____

_____

2. a) Observe attentivement la sculpture ci-contre représentant Sargon. Qui est ce personnage mésopotamien?

_____

b) Nomme quelques caractéristiques physiques qui permettent de reconnaître son statut.

_____

_____

_____

3. Observe la figure 2.6, à la page 75.

a) Décris comment une cité-État se protège de ses ennemis.

_____

_____

b) Quel élément de cette reconstitution permet de comprendre l'importance accordée à la religion dans une cité-État?

_____

c) Explique comment la situation géographique de cette cité-État favorise le commerce.

_____

_____

2.8
Sargon, un personnage important de Mésopotamie

La grande Babylone

Babylone est une cité-État. Dès 2000 avant notre ère et pendant près de 1500 ans, Babylone est à la tête d'un puissant empire. À plusieurs reprises, Babylone est attaquée, détruite, et soumise à la domination de peuples venus de Turquie, de Syrie et d'Iran. Babylone est donc reconstruite plusieurs fois.

Ses périodes les plus glorieuses sont celles des rois Hammourabi (1792 à 1750 avant notre ère) et Nabuchodonosor II (605 à 562 avant notre ère). Babylone est alors un important centre intellectuel, où plusieurs disciplines s'épanouissent : littérature, mathématique, astronomie, philosophie.

Le roi Hammourabi est connu pour le code de lois qu'il met en place vers 1792 avant notre ère. Ce code de loi porte d'ailleurs son nom, le Code d'Hammourabi, et il révèle beaucoup de détails sur les lois de l'époque mésopotamienne.

Le roi Nabuchodonosor II est connu quant à lui pour ses grands travaux de construction, rendus possibles grâce aux richesses, au savoir et à la force de quelques peuples voisins, conquis et déportés. Préoccupé par la défense de Babylone, il fait construire d'imposantes fortifications.

Des historiens de l'Antiquité disent qu'il a fait aménager des « jardins suspendus », pour son épouse Amytis. Selon les récits, il s'agirait d'une structure à plusieurs paliers, où de nombreuses plantes poussaient, irriguées par un système complexe de pompage qui nécessitait le travail d'un très grand nombre d'esclaves.

Savoirs+

Les Sept Merveilles du monde

La liste des Sept Merveilles du monde a été dressée par un voyageur de l'Antiquité. Elles datent toutes de cette époque et se situent autour du bassin méditerranéen. Elles ont été construites entre 2650 avant notre ère (pyramide de Khéops en Égypte) et 400 avant notre ère (phare d'Alexandrie). Aujourd'hui, seule la pyramide de Khéops subsiste. Les autres merveilles ont disparu à la suite de tremblements de terre, d'incendies ou ont simplement été détruites par les humains.

2.9

Une reconstitution de la porte d'Ishtar, une des ouvertures des murs défensifs de Babylone

Le roi de Babylone, préoccupé par la défense de sa cité, fait construire d'imposantes fortifications. Malgré celles-ci, Babylone est attaquée à plusieurs reprises par des peuples rivaux.

Les Sept Merveilles du monde

Le temple d'Artémis à Éphèse (Turquie actuelle)
Cet édifice a été construit en l'honneur de la déesse grecque de la chasse.

La pyramide de Khéops à Gizeh (Égypte)
Cette pyramide abrite le tombeau du pharaon du même nom.

Le phare d'Alexandrie (Égypte)
Ce phare était situé sur l'île de Pharos pour guider les navires.

La statue de Zeus à Olympie (Grèce)
Cette œuvre a été sculptée en l'honneur du roi des dieux grecs.

Le Mausolée d'Halicarnasse (Turquie actuelle)
Ce tombeau du roi Mausole a été conçu par son épouse, Artémise II.

Les jardins suspendus de Babylone (Irak actuel)
Cet édifice comprenait plusieurs terrasses recouvertes de plantes.

Le colosse de Rhodes (Grèce)
Cette immense statue de plus de 30 mètres, en l'honneur du dieu du Soleil, Hélios, a été détruite 60 ans après sa construction.

1. Sur la ligne du temps ci-dessous :

   a) colorie en rouge la période durant laquelle la ville de Babylone est un puissant empire ;

   b) indique par un trait bleu le règne du roi Hammourabi ;

   c) indique par un trait noir le règne de Nabuchodonosor II.

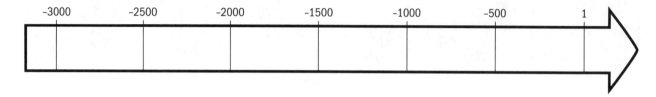

2. Babylone était une grande cité-État. Donne trois exemples qui le prouvent.

   ● _____

   ● _____

   ● _____

3. Situe chaque merveille du monde dans le pays approprié.

   a) Indique dans la légende comment chaque merveille sera identifiée sur la carte (couleur, pointillés, hachures, pictogramme, etc.). Attention, plusieurs merveilles peuvent être situées dans un même pays.

   b) Reporte les éléments de ta légende sur la carte.

2.10

Le bassin méditerranéen et les Sept Merveilles du monde

Légende

☐ Le phare d'Alexandrie

☐ Le Mausolée d'Halicarnasse

☐ La pyramide de Khéops

☐ Le Colosse de Rhodes

☐ Le temple d'Artémis

☐ La statue de Zeus

☐ Les jardins suspendus

4. Observe la reconstitution des jardins suspendus de Babylone, à la page 79.

a) Décris brièvement ces jardins suspendus.

_____

_____

_____

_____

b) D'après ton observation, pourquoi les jardins donnent-ils l'impression d'être suspendus ?

_____

_____

_____

_____

❸ Un héritage de la Mésopotamie : l'écriture

Vers 3300 avant notre ère, les activités commerciales des Sumériens se sont développées au point qu'il est devenu nécessaire de dresser la liste des marchandises chargées sur les bateaux, des produits vendus, des dettes contractées, bref, de créer un outil de comptabilité. L'écriture naît de ce besoin. Cet outil de **communication** sert également à déterminer l'impôt que les habitants doivent payer.

Communication
Action d'échanger de l'information entre au moins deux personnes.

2.11

Une tablette d'écriture cunéiforme datant de 3300 avant notre ère
Sur cette tablette, un scribe a dressé l'inventaire d'un troupeau de chèvres et de moutons.

Papyrus

Plante dont la tige contient une substance permettant de fabriquer des feuilles pour écrire. Elle pousse sur les bords du fleuve Nil, en Égypte.

Parchemin

Peau d'animal (mouton, âne, porc ou chèvre) que l'on fait sécher et qui sert de support pour l'écriture.

2.12 L'évolution des signes : de l'image à la lettre

Le support et l'outil pour écrire déterminent la forme d'écriture. Le roseau fait des marques en forme de coins dans l'argile. C'est pour cette raison qu'on nomme l'écriture sumérienne «cunéiforme». Plus tard, le **papyrus**, le **parchemin** et le papier permettent de tracer plus facilement les symboles.

	DÉBUT DE L'ÉCRITURE, VERS **3500** AVANT NOTRE ÈRE (pictogrammes)	ÉCRITURE CUNÉIFORME, VERS **3300** AVANT NOTRE ÈRE (écriture syllabique)	ÉCRITURE ALPHABÉTIQUE
Exemple avec le mot «soleil»			soleil
Exemple avec le mot «oiseau»			oiseau

2.13 Quelques lettres dans quelques alphabets

Il existe aujourd'hui trois grands groupes d'alphabets : les alphabets de type grec, qui représentent les voyelles et les consonnes ; les alphabets orientaux, qui notent seulement les consonnes ; et les alphabets faits de consonnes et de syllabes, comme le japonais et l'indien.

LE 1er ALPHABET	ALPHABETS DE TYPE ORIENTAL		ALPHABETS DE TYPE GREC		
Alphabet cunéiforme d'Ougarit (30 lettres)	**Phénicien** (22 lettres)	**Arabe** (28 lettres)	**Grec** (24 lettres)	**Cyrillique** (russe) (33 lettres)	**Latin** (26 lettres)
			B	Б	B
			Δ	Д	D
			Λ	Л	L
			M	M	M
			P	P	R
			Σ	C	S
			T	T	T
			Z	З	Z

L'argile et le roseau servent d'abord de «papier et crayon». À l'aide d'une tige de **roseau**, on grave des caractères dans une tablette d'argile molle. Si l'on veut ensuite conserver le texte, on cuit la tablette.

D'abord les mots…

Les symboles utilisés par les Sumériens correspondent à des mots et non pas à des lettres. Les premiers écrits sont composés de pictogrammes, c'est-à-dire de signes qui ressemblent à ce qu'on veut représenter. Par exemple, on dessine un soleil pour représenter le mot soleil. Puis les symboles deviennent de plus en plus abstraits : c'est l'apparition de l'écriture **cunéiforme**.

Comme il y a un symbole différent pour chaque mot, le nombre de signes à connaître est très élevé. L'apprentissage de l'écriture est donc difficile et réservé à un petit nombre de personnes.

… puis les syllabes

Plus tard, les Égyptiens développent une écriture syllabique. Mais, comme chaque signe représente une syllabe différente, le nombre de symboles à apprendre est encore très grand.

… ensuite les lettres

L'idée d'un alphabet cunéiforme naît vers 1400 avant notre ère à Ougarit (Syrie). C'est cependant tout près, en Phénicie (Liban actuel), que le premier véritable alphabet apparaît, vers 1380 avant notre ère. Ce système représente uniquement les consonnes. Plus tard, les Grecs créent un alphabet incluant les voyelles.

1. Afin de mieux retracer l'évolution de l'écriture, remplis la fiche suivante.

Renseignements sur l'évolution de l'écriture

INVENTION DE L'ÉCRITURE : Vers _____ avant notre ère.

PEUPLE AYANT INVENTÉ L'ÉCRITURE : _____

PREMIÈRE UTILITÉ DE L'ÉCRITURE : _____

OUTILS SERVANT À L'ÉCRITURE À SES TOUT DÉBUTS : Une tablette d'argile et _____

PREMIER SYSTÈME D'ÉCRITURE EN MÉSOPOTAMIE : _____

TROIS AUTRES SUPPORTS POUR L'ÉCRITURE FAITS DE SUBSTANCES VÉGÉTALES : _____ et le papier.

2. Saurais-tu écrire les nombres en écriture cunéiforme ? Complète le tableau suivant à l'aide de tes observations.

2.14 **Les nombres en écriture cunéiforme**

1	2	3	4	5

6	7	8	9	10

11	12	13	14	15

16	17	18	19	

20	30	40	50	60

Les scribes

Après avoir inventé l'écriture, les Sumériens inventent... l'école ! Le système d'écriture cunéiforme comporte tellement de signes qu'il faut plusieurs années pour apprendre à écrire et à lire. On donne le nom de « scribe » aux Mésopotamiens dont le métier est d'écrire.

Les premières écoles sont surtout dans les maisons. Les scribes transmettent leur savoir à leurs enfants et à quelques autres personnes. L'étude des tablettes d'argile trouvées par les archéologues révèle que de nombreuses femmes exercent le métier de scribe. On a découvert des poèmes et des **hymnes** signés par des femmes.

L'écriture facilite l'expansion du commerce en rendant possible l'utilisation d'un véritable système de comptabilité. Elle permet de garder une trace des directives des rois, ainsi que de leurs exploits de guerre et de leurs grands travaux. Elle assure la conservation des messages divins interprétés par les **devins**. Les scribes sont donc au cœur de toutes les activités économiques, juridiques, politiques et religieuses.

Hymne

Chant ou poème composé pour célébrer la gloire de dieux ou la bravoure de héros.

Devin

Personne qui prétend pouvoir prédire l'avenir, notamment en communiquant avec des esprits et des dieux.

3. a) Les lettres des mots ci-dessous ont été mélangées. Replace-les en ordre pour former des mots ayant un lien avec les débuts de l'écriture.

   b) Associe ensuite chaque mot à sa définition.

Définitions

1. ÉFRMEUCION

_____

2. ESRIBC

_____

3. LOCEÉ

_____

4. BLTTEEAT GLDAR'EI

_____

5. HABPALET

_____

6. AICPTOEMMRG

_____

7. UROSEA

_____

Plante à tige épaisse :

_____

Petit dessin qui représente un mot :

_____

Mésopotamien dont le métier est d'écrire :

_____

Lieu où l'on apprend à lire et à écrire :

_____

Écriture en forme de coins :

_____

Matière sur laquelle les Mésopotamiens gravaient des caractères :

_____

Ensemble de lettres qui sert à transcrire des sons :

_____

4. Explique pourquoi plusieurs années sont nécessaires aux scribes pour apprendre à lire et à écrire.

_____

_____

_____

_____

2.15
···

Des scribes

Les personnes qui détiennent le pouvoir, comme le roi et les grands prêtres, ont absolument besoin du savoir des scribes pour faire fonctionner leur administration. Ceux qui maîtrisent l'écriture acquièrent du pouvoir.

5. Lis les énoncés suivants décrivant les utilisations possibles de l'écriture. Trouve celui qui est erroné, encadre-le, puis reformule-le afin de le rendre véridique.

a) L'écriture empêche l'expansion du commerce, car l'utilisation d'un système de comptabilité s'avère trop complexe.

_____

_____

b) L'écriture permet de garder une trace des directives des rois, ainsi que de leurs exploits de guerre et de leurs grands travaux.

_____

_____

c) L'écriture assure la conservation des messages divins interprétés par les devins.

_____

_____

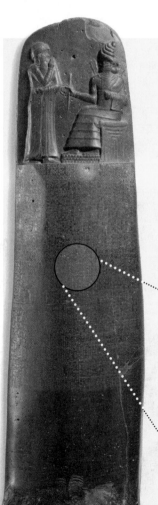

Le code de lois du roi Hammourabi

Les tablettes d'argile et de pierre gravées contiennent plus que des mots. Elles fournissent un portrait de la vie en Mésopotamie. Par exemple, vers 1792 avant notre ère, le roi de Babylone, Hammourabi, dicte des lois à ses scribes et leur ordonne de les copier pour les envoyer dans tout son royaume.

Ces écrits servent à informer les habitants des peines qu'ils risquent en commettant certains actes. Ces mêmes écrits nous apprennent qu'à cette époque :

- il y avait des hommes libres et plusieurs types d'esclaves ;
- les femmes des fermiers ne pouvant payer la location de leurs terres devenaient les esclaves du propriétaire ;

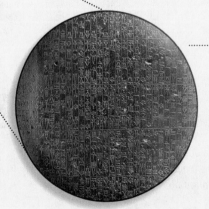

2.16

La stèle sur laquelle le Code d'Hammourabi est gravé
Le code énumère des interdictions et les punitions que devront subir les personnes qui ne les respectent pas. Il est surmonté d'une sculpture montrant Hammourabi qui reçoit le code directement des mains d'un dieu.

- que les constructeurs risquaient la peine de mort si leurs maisons s'effondraient ;
- que la **loi du talion** était appliquée : le coupable d'un crime subissait le traitement qu'il avait fait subir.

Le Code d'Hammourabi couvre plusieurs aspects de la vie : travail agricole, situation des femmes et des esclaves, vol, coups et blessures, entre autres. Ce code n'est pas le plus ancien, mais il est celui qui transmet le plus d'informations sur un royaume de Mésopotamie.

Loi du talion
Loi qui prévoit qu'un criminel doit subir les mêmes souffrances ou inconvénients qu'il a fait subir à sa victime. Le mot *talion* vient d'un terme latin qui signifie «tel, comme».

2.17 Extrait adapté du Code d'Hammourabi
Cet extrait présente quelques-unes des règles du domaine de l'agriculture.

47. *Le paysan qui loue une terre à un grand propriétaire terrien a le droit de faire cultiver cette terre par une autre personne. Le paysan n'enfreint donc pas la loi qui l'oblige à cultiver le champ qu'il loue et à verser une partie de la récolte au grand propriétaire.*

48. *Les années de mauvaises récoltes dues aux phénomènes météorologiques, le cultivateur qui a des dettes n'est pas obligé de payer les intérêts de sa dette à la personne à qui il a emprunté l'argent.*

53. *Un propriétaire qui néglige l'entretien de son barrage subira le châtiment suivant si son barrage se brise et que l'eau inonde les cultures de ses voisins : les voisins pourront vendre le propriétaire négligent en esclavage et conserver l'argent de cette vente en guise de dédommagement.*

55. *Le cultivateur qui ouvre les vannes de son barrage pour irriguer son champ et qui, par manque d'attention, laisse l'eau inonder le champ de son voisin devra dédommager le voisin en lui donnant une partie de sa récolte.*

1. a) Quelle cité-État est dirigée par le roi Hammourabi ?

_____

b) En quelle année le roi Hammourabi fait-il rédiger son code de lois ?

_____

c) Qui sont chargés de l'écrire et de le copier afin de le faire circuler dans tout le royaume ?

_____

d) Interprète la situation suivante selon la loi du talion : un homme est surpris en train de voler les récoltes de son voisin, quelle punition subira-t-il ?

_____

_____

_____

2. Lis attentivement l'extrait adapté du Code d'Hammourabi ci-dessus. En inscrivant son numéro, détermine quelle loi issue du Code d'Hammourabi s'applique dans les situations suivantes.

1. J'ai inondé les terres de mon voisin par négligence.

_____

2. Une colonie de sauterelles a mangé mes récoltes et la personne à qui j'ai emprunté me réclame des intérêts sur ma dette.

_____

3. Le grand propriétaire me demande de l'argent pour la location de la terre que je lui loue, mais qu'un autre cultivateur cultive.

_____

Auj⊕urd'hui

Les codes de loi aujourd'hui au Québec

À l'époque du roi Hammourabi, des scribes transcrivent les lois en plusieurs copies sur des tablettes d'argile. Le roi envoie ces tablettes dans toutes les régions de son royaume. Il veut que tous les habitants connaissent les règles et les pénitences de sa société.

Aujourd'hui, ce sont les citoyens qui doivent faire des recherches pour apprendre leurs lois. Le gouvernement n'envoie pas dans chaque maison la liste des lois ou des modifications qu'il apporte aux lois. La loi prévoit pourtant que les citoyens doivent connaître les lois et s'informer des changements. En effet, il existe une règle qui dit : « Nul n'est censé ignorer la loi. » Cela veut dire qu'une personne qui se trouve devant un juge ne peut justifier son comportement en disant qu'elle ignorait la loi qu'elle a enfreinte.

Les lois en vigueur au Québec sont contenues dans deux codes : le Code civil et le Code criminel, publiés sous forme de gros livre. À l'intérieur de ces codes, on en trouve d'autres : le Code de la sécurité routière, le Code de la famille, etc.

Les lois peuvent être modifiées à la demande de groupes de citoyens ou d'entreprises. Souvent, les modifications viennent des changements sociaux ou des innovations technologiques. Par exemple, la loi sur les droits d'auteurs de musique en vigueur en 1990 est devenue inefficace avec l'apparition d'Internet. Internet à lui seul a obligé l'adoption de nombreuses lois !

2.18

La Cour d'appel du Québec, située à Montréal

Saurais-tu où trouver l'information sur les lois concernant, par exemple, le piratage informatique, le « taxage » ou la conduite d'une motoneige sans permis ?

La multiplication des écritures

Le sumérien est vraisemblablement la première langue écrite. Rapidement, différents peuples s'approprient les signes de l'écriture sumérienne et les adaptent à leur langue. Même si peu de gens savent lire, des rois trouvent important de fixer dans la pierre le récit de leurs exploits. Grâce au travail des scribes, ces précieux écrits nous informent de cette époque lointaine.

2.19

La stèle de Mesha

Mesha est roi de Moab (Jordanie), vers 850 avant notre ère. Sur une pierre de un mètre de haut, il fait graver la liste des villes qu'il a conquises et de ses grandes constructions (palais et murailles). On lit sur cette stèle qu'il a utilisé des prisonniers de guerre pour réaliser ces travaux.

L'impôt et le cadastre

Les dirigeants mésopotamiens entreprennent de grands travaux de construction : palais, temples, canaux d'irrigation, fortifications. Pour les réaliser, ils ont besoin de ressources alimentaires afin de nourrir les ouvriers. Ils imposent donc un impôt aux propriétaires de terrains et aux fermiers qui louent des terres agricoles.

Pendant longtemps, l'impôt est payé en produits agricoles. Il est établi d'après la surface et la valeur du terrain. Le document administratif qui contient cette information et précise l'emplacement des terrains est un « cadastre ».

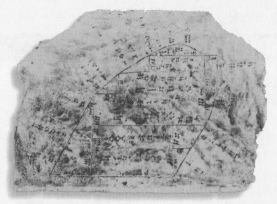

2.20

Le cadastre de Dunghi
Bien avant d'écrire des textes, les Mésopotamiens ont noté de l'information sur leur cité. Ce document, découvert dans le désert d'Arabie, montre le cadastre d'une partie de la ville de Dunghi. C'est le plus ancien plan connu d'un territoire.

1. Indique si chaque énoncé suivant est vrai ou faux. Lorsqu'un énoncé est faux, corrige-le en écrivant la bonne réponse.

VRAI ⬜ FAUX ⬜   a) L'ancien hébreu est la première langue écrite.

_____

VRAI ⬜ FAUX ⬜   b) Beaucoup de gens savent lire les récits des rois de la Mésopotamie.

_____

VRAI ⬜ FAUX ⬜   c) Mesha, roi de Moab, a fait écrire sur une stèle la liste des villes qu'il a conquises.

_____

VRAI ⬜ FAUX ⬜   d) L'impôt, exigé aux propriétaires de terrains et de fermes, est payé en tablettes d'argile.

_____

VRAI ⬜ FAUX ⬜   e) L'impôt sert à nourrir les ouvriers travaillant à de grands travaux de construction comme des palais et des temples.

_____

2. Les scribes conservent les écrits sur différents supports.

a) Observe attentivement la figure 2.19, à la page 88. Sur quel matériau les écrits ont-ils été gravés ? Encercle ta réponse.

         Pierre (basalte noir)   Tablette d'argile

b) Observe attentivement la figure 2.20 ci-dessus. Sur quel matériau les écrits ont-ils été gravés ? Encercle ta réponse.

         Pierre (basalte noir)   Tablette d'argile

La conservation des archives

La conservation de documents écrits est une préoccupation des sociétés depuis le début de l'écriture. Les écrits sur les tablettes d'argile se sont rendus jusqu'à nous parce que leur support a pu survivre au passage du temps. Les civilisations qui ont écrit sur du papyrus n'ont pas pu nous laisser beaucoup d'archives, le support s'étant décomposé.

Avant l'apparition de l'ordinateur, le gouvernement québécois et tous ses organismes devaient archiver des documents papiers. D'immenses locaux servaient uniquement à l'entreposage des archives sur papier.

Puis la disquette est apparue avec l'ordinateur. Elle pouvait contenir environ 300 pages de texte. Le CD est arrivé et le disque dur externe, suivi de la clé USB. Maintenant, on entrepose des données dans un espace virtuel !

2.21

La clé USB et l'ordinateur, des supports permettant l'archivage et l'enregistrement de données

❹ L'organisation sociale en Mésopotamie

Cette première civilisation est une société où les écarts entre riches et pauvres sont très grands. Un petit groupe de personnes, dont le roi et les grands prêtres, possèdent la presque totalité des terres. Le pouvoir des prêtres est de plus en plus important. Les bateaux peuvent désormais prendre la mer avec de grandes quantités de marchandises ; et l'invention de la roue entraîne le développement d'un nouveau mode de transport, la charrette. Le commerce avec des régions très éloignées devient donc plus facile.

La hiérarchie sociale

Plus les Mésopotamiens sont riches ou « près des dieux », plus ils ont de pouvoir et s'élèvent dans la hiérarchie sociale. La possession de terres est un facteur important de richesse. Les terres sont réparties principalement entre un petit groupe de personnes : le roi, les prêtres et les riches. Une vaste classe de pauvres et d'esclaves apparaît. Les fermiers qui subissent de mauvaises récoltes vendent leurs terres et même leurs enfants pour payer leurs dettes. S'ils ne remboursent pas, ils deviennent esclaves, tout comme les prisonniers de guerre.

LE ROI

- Il dit tenir son pouvoir directement des dieux : ce pouvoir est héréditaire ou imposé par la force après une invasion.
- Il décide des stratégies de défense de son territoire.
- Il commande de grands travaux d'infrastructure : canaux d'irrigation, fortifications, etc.
- Il décide du montant des impôts à prélever pour réaliser ces travaux.
- Il élabore et dicte les lois.
- Il décide des territoires à conquérir.
- Il doit fournir aux temples les produits qui serviront d'offrandes aux dieux : il donne donc aux prêtres des terres et des esclaves (prisonniers de guerre).
- Il est appuyé par une grande administration (les fonctionnaires du roi).

LES PRÊTRES

- Ils ont un rôle religieux et économique : les temples constituent le centre économique de la cité.
- Le personnel religieux (les devins et les prêtres) est sous l'autorité d'un grand prêtre.
- Ils conseillent le roi sur le meilleur moment de mener une guerre d'après des signes envoyés par les dieux.
- Ils possèdent une grande partie du territoire, qu'ils font cultiver par des fermiers locataires ou des esclaves.
- Ils gèrent les richesses provenant de cette agriculture, fournissent l'alimentation au roi et à sa cour, et commercent pour l'acquisition de minéraux précieux à offrir aux dieux.
- Ils prêtent une partie de leur main-d'œuvre pour les travaux du roi.
- Ils sont, eux aussi, appuyés par une grande administration (les fonctionnaires des temples).

2.22

Un grand prêtre et un roi de Babylone
Les grands prêtres ont beaucoup de pouvoir.
Ils orientent les décisions du roi.

LES NOBLES

- Ils participent à la gestion des temples et des biens des membres de la cour royale.
- Ils exercent diverses fonctions à la cour du roi.
- Ils prennent part à l'administration.

- Ils gouvernent, au nom du roi, des provinces conquises.
- Plusieurs nobles sont propriétaires terriens et louent leurs terres à des fermiers.

LES FONCTIONNAIRES DU ROI ET DES TEMPLES

- Ils gèrent tous les aspects pratiques de l'administration, selon les décisions politiques, économiques, militaires et religieuses prises par le roi et les prêtres. Par exemple, ils recrutent les ouvriers pour la construction de canaux. Beaucoup de fonctionnaires sont des scribes, les seuls qui savent lire et écrire.

2.23

Un artisan
Cette gravure datant d'environ 1900 avant notre ère montre un menuisier travaillant une pièce de bois à l'aide d'une petite hache.

LE PEUPLE

Les commerçants
- Ils vendent des produits sur les marchés locaux.
- Ils commercent avec les temples.
- Ils importent des ressources naturelles, comme le bois; ou des produits, comme des armes pour mener la guerre; ou des colliers, qui servent d'offrandes aux dieux.

Les artisans
- De nombreux artisans travaillent pour les temples: boulanger, métallurgiste, tisserand, maçon, sculpteur, orfèvre.

Les agriculteurs
- La majorité des fermiers louent des terres aux grands propriétaires terriens, au roi ou aux temples.

Orfèvre
Personne qui fabrique, à l'aide de métaux comme l'or, l'argent, l'étain ou le cuivre, des objets qui servent à ornementer.

LES ESCLAVES

Il existe trois catégories d'esclaves:
- les esclaves pour dettes;
- les prisonniers de guerre;
- les orphelins et les veuves sans ressources: ils sont nourris par les temples en échange de leur travail et ils ne peuvent plus quitter ce statut.

1. À l'aide des mots ci-dessous, complète la pyramide sociale en respectant la hiérarchie existante à l'époque mésopotamienne.

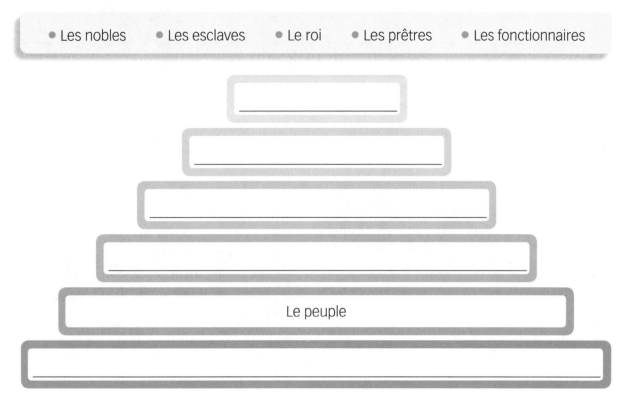

- Les nobles   - Les esclaves   - Le roi   - Les prêtres   - Les fonctionnaires

Le peuple

2. Observe attentivement la pyramide que tu viens de compléter.

a) Réponds aux questions ci-dessous en indiquant si le groupe mentionné se trouve en haut, en bas, ou au centre de la pyramide sociale.

Dans la pyramide…

1. Où sont situées les classes de personnes riches ?

_____

2. Où sont situées les classes de personnes pauvres ?

_____

3. Où est située la majorité de la population mésopotamienne ?

_____

4. Où est située la minorité de la population mésopotamienne ?

_____

5. Où sont situés les scribes ?

_____

6. Où sont situés ceux qui possèdent beaucoup de pouvoir ?

_____

7. Où sont situés ceux qui n'ont pas de pouvoir ?

_____

8. Où sont situés les prisonniers de guerre ?

_____

b) Quelles conclusions peux-tu tirer en observant cette pyramide?

_____

_____

_____

_____

3. Qui suis-je?

a) «Je dois bâtir de nouvelles fortifications autour de ma cité-État. J'ai donc décidé de prélever plus d'impôts. Ce pouvoir me vient directement des dieux.»

_____

b) «Je suis responsable de la religion dans ma cité-État. Je peux éclairer le roi sur le meilleur moment de mener une guerre.»

_____

c) «Je représente une grande partie de la population. Je paie des impôts en produits agricoles.»

_____

d) «Je ne suis pas payé pour mon travail, mais je suis nourri.»

_____

e) «Il m'arrive de gouverner des territoires conquis lors des guerres.»

_____

f) «Puisque je sais lire et écrire, j'administre les affaires du roi.»

_____

4. Explique pourquoi les scribes ont une place de choix dans la hiérarchie sociale.

_____

_____

Les dieux

La religion des Mésopotamiens est polythéiste, c'est-à-dire que les gens croient en plusieurs dieux. Ils pensent qu'il existe une hiérarchie parmi les dieux et qu'ils se comportent comme les humains. Chaque dieu, incarné dans une statue, est souvent représenté sous une forme humaine. Les croyants veillent à ne pas les offenser, pour ne pas être punis.

Pour les Mésopotamiens, le roi est « choisi » par les dieux. Chaque printemps, il confesse ses péchés au dieu suprême de la cité pour obtenir le droit de gouverner une autre année. Le roi doit consulter les dieux avant de déclarer une guerre. Des devins interprètent la volonté des dieux en observant les phénomènes météorologiques ou les entrailles des animaux. Les devins ont donc un grand pouvoir, car ils disent au roi s'il peut ou non entreprendre un projet.

2.24

La déesse Ishtar
Les récoltes sur les terres des temples servent en partie à « alimenter » les dieux. Des prêtres d'Uruk fournissent chaque jour à la déesse Ishtar une offrande de 360 litres d'orge.

2.25

Une statuette du dieu Ningirsu
Ningirsu est le dieu protecteur de la cité-État de Lagash. Il est représenté sous la forme d'un aigle à tête de lion. Cette statuette est faite de lapis-lazuli.

Les maisons des dieux

Les dieux résident dans les temples. La construction de ces bâtiments est un devoir du roi. Une administration, composée d'un grand prêtre, de devins et de scribes, gère les temples. Les prêtres prient les dieux-statues, les nourrissent, les lavent et les parent de bijoux. Les temples forment une véritable cité dans la cité. Des gens de tous les métiers y travaillent : boulanger, boucher, pêcheur, maçon, orfèvre, tisserand, etc. Les habitants n'entrent pas dans les temples. Ils voient les dieux-statues uniquement lors de certaines fêtes, comme celle où on les transporte vers le temple du dieu suprême.

Les interventions des dieux

L'épopée de Gilgamesh est l'une des œuvres littéraires les plus anciennes de l'histoire de l'humanité. Cette légende est relatée en 12 chants, chacun gravé sur une tablette d'argile. Les tablettes ont été découvertes durant les années 1870. *L'épopée de Gilgamesh* montre que les Mésopotamiens croient à l'intervention terrestre des dieux. Gilgamesh, qui aurait régné sur la ville d'Uruk vers 2600 avant notre ère, connaît plusieurs mésaventures avec les dieux.

2.26 **Le Taureau ailé (Extrait adapté de *L'épopée de Gilgamesh*, tablette VI)**
La déesse Ishtar trouve le roi Gilgamesh très beau. Mais le roi la repousse, lui reprochant d'avoir maltraité ses anciens amoureux. La déesse se venge en envoyant un taureau dévaster Uruk, la ville sur laquelle règne le roi.

« […] De retour à Uruk, Gilgamesh se fait beau. La déesse Ishtar tombe amoureuse de lui.

— *Gilgamesh, épouse-moi! Sois mon mari, je serai ton épouse.*

Elle lui promet richesses et honneurs en retour. Gilgamesh refuse, lui reprochant ses faux-semblants et ses infidélités.

— *Non, je ne veux pas de toi pour épouse! Tu n'es qu'un fourneau qui s'éteint dans le froid, une porte qui laisse passer les courants d'air, un palais qui s'écroule sur ses défenseurs, un bélier qui démolit les remparts amis, une chaussure qui blesse le pied.*

Le roi rappelle à la déesse Ishtar la peine qu'elle a faite à ses amoureux: Tammuz, le Lion, le Cheval, le Pâtre, le Jardinier Ishullânu.

Furieuse, Ishtar va demander à son père de quoi venger les moqueries du roi; il accepte de l'aider et crée le Taureau ailé pour frapper la ville d'Uruk, sur laquelle Gilgamesh règne. Il lui demande toutefois de se préparer à la famine que provoqueront les ravages du Taureau ailé.

— *Ce seront sept années de famine pour la ville d'Uruk. Tu devrais donc d'abord faire des réserves de grains.*

Ishtar rassure son père. Il lui remet donc les courroies servant à retenir le Taureau ailé. Elle emmène le taureau au centre d'Uruk. Et l'y lâche. Descendant au bord du fleuve, le taureau dévaste la cité. En soufflant et secouant bruyamment la tête, par trois fois il ébranle la cité, creusant des crevasses qui engloutissent les gens […]»

1. Quelle est la signification du mot *polythéiste* ?

_____

2. Lis les énoncés suivants. Identifie à l'aide d'un « X » les énoncés qui présentent une caractéristique des dieux mésopotamiens.

○ a) Ils se comportent comme les humains.

○ b) Ils vivent dans les nuages.

○ c) Ils sont souvent représentés par des statues ayant une forme humaine.

○ d) Ils jouent tous d'un instrument de musique.

○ e) Il ne faut pas les offenser sinon on risque d'être puni.

○ f) Ils habitent dans des temples.

○ g) Ils influencent les décisions du roi.

○ h) Ils ne sont jamais visités par les prêtres.

○ i) Ils restent en permanence dans leur temple.

○ j) Les habitants ne peuvent les visiter.

○ k) Ils sont nourris, lavés et portent des bijoux.

○ l) Ils choisissent le roi.

3. Lis attentivement l'extrait de *L'épopée de Gilgamesh* à la page 96.

a) Qui a gravé ce texte dans l'argile ?

_____

b) Selon l'extrait, indique si chacun des énoncés suivants est vrai ou faux.

1. Gilgamesh est le roi de la cité d'Uruk. _____

2. Gilgamesh est amoureux de la déesse Ishtar. _____

3. La déesse Ishtar a eu plusieurs amoureux avant Gilgamesh. _____

4. La déesse Ishtar demande à son père d'envoyer un bélier ailé pour dévaster Uruk. _____

5. Gilgamesh parvient à maîtriser l'animal et à l'empêcher _____
de faire des dommages dans la cité.

2.27

Un personnage mythique de *L'épopée de Gilgamesh*

4. Observe la photo ci-dessus. À ton avis, quel personnage de *L'épopée de Gilgamesh* est représenté sur cette sculpture ? Explique ta réponse.

_____

_____

_____

Une grande avancée technologique : la roue

Vers 3500 avant notre ère, les Mésopotamiens inventent un outil révolutionnaire : la roue. Les premières roues sont un disque plein, en pierre ou en bois. La roue à rayons, plus légère, apparaît vers 2000 avant notre ère. Grâce à la roue, il est plus facile de transporter les produits agricoles et le minerai (avec l'invention du chariot), de confectionner des objets en argile (avec le tour de potier) et de cultiver la terre (lorsque l'araire devient une charrue). L'invention de la roue entraîne également celle de la poulie. Cette dernière est utilisée, notamment, pour puiser l'eau.

QUELQUES UTILISATIONS DE LA ROUE À L'ÉPOQUE MÉSOPOTAMIENNE
Transport à l'aide d'un chariot
Modelage d'une poterie à la main
Labourage avec une charrue
Puisage de l'eau avec une poulie

2.28
Le transport du bois au 8ᵉ siècle avant notre ère

Le transport

La Mésopotamie est propice à l'agriculture, mais elle est pauvre en matières premières (bois, métaux, pierres de construction, pierres précieuses, etc.). Pour construire des temples et des palais, pour décorer les statues des dieux, pour fabriquer des ustensiles et des armes, elle doit importer de grandes quantités de minéraux et de bois, souvent de régions très éloignées. Il lui faut donc des moyens de transport.

Le Tigre et l'Euphrate servent naturellement au transport des marchandises par bateaux. Pendant la saison des pluies, des canaux d'irrigation aménagés à partir de ces fleuves deviennent navigables, permettant le transport de marchandises par barques. De grands bateaux commerçants traversent le golfe Persique et naviguent sur la mer d'Arabie pour rejoindre la vallée de l'Indus (Pakistan) et Oman (dans la péninsule arabique).

Par voies terrestres, des animaux transportent des marchandises sur leur dos ou tirent des voitures à deux ou quatre roues. Les ânes et les bœufs sont utiles pour ce type de transport. La construction d'un pont sur l'Euphrate facilite le transport.

2.29
Un chariot mésopotamien (détail de l'étendard d'Ur)

1. a) Sur la ligne du temps ci-dessous, indique par un trait rouge l'année où les Mésopotamiens ont inventé la roue.

b) Indique ensuite par un trait bleu l'année où la roue à rayons a été inventée.

| -4000 | -3500 | -3000 | -2500 | -2000 | -1500 | -1000 | -500 | 1 | 500 |

2. La roue a énormément amélioré la vie quotidienne des Mésopotamiens. Nomme trois fonctions de la roue en complétant les phrases suivantes.

La roue facilite _____ .

La roue facilite _____ .

La roue facilite _____ .

3. Complète le texte suivant à l'aide des mots de l'encadré ci-dessous :

- canaux d'irrigation
- importer
- bateaux
- Tigre
- moyens de transport
- saison des pluies
- charrette
- matières premières
- ânes
- Euphrate
- marchandises

La Mésopotamie est pauvre en _____ . Elle doit donc

en _____ de régions très éloignées. Pour y arriver, il

lui faut des _____ . Sur les voies terrestres, on utilise la

_____ tirée par des _____

ou des bœufs. Sur les cours d'eau comme le _____ et

l'_____ , on utilise des _____ .

Lors de la _____ , des barques peuvent emprunter les

_____ pour transporter des _____ .

Les importations et les exportations de produits

Étant donné ses grands besoins en matières premières, la Mésopotamie est un centre important de commerce. Le troc est basé sur l'échange de biens.

Chaque contact commercial entre peuples devient un contact culturel, car le savoir-faire pour transformer ou utiliser un bien est au cœur des échanges. Ainsi, lorsque l'importation de la **soie** commence, vers 1000 avant notre ère, on importe aussi de la Chine les connaissances nécessaires pour tisser cette fibre.

Soie

Fibre textile qui provient du ver à soie (larve du papillon bombyx).

2.30 **Les produits importés en Mésopotamie et les produits exportés à l'étranger**

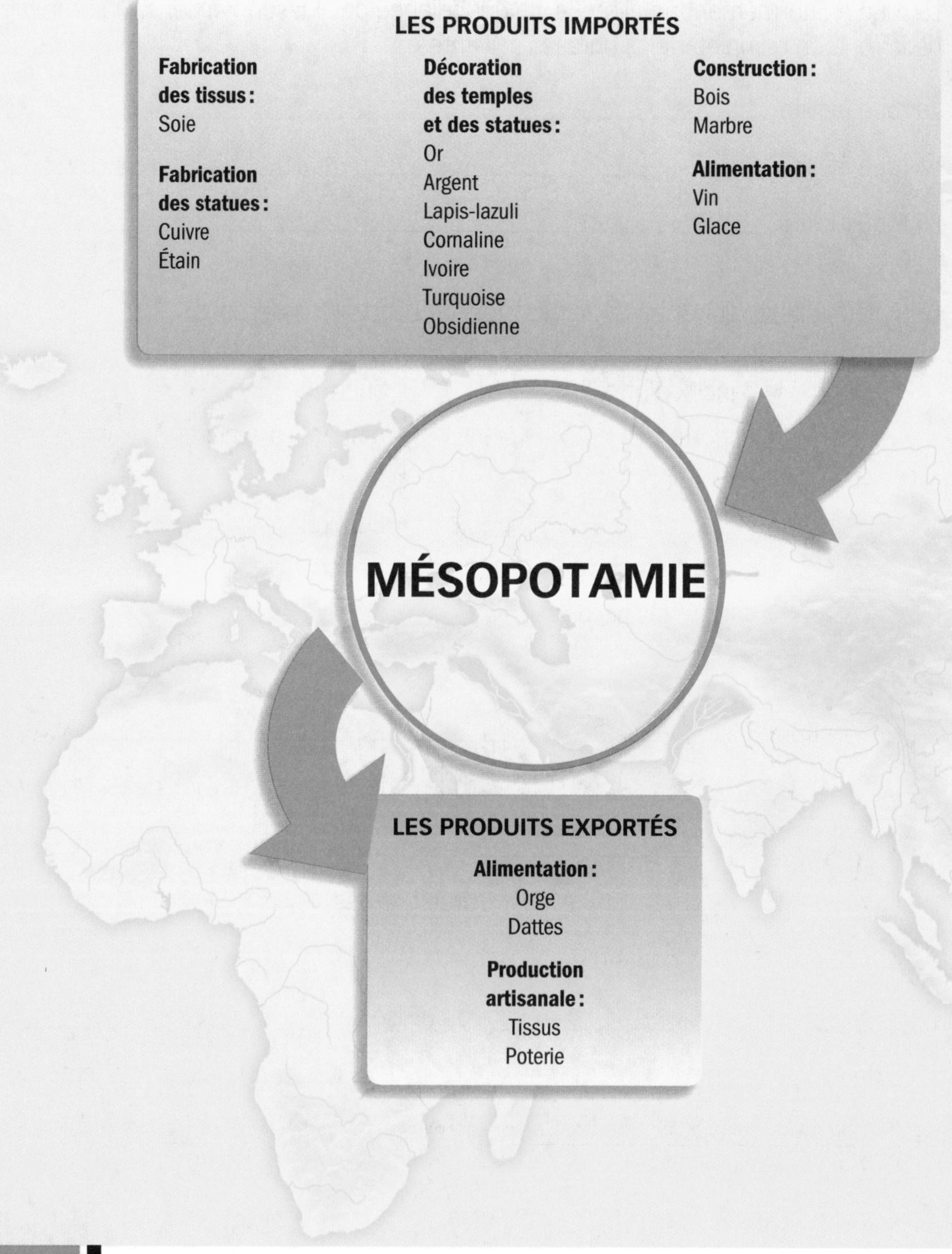

LES PRODUITS IMPORTÉS

Fabrication des tissus : Soie	**Décoration des temples et des statues :** Or	**Construction :** Bois Marbre
Fabrication des statues : Cuivre Étain	Argent Lapis-lazuli Cornaline Ivoire Turquoise Obsidienne	**Alimentation :** Vin Glace

MÉSOPOTAMIE

LES PRODUITS EXPORTÉS

Alimentation :
Orge
Dattes

Production artisanale :
Tissus
Poterie

Quelques produits d'importation en Mésopotamie et leur provenance

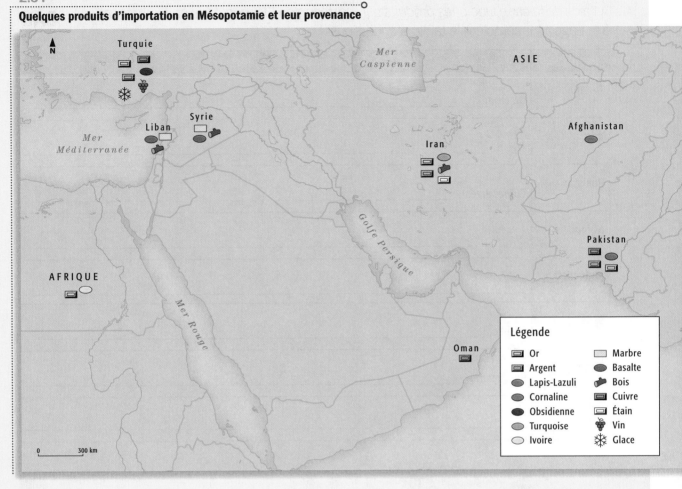

1. Définis ce qu'est le troc et donnes-en un exemple.

Troc : _____

_____

Exemple : _____

2. L'écriture facilite les échanges commerciaux. Encadre l'exemple qui illustre le mieux cette réalité à l'époque mésopotamienne.

a) L'écriture permet à un exportateur de rester en contact avec sa famille lors de ses voyages.

b) L'écriture permet aux commerçants de comptabiliser la marchandise.

c) L'écriture permet la création de récits littéraires.

3. Définis les mots *importer* et *exporter*.

Importer : _____

Exporter : _____

4. À l'aide de la carte *Quelques produits d'importation en Mésopotamie et leur provenance* à la page 101, complète le tableau ci-dessous.

PROVENANCE	PRODUITS IMPORTÉS EN MÉSOPOTAMIE
Turquie	Or, cuivre, _____
Iran	Argent, _____
Pakistan	Cuivre, argent, _____
Afrique	Or, _____
Afghanistan	_____
Syrie	Basalte, _____
Liban	Bois, marbre, _____
Oman	_____

2.32

Transport sur le fleuve Tigre, au cœur d'une cité-État assyrienne

1. a) Trouve l'année qui correspond à chacun des événements ou des faits suivants. **BAO**

    1. Code de lois du roi Hammourabi : _____

    2. Invention de l'écriture cunéiforme : _____

    3. Naissance de la civilisation mésopotamienne : _____

    4. Le règne du roi Gilgamesh : _____

    5. Naissance de l'empire de Babylone : _____

    6. Invention de la roue : _____

    7. Nouvelles techniques d'irrigation des terres agricoles : _____

b) Remets ces événements ou ces faits en ordre chronologique en reportant le numéro approprié dans chacune des cases ci-dessous :

2. Sur la carte géographique suivante, situe : **BAO**

a) les principaux cours d'eau de la civilisation mésopotamienne et ceux qui l'entourent :

    - quatre fleuves ;

    - deux mers ;

    - un golfe.

    Colorie-les et écris leur nom en bleu.

b) des cités-État et une région qui ont marqué son histoire :

    Akkad, Babylone, Sumer, Uruk et Ur.

    Utilise un crayon noir.

2.33

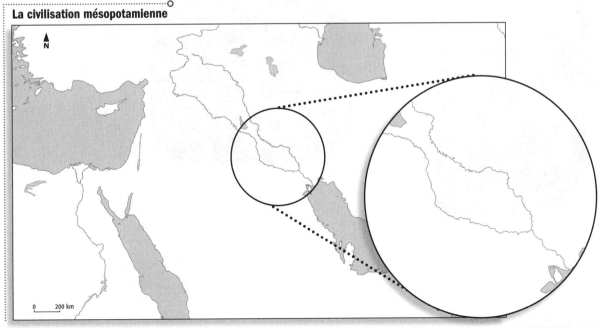

La civilisation mésopotamienne

N

0   200 km

3. Associe chaque énoncé ou document suivant au concept approprié. Inscris la lettre correspondant à l'énoncé dans le cercle prévu à cet effet.

a) Une cité-État est une ville qui a les mêmes pouvoirs que nos États actuels. Ainsi, son gouvernement décide seul de ses lois et de ses relations avec les autres populations.

b) Étant donné ses grands besoins en matières premières, la Mésopotamie est un centre important de commerce et elle importe beaucoup de produits.

c) Les sociétés sumérienne, akkadienne, assyrienne et babylonienne, qu'elles soient alliées ou ennemies, partagent certaines caractéristiques sociales, culturelles, scientifiques et techniques.

Concepts

◯ Civilisation

◯ Communication

◯ Échange

◯ Justice

◯ Pouvoir

◯ Religion

d) **La déesse Ishtar**

e) **Extrait adapté du Code d'Hammourabi**

«Le paysan qui loue une terre à un grand propriétaire terrien a le droit de faire cultiver cette terre par une autre personne. Le paysan n'enfreint donc pas la loi qui l'oblige à cultiver le champ qu'il loue [...]»

f) **Une tablette d'écriture cunéiforme**

4. L'écriture a répondu à plusieurs besoins de la civilisation mésopotamienne. Pour chacun des besoins suivants, indique à quel concept il est associé en le coloriant de la couleur appropriée.

Échange

Pouvoir

Religion

a) Conserver les messages des dieux et les mythes à leur sujet.

b) Connaître les produits vendus, échangés et chargés à bord des navires.

c) Se souvenir des exploits et des grandes réalisations des rois.

d) Informer les habitants des nouvelles lois et règles imposées par le roi.

Justice

5. Réponds aux questions suivantes.

a) Quel est le nom de l'écriture mésopotamienne ?

_____

b) Nomme les deux cours d'eau importants de la Mésopotamie.

_____

c) Quel nom donne-t-on aux personnes dont le métier est celui d'écrire ?

_____

d) Nomme l'invention qui a révolutionné le domaine du transport terrestre.

_____

6. L'écriture a joué un grand rôle dans le développement de la civilisation mésopotamienne.

a) Choisis l'une des deux questions ci-dessous et encercle-la.

1. Explique le lien entre la maîtrise de l'écriture et la justice des rois.
2. Explique le lien entre la maîtrise de l'écriture et le développement du commerce.

b) Réponds à cette question en rédigeant un court texte d'environ cinq lignes.

_____

_____

_____

_____

_____

▼ AILLEURS
▽
▽

Le néolithique voit le développement de trois autres grandes civilisations. Elles naissent elles aussi dans des vallées très fertiles près d'importants fleuves permettant les échanges avec d'autres peuples. Le nom de ces fleuves donne le nom à ces civilisations : **Nil**, **Indus** et **Huang he**.

2.34

Les trésors de Toutankhamon

Le pharaon montre sa puissance même après sa mort. Dès son arrivée sur le trône, il ordonne la construction d'un tombeau gigantesque. Les travaux prennent tant d'années que, parfois, le pharaon meurt avant que son tombeau soit prêt. C'est ce qui est arrivé à Toutankhamon. Il a dû être enterré ailleurs. Lorsque les tombeaux des pharaons ont été pillés, celui de Toutankhamon a ainsi pu être préservé et a révélé des trésors.

La civilisation du Nil, en Égypte, commence
vers 3200 avant notre ère et survit plus de 3000 ans. Les rois, qu'on appelle «pharaons», ont réussi à faire d'un simple petit royaume un grand empire. Les pharaons croient être les fils du dieu-soleil. Ils ne sont pas tous Égyptiens. Cléopâtre, qui règne 21 ans, est d'origine grecque. La civilisation de la vallée du Nil développe un système d'écriture particulier : les hiéroglyphes. La capitale de l'empire des pharaons change de ville plusieurs fois, mais elle demeure toujours sur les bords du fleuve Nil, long de 6700 kilomètres.

1. Que connais-tu de l'Égypte ancienne ?

_____

_____

_____

_____

_____

La civilisation du Nil

CONTINENT Afrique

PAYS Égypte

RÉGIME POLITIQUE Monarchie impériale

PRINCIPALES DIVISIONS SOCIALES
Pharaon (roi)
Vice-rois (gouverneurs)
Vizirs (administrateurs)
Prêtres
Généraux de l'armée
Fonctionnaires
Scribes
Artisans, marins, manœuvres et scientifiques
Agriculteurs et pêcheurs
Soldats
Esclaves

PRINCIPALES ACTIVITÉS ÉCONOMIQUES
Guerre
Construction de tombeaux royaux
Construction de canaux et de navires
Agriculture

RELIGION Polythéisme

Ai**ll**eurs

Au Pakistan actuel, une autre civilisation très développée invente des systèmes d'aqueducs complexes.

▶ La civilisation de l'Indus

2.35
L'immense armée souterraine
Le tombeau de l'empereur Qin Shi Huangdi est une reproduction souterraine du palais et de l'armée du premier empereur de Chine. Couvrant 55 km², il compte 8000 statues de soldats grandeur réelle, de chevaux et de chars. La construction de cette œuvre grandiose a pris 40 ans.

La civilisation du Huang he

CONTINENT Asie

PAYS Chine

RÉGIME POLITIQUE Monarchie impériale

PRINCIPALES DIVISIONS SOCIALES
Empereur
Seigneurs
Soldats
Paysans

PRINCIPALES ACTIVITÉS ÉCONOMIQUES
Agriculture
Guerre
Culture du bombyx, le ver à soie
Production du papier et de la poudre à canon
Construction de la grande muraille

RELIGION
Culte des ancêtres et des esprits
Taoïsme

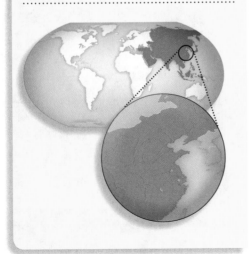

La civilisation du Huang he naît vers 2000 avant notre ère. Elle nous lègue trois grandes inventions qui révolutionnent la façon de faire la guerre, de moudre le grain et de conserver la mémoire des peuples : la poudre à canon, le moulin à eau et le papier. Elle découvre aussi le secret d'une précieuse fibre textile animale : la soie. Elle garde jalousement ce grand secret du papillon bombyx pendant des siècles, s'assurant ainsi un commerce prospère.

1. Pourquoi, selon toi, la civilisation du Huang he a-t-elle construit la grande muraille ?

_____

_____

_____

_____

_____

DOSSIER

3 La Grèce ancienne

Lorsque les gens vivent en regroupement de plusieurs milliers de personnes, comment les décisions collectives se prennent-elles ? Les rois et les pharaons des siècles passés pouvaient décider seuls de tout. Était-ce la manière idéale de gouverner ? Une société peut-elle fonctionner si tous les habitants doivent donner leur avis sur la totalité des décisions à prendre ? Comment la ville d'Athènes a-t-elle pu fonctionner en prenant l'avis de milliers d'hommes ?

Le bassin méditerranéen, le berceau de la civilisation grecque
Au 5e siècle avant notre ère, la société athénienne s'organise d'une façon encore jamais vue : elle instaure une première forme de démocratie.

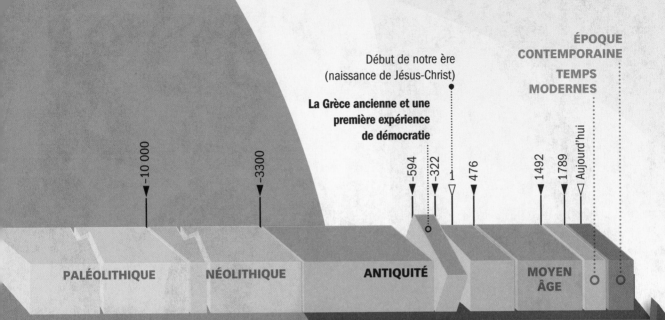

Début de notre ère
(naissance de Jésus-Christ)

ÉPOQUE
CONTEMPORAINE

**La Grèce ancienne et une
première expérience
de démocratie**

TEMPS
MODERNES

-10 000

-3300

-594

-322

1

476

1492

1789

Aujourd'hui

PALÉOLITHIQUE

NÉOLITHIQUE

ANTIQUITÉ

MOYEN
ÂGE

PRÉHISTOIRE

HISTOIRE

Héraclès combattant les Amazones
Plus connu sous le nom latin d'Hercule, Héraclès est un des héros grecs les plus célèbres.
Mi-dieu, mi-humain, il a pour parents le dieu Zeus et la princesse Alcmène, une simple mortelle.

3.1 **Le pentathlon**
En Grèce ancienne, le pentathlon fait partie du programme des Jeux olympiques. Il regroupe cinq disciplines : le saut en longueur, les lancers du disque et du javelot, la lutte et la course.

Quelles autres disciplines sportives figurent au programme des Jeux olympiques de cette époque ?

EN UN **COUP D'ŒIL**

1. Dans une grande société comme la nôtre, différentes personnes représentent les citoyens dans différents domaines. Les énoncés suivants concernent chacun un représentant des citoyens. À l'aide d'une flèche, associe chaque énoncé au représentant correspondant.

a) Vote pour un projet de loi visant à interdire le téléphone cellulaire au volant.

• Conseiller municipal

b) Reçoit les demandes des citoyens pour la fixation des horaires des arénas.

• Commissaire d'école

c) Propose des solutions pour l'agrandissement d'une école secondaire.

• Député

2. Connais-tu les devoirs des citoyens dans notre société ? Observe les photos suivantes et indique, selon toi, à quel devoir chacune correspond.

a) _____ b) _____ c) _____

_____ _____ _____

3. Chaque pays a sa constitution. Une constitution est un texte qui détermine la façon de fonctionner d'un pays. Parmi les éléments suivants, coche ceux qui figurent dans une constitution.

◯ Système de lois

◯ Régime politique (monarchie, démocratie, etc.)

◯ Règles de signalisation routière

◯ Frontières du pays

◯ Règles de fonctionnement des hôpitaux

◯ Charte des droits et des libertés

① Athènes et la naissance de la démocratie

Hellade

Nom désignant la Grèce en langue grecque. *Hellènes* est le nom des habitants de la Grèce.

Aristocratie

Groupe social de privilégiés. Forme de gouvernement qui réserve le pouvoir aux privilégiés.

Guerre civile

Guerre entre des groupes d'un même pays ou d'une même cité-État.

Vers 1300 avant notre ère, Mycènes est le royaume le plus important de l'**Hellade**, nom de la Grèce ancienne. Ce royaume disparaît vers 1100 avant notre ère. Il ne reste alors que des villages. De nombreuses communautés se regroupent en cités-États. Vers 800 avant notre ère, le territoire grec compte plusieurs cités-États. Certaines cités, comme Athènes et Sparte, deviennent puissantes.

Au 7e siècle avant notre ère, Athènes est gouvernée par l'**aristocratie**, c'est-à-dire des privilégiés et de grands propriétaires terriens. Vers 600 avant notre ère, les propriétaires terriens utilisent plus d'esclaves que de paysans athéniens pour travailler dans leurs champs. Les paysans perdent leur gagne-pain. Il y a risque de **guerre civile** entre riches et pauvres.

Du 6e au 4e siècle avant notre ère, des hommes amèneront la société athénienne vers une organisation encore inconnue jusque-là : une première forme de démocratie. Ces hommes sont principalement Solon, Clisthène et Périclès.

3.2

La première expérience de démocratie

Solon

Clisthène

Périclès

- Solon, citoyen issu d'une famille aristocratique, est chargé de résoudre la crise qui oppose les riches et les pauvres. Sa solution marque les premiers pas vers la démocratie.

- Clisthène, citoyen appartenant comme Solon à la classe aristocratique, jette les véritables bases de la démocratie, en 508 avant notre ère.

- Sous la direction de Périclès, de 461 jusqu'à sa mort, en 429 avant notre ère, la civilisation athénienne connaît son plus grand rayonnement. Cet homme d'État met en place des mesures qui vont renforcer la démocratie.

Fin de la première expérience de démocratie

-600 -594 -508 -500 -461 -400 -322 -300

Des cités-États en quête de puissance

Le territoire grec compte des centaines de cités-États, composées chacune d'une grande ville et de sa campagne environnante. Ces cités-États cherchent à développer leur économie. Elles doivent pour cela s'assurer deux choses : des ressources abondantes et des routes commerciales sûres.

Des ressources insuffisantes ou absentes dans une cité se trouvent souvent chez ses voisines. Les guerres entre cités sont donc fréquentes dans la Grèce antique. Le désir d'expansion est aussi à l'origine de ces luttes : plus une cité conquiert de territoires, moins ses marchands risquent d'être attaqués sur les routes terrestres et maritimes.

Athènes est bâtie à proximité de la mer, situation qui favorise le transport et le commerce maritimes. Elle possède des mines d'argent, mais elle dépend d'autres cités pour son approvisionnement en céréales, car son relief montagneux est peu propice à cette culture. Les Athéniens produisent surtout de l'huile d'olive.

3.3

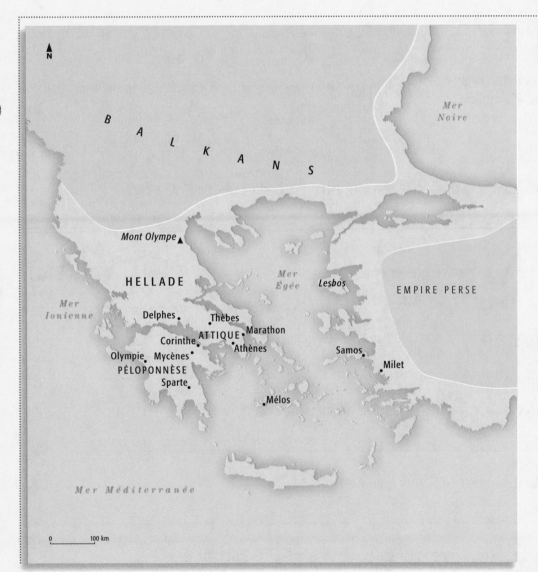

Une partie du monde grec au 5ᵉ siècle avant notre ère

La Grèce est située à l'extrémité de la péninsule des Balkans, une région montagneuse de l'Europe. Mais le monde grec de l'Antiquité est beaucoup plus vaste. Il s'étend notamment aux îles et à la côte orientale de la mer Égée. La Grèce compte plusieurs cités-États, dont Athènes, Sparte, Corinthe, Mycènes et Thèbes. Grâce à sa puissance maritime et commerciale, Athènes parvient à dominer puis à gouverner plusieurs cités-États de l'Attique, région où elle se trouve.

1. Nomme les deux cités-États grecques qui deviennent puissantes au 5e siècle avant notre ère.

_____

2. Situe les événements ci-dessous sur la ligne du temps. Fais un trait s'il s'agit d'une simple date et, s'il s'agit d'une période de temps, colorie sa durée. Certaines dates sont manquantes ; indique-les. Consulte le texte de la page 112 afin de les trouver. Chaque division de la ligne du temps équivaut à 100 ans. **BAO**

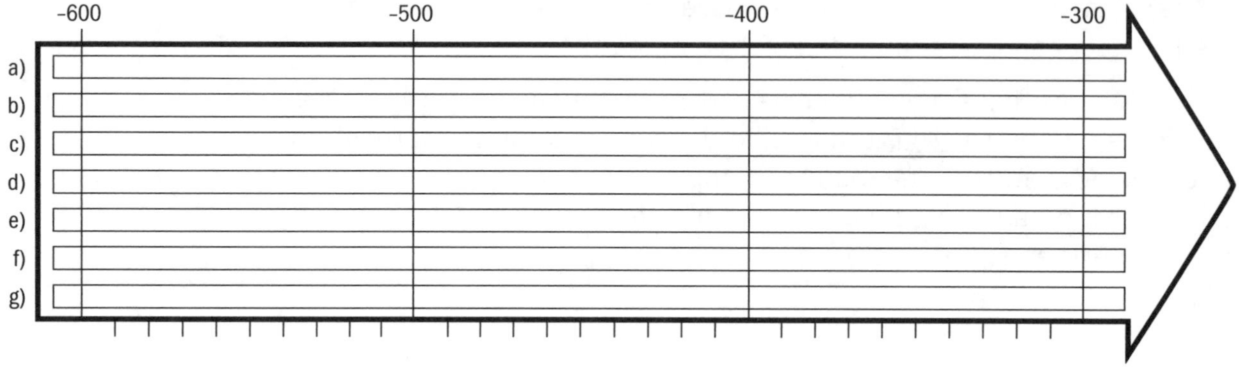

```
      -600            -500            -400            -300
a) [                                                      ]
b) [                                                      ]
c) [                                                      ]
d) [                                                      ]
e) [                                                      ]
f) [                                                      ]
g) [                                                      ]
```

a) Âge d'or d'Athènes : de −500 à −400.

b) Clisthène jette les bases de la démocratie à Athènes : _____ .

c) Périclès dirige Athènes : de _____ à _____ .

d) Solon fait les premiers pas vers la démocratie : _____ .

e) Fin de la première expérience de démocratie : _____ .

f) Construction de l'Acropole : −447

g) Mort de Périclès : _____ .

3. Nomme deux facteurs favorisant le développement économique d'une cité-État.

_____

4. Observe la carte 3.3, à la page précédente. **BAO**

a) Aujourd'hui, Athènes est la capitale de quel pays ? _____

b) Quel nom porte la mer qui borde la cité d'Athènes ?

_____

c) Quels avantages Athènes tire-t-elle d'être située près de la mer ?

_____

d) Nomme quatre autres cités-États grecques.

_____

e) Quel nom porte la région de la Grèce où se trouve la cité-État d'Athènes ? _____

Athènes : de la cité-État à l'empire

Athènes, qui doit son nom à la déesse Athéna, sa protectrice, dominera le monde grec pendant un siècle. De cité-État, elle devient un véritable empire, c'est-à-dire qu'elle devient maître de plusieurs autres cités-États et de nombreux villages.

3.4

Une pièce de monnaie athénienne

Cette drachme athénienne montre la tête de la déesse Athéna sur son côté face, et la chouette, symbole de la sagesse, sur son côté pile.

ATHÈNES

Une puissance militaire

Athènes possède une armée solide. Elle parvient à résister aux attaques de l'Empire perse et à délivrer des cités grecques qui lui sont soumises. Ses succès militaires renforcent sa puissance politique. Afin de mieux lutter contre l'ennemi, elle s'associe à d'autres cités-États grecques pour former une alliance de combat. Elle prend la tête du regroupement. Chaque membre fournit une contribution sous forme d'argent ou d'équipement. Rapidement, Athènes se conduit en maître envers ses alliés. Elle leur impose sa monnaie et ses règles.

Une puissance coloniale

Athènes devient graduellement un empire. Dans les territoires conquis, elle établit des postes de commerce ou envoie des **citoyens** athéniens fonder des villages agricoles. Cette colonisation vise à soulager la cité du très grand nombre de pauvres sans travail.

Une puissance économique

Athènes développe un commerce maritime très actif. Ses ports sont animés d'une activité intense. Le Pirée, situé à 7 kilomètres du cœur de la cité, est au 5e siècle avant notre ère le port le plus important de la mer Égée.

Athènes exporte son vin, son huile et ses produits artisanaux dans plusieurs régions de la Méditerranée, et en rapporte des denrées alimentaires et des minerais.

Citoyen

Dans la Grèce ancienne, homme libre qui habite une cité et qui a des droits civils et politiques.

3.5

Le Pirée, port d'Athènes

Le Pirée devient le principal port d'Athènes. Afin d'assurer la protection des marchandises, la ville est fortifiée, puis reliée à Athènes par les Longs Murs, deux remparts de pierre parallèles créant un corridor sûr entre Le Pirée et la cité.

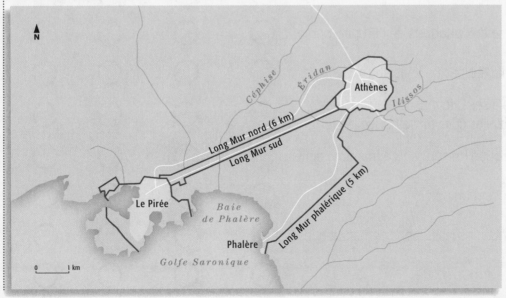

Institution

Structure politique établie par la loi ou la coutume pour servir les intérêts d'une société.

Législateur

Personne chargée de faire des lois.

Une innovation en politique

Athènes instaure une forme de gouvernement complexe, encore jamais vue. Elle met en place de nouvelles structures politiques, ou **institutions**, qui lui permettent de prendre des décisions. Une institution peut limiter le pouvoir d'une autre et, ainsi, empêcher certains abus d'être commis.

Au sein des institutions, plusieurs hommes se font entendre, et il arrive toujours que l'un d'entre eux se démarque. Il devient en quelque sorte le dirigeant en chef de la cité. Les historiens donnent à ces dirigeants le nom de **législateurs**. Les législateurs qui vont se succéder ne proviennent pas nécessairement de la même institution; c'est pourquoi leur titre varie de l'un à l'autre. Parfois, il s'agit d'un chef militaire, comme Périclès; parfois, il s'agit d'un simple citoyen de l'assemblée, comme Clisthène.

3.6

Périclès, homme politique et chef militaire (−495 à −429)
Aristocrate de naissance, Périclès dirige Athènes de 461 à 429 avant notre ère. Pendant son gouvernement, il consolide la démocratie, renforce la flotte de guerre de la cité et entreprend de grands travaux pour embellir la ville et donner du travail aux Athéniens. Durant cette période, Athènes atteint le sommet de sa puissance. Les historiens associent l'âge d'or d'Athènes, le 5e siècle avant notre ère, à Périclès: ils appellent couramment cette période le «Siècle de Périclès».

1. Athènes possède plusieurs caractéristiques d'une cité-État puissante. Les énoncés ci-dessous décrivent certaines de ces caractéristiques. Indique s'il s'agit d'une caractéristique d'ordre colonial, économique, militaire ou politique en faisant un «X» dans le ou les cercles appropriés.

	Colonial	Économique	Militaire	Politique
a) Athènes possède sa propre monnaie.	○	○	○	○
b) Athènes résiste aux attaques de l'Empire perse.	○	○	○	○
c) Athènes est dirigée par un législateur.	○	○	○	○
d) Athènes offre à ses citoyens les plus pauvres la possibilité d'aller cultiver de nouvelles terres.	○	○	○	○
e) Athènes développe un commerce maritime actif.	○	○	○	○
f) Athènes dispose d'un port.	○	○	○	○
g) Athènes possède des institutions démocratiques.	○	○	○	○
h) Athènes a une armée solide.	○	○	○	○

2. Fais l'entrecroisé suivant sur la cité-État d'Athènes.

Horizontal

1. Déesse protectrice d'Athènes.

2. Port d'Athènes.

Vertical

3. Nom d'un chef militaire d'Athènes.

4. Athènes résiste aux attaques de cet empire.

5. Homme libre qui habite une cité et qui a des droits civils et politiques.

6. Personnes habitant Athènes.

7. Pièce utilisée pour les échanges commerciaux.

❷ Être citoyen à Athènes

La première expérience de démocratie n'est pas ouverte à toute la population de la cité. La société athénienne est composée des premiers habitants de la Grèce, d'immigrants, de descendants d'immigrants nés dans la cité et d'esclaves. Peu d'entre eux peuvent participer à la vie politique. Environ 1 habitant sur 10 a ce droit : celui qui a le titre de citoyen.

Le citoyen

Pour être citoyen, il faut :

- être un homme adulte, libre, c'est-à-dire ne pas être esclave ;
- avoir un père citoyen et une mère fille de citoyen ;
- avoir terminé son service militaire.

Le statut de citoyen accorde des droits, mais il impose aussi des devoirs.

DROITS DU CITOYEN	DEVOIRS DU CITOYEN
Le citoyen peut prendre part à la vie politique de la cité. Il peut donc participer à l'assemblée des citoyens et y exercer son droit de parole et de vote. Il peut occuper des fonctions politiques. Seul le citoyen peut posséder des terres.	À 18 ans, le citoyen doit suivre une formation militaire d'une durée de 2 ans. Jusqu'à l'âge de 60 ans, il doit participer à la défense d'Athènes et prendre part aux guerres.

Savoirs+

Une définition qui varie

La définition de *citoyen* varie au fil des ans à Athènes. En 594 avant notre ère, les citoyens sont les personnes nées d'un père citoyen d'Athènes. Vers 510, des habitants d'origine étrangère ont droit au titre de citoyen. En 461, sous Périclès, de nombreuses personnes perdent ce titre, car, pour être citoyen, il faut être né d'une mère et d'un père athéniens.

Tous les citoyens n'ont pas également accès aux fonctions publiques. Celles-ci sont réparties selon la position occupée dans l'échelle sociale. En effet, les citoyens sont groupés en quatre classes, d'abord d'après leur production annuelle. Les citoyens de la 1re classe ont droit à tous les postes gouvernementaux. Ceux de la 4e classe participent aux débats de l'assemblée, mais sont longtemps exclus des charges politiques, judiciaires et administratives. Ce sont des paysans pauvres, des ouvriers, des artisans ainsi que de petits et de grands commerçants.

Comme les citoyens sont obligés de payer eux-mêmes leur armement militaire, les pauvres sont souvent peu équipés ou s'embarquent comme rameurs sur les navires de guerre. Les riches, eux, ont des armures et des chevaux. Chacun contribue selon ses moyens à l'effort de guerre.

Les exclus de la politique

Vers 450 avant notre ère, Athènes compte environ 290 000 habitants. Cette population comprend seulement 29 000 citoyens. Si on inclut leurs familles, ce nombre passe à environ 130 000. Les autres habitants de la cité sont des personnes d'origine étrangère, qu'on appelle les « métèques », et des esclaves. On compte environ 40 000 métèques et 120 000 esclaves. Comme la participation à la vie politique est réservée aux seuls citoyens, la majorité de la population est exclue du pouvoir.

Les femmes de citoyens

La fille ou la femme d'un citoyen appartient au groupe des citoyens, mais elle n'a pas de droits politiques ou juridiques. Elle est considérée comme **mineure** toute sa vie, c'est-à-dire qu'un tuteur décide tout à sa place. Le tuteur est d'abord son père, puis son mari. Quand l'époux meurt, son fils aîné ou un cousin le remplace.

La femme ne peut quitter sa maison sans permission. Sa seule «activité citoyenne» est la pratique du culte, c'est-à-dire la participation aux cérémonies religieuses. Son rôle est d'élever les enfants et de voir à l'entretien de la maison.

Les esclaves

Les esclaves sont des prisonniers de guerre ou des personnes achetées ou capturées à l'étranger par des pirates puis vendues au marché. Ils n'ont aucun droit. Ils obéissent à leur propriétaire, qui peut les vendre ou les léguer. Certains exécutent des corvées militaires, d'autres sont ouvriers. Les femmes esclaves travaillent surtout comme **domestiques**. Leurs enfants sont aussi esclaves. Il arrive que des esclaves se fassent rendre leur liberté par leur maître. Ils deviennent alors des *affranchis*.

Mineur

Personne qui n'a pas atteint l'âge de la majorité fixé par l'État et qui est sous la responsabilité de ses parents ou d'un tuteur.

Domestique

Personne qui s'occupe de la cuisine et des tâches ménagères dans la maison d'une autre personne.

LES EXCLUS DE LA POLITIQUE

Les métèques

Les immigrants, des gens venus d'autres cités, et les descendants d'immigrants nés à Athènes sont des *métèques*. Ils ne sont pas citoyens, mais ils sont libres. Ils exercent divers métiers. Considérés comme des «étrangers», ils ne peuvent pas posséder de terres et paient un impôt spécial. Parfois, ils participent aux opérations militaires menées par la cité.

3.7
Un esclave athénien
Les esclaves exécutent généralement les travaux manuels les plus difficiles.

1. La société athénienne, comme dans toute grande cité de l'époque, est composée de plusieurs groupes de personnes.

Légende

☐ _____

☐ _____

☐ _____

☐ _____

a) Dans la légende ci-dessus, inscris les quatre principaux groupes qui composent la société athénienne ainsi que le pourcentage qu'ils représentent dans la population. Colorie d'une couleur différente les carrés correspondant à chaque groupe.

b) Reporte tes pourcentages dans le diagramme circulaire. Colorie les différentes portions du diagramme de la même couleur que les carrés correspondants dans la légende.

c) Fais des rayures sur la portion correspondant au groupe qui peut voter. Que constates-tu?

_____

_____

2. À Athènes, les droits et les devoirs d'une personne varient selon le groupe social auquel elle appartient. Dans le tableau suivant, en t'aidant du texte, indique les droits et les devoirs qui se rapportent à chaque groupe. Coche les bonnes cases.

GROUPE		DROITS		DEVOIRS		
Qui sont-ils?		Droit de vote	Droit de posséder une terre	Défense de la cité	Paiement d'impôts	Éducation des enfants
Citoyens	Hommes de 18 ans et plus, nés de parents citoyens					
Femmes de citoyens	Filles de parents citoyens					
Métèques	Immigrants et descendants d'immigrants					
Esclaves	Prisonniers de guerre ou de pirates ou enfants d'esclaves					

3. Les figures ci-dessous montrent des personnages ou des scènes représentant des membres de la société athénienne. Dans laquelle peut-on voir un métèque ? un citoyen ? un esclave ? une femme de citoyen ? Inscris ta réponse sous chaque figure.

Le philosophe Aristote est né dans le nord de la Grèce, en Macédoine. Il a été le disciple de Platon et a séjourné longtemps à Athènes.

Vote à main levée sur la colline de la Pnyx.

_____ _____ _____ _____

4. Associe les personnages ci-dessous aux énoncés correspondants.

• Citoyen   • Esclave   • Femme de citoyen   • Métèque

a) Ne participe pas à la vie politique, mais peut prendre part aux opérations militaires. _____

b) Est responsable de l'éducation des enfants. _____

c) Est un homme né de parents athéniens. _____

d) N'est pas né à Athènes, mais y vit en homme libre. _____

e) Peut être libéré de sa condition en étant affranchi. _____

f) Dépend d'un tuteur dans tous les aspects de sa vie. _____

g) Est surveillé par son maître lorsqu'il travaille. _____

h) Participe à la vie politique et à la défense d'Athènes. _____

❸ Espace public et espace privé

La cité athénienne, comme toutes les villes du monde, comporte deux types d'espaces : public et privé. L'espace privé est celui de la maison. L'espace public correspond aux endroits auxquels a accès l'ensemble de la population ou une partie de celle-ci : le marché, les temples, les théâtres, les gymnases, les lieux de débats politiques, etc.

L'espace public

Athènes compte plusieurs **espaces publics**, qui servent aux célébrations religieuses, au commerce et à la vie politique.

3.8

Le plan de la ville d'Athènes au 5ᵉ siècle

L'Agora

La grande assemblée des citoyens tient ses premières réunions à l'Agora, située au pied de l'Acropole. Ce lieu couvre un espace de 25 000 mètres carrés, superficie équivalant à environ 4 terrains de football. L'Agora est aussi un marché en plein air où les commerçants vendent leurs marchandises.

L'Acropole

D'une altitude de 156 mètres, l'Acropole est une colline abrupte au centre d'Athènes. Son nom signifie «ville haute». Les Athéniens y ont construit plusieurs temples, dont le Parthénon. L'Acropole est le principal lieu de **culte** d'Athènes.

Le temple d'Héphaïstos

Ce temple est dédié au dieu du feu, Héphaïstos. Sa construction remonte au 5ᵉ siècle avant notre ère. Situé en haut d'une colline de 66 mètres, ce temple domine l'Agora, le centre de la vie publique d'Athènes.

Le Parthénon

Ce temple, situé sur l'Acropole, est dédié à la déesse Athéna. Périclès en ordonne la construction en 447 avant notre ère. Les travaux dureront 15 ans. On croit que le Parthénon a abrité le trésor de la cité.

Carte : NORD — 0 250 m — Porte, Muraille, Voie sacrée, Temple d'Héphaïstos, AGORA, Aréopage, ACROPOLE, Parthénon, Olympiéion, PNYX, Théâtre de Dionysos, Colline des Muses, Long Mur nord, Long Mur sud, Vers le port du Pirée, Long Mur phalérique

La Pnyx

L'Agora devient de plus en plus animée avec ses commerces et ses temples situés tout autour. L'assemblée des citoyens se déplace donc dans un lieu plus isolé, non loin de l'Acropole : la colline de la Pnyx. L'endroit peut accueillir 6000 personnes.

Le théâtre de Dionysos

Ce théâtre n'est d'abord qu'une scène pour célébrer les fêtes du dieu Dionysos, dieu de la vigne et du vin. On y présente du théâtre, de la danse et du chant. Au cours du 5ᵉ siècle avant notre ère, on y ajoute des gradins. Les Athéniens s'y rendent alors pour voir jouer les pièces des poètes comiques ou tragiques.

L'Olympiéion

L'Olympiéion, temple dédié à Zeus olympien, est situé au sud de l'Acropole, près du centre d'Athènes. Sa construction commence en 515 avant notre ère et ne se termine que beaucoup plus tard, vers 130 de notre ère.

Espace public

Espace où les citoyens participent à la vie de la cité. C'est là que se discutent les affaires publiques et que se prennent les décisions politiques.

Culte

Ensemble des rites, ou pratiques, créés par une religion pour rendre hommage à une divinité.

1. Observe le plan de la ville d'Athènes à la page précédente. Pourquoi l'Acropole est-elle entourée d'une muraille ?

____

____

2. Observe bien l'illustration ci-contre qui représente la ville d'Athènes. Indique à quelle partie de la ville est associé chaque chiffre. Aide-toi du plan présenté à la page précédente. **BAO**

(1) ______________________________

(2) ______________________________

(3) ______________________________

(4) ______________________________

3.9 **Athènes et ses espaces publics**

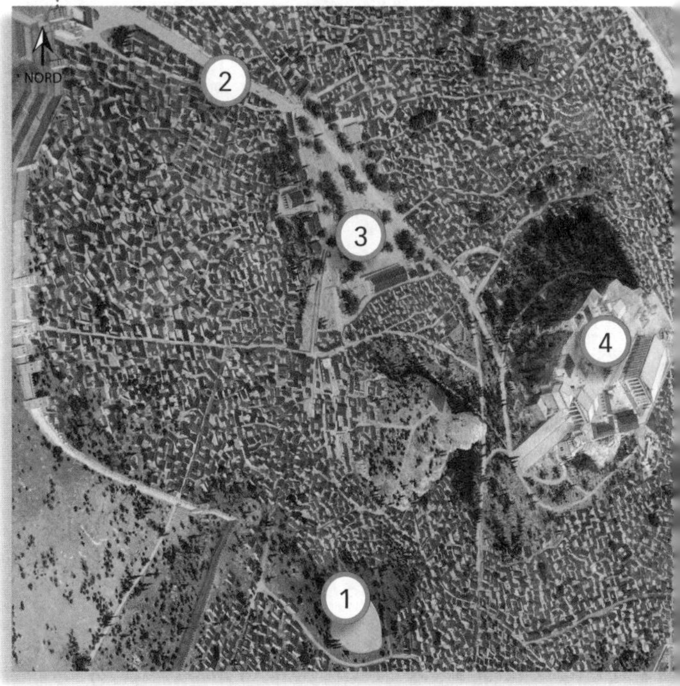

3. Le plan présenté à la page précédente montre plusieurs lieux. Selon toi, ces lieux ont-ils tous la même fonction ? Explique ta réponse.

____

____

4. Associe les lieux suivants aux énoncés correspondants.

- Olympiéion
- Acropole
- Théâtre de Dionysos
- Parthénon
- Colline de la Pnyx
- Temple d'Héphaïstos
- Agora

a) Bâtiment visant à rendre hommage au maître des dieux, mais resté inachevé sous le régime démocratique. ______________________________

b) Centre religieux de la cité d'Athènes. ______________________________

c) Marché à ciel ouvert et lieu de discussions politiques. ______________________________

d) Place où il est possible de voir des comédiens jouer. ______________________________

e) Lieu d'assemblées politiques où des lois sont votées. ______________________________

f) Édifice érigé en hommage à la déesse protectrice de la ville. ______________________________

g) Bâtiment où des offrandes sont faites au dieu grec du feu. ______________________________

Comment parler devant une assemblée

Lorsqu'un citoyen parle devant la grande assemblée, celle-ci reste rarement silencieuse. Comme la réunion se tient en plein air et qu'on n'a pas encore inventé le microphone, l'**orateur** doit parler fort et être capable de projeter les sons au loin. Il doit aussi gesticuler de façon théâtrale. Il lui faut être assez habile pour maintenir l'attention de la foule. De plus, il doit être un bon plaideur, c'est-à-dire qu'il doit utiliser des stratégies pour démontrer qu'il a raison. Les citoyens timides et ceux qui ont peu fréquenté l'école sont désavantagés dans ce genre d'exercice.

Savoir se faire entendre par une foule indisciplinée est fort utile dans une démocratie. Par exemple, Clisthène, simple citoyen de l'assemblée, a réussi à s'imposer et à devenir législateur d'Athènes grâce à ses talents d'orateur.

Orateur

Personne qui sait parler en public, qui a l'art de persuader par son discours.

---

1. Observe l'illustration ci-contre. Selon toi, pourquoi peut-il être difficile pour un orateur de faire un discours dans cet environnement ? Relis le texte pour avoir des indices.

_____

_____

_____

2. Parmi les énoncés suivants, souligne ceux qui décrivent le comportement d'un bon orateur.

Être timide.

Parler fort.

Se montrer indiscipliné.

Gesticuler de façon théâtrale.

Maintenir l'attention de la foule.

Ne pas utiliser de stratégies pour essayer de convaincre.

3. Selon toi, ceux qui fréquentaient les philosophes étaient-ils de bons orateurs ? Explique ta réponse.

_____

_____

_____

_____

_____

3.10

Un orateur à Athènes

HMP

La maison divisée

La maison constitue l'**espace privé** des familles. Elle contient peu de pièces communes. Certaines parties de la maison sont réservées aux hommes adultes (fils, père, grand-père), notamment la salle de réception, où se tiennent les banquets. Selon la richesse des familles, une ou plusieurs pièces sont réservées aux femmes et aux enfants. On appelle cet espace le **gynécée**. C'est là que les femmes, parfois avec l'aide d'esclaves, exécutent certaines tâches ménagères et élèvent les enfants.

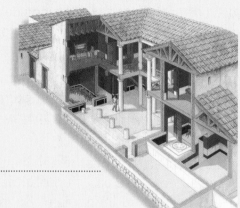

Espace privé
Espace réservé à la vie privée, à la famille, aux loisirs.

Gynécée
Appartements réservés aux femmes dans les maisons grecques de l'Antiquité.

3.11
La maison athénienne
Une petite partie seulement des habitants d'Athènes vivent dans des maisons vastes et luxueuses avec étage et cour intérieure.

1. Observe l'illustration ci-contre. Relève des indices qui démontrent que la scène se déroule dans un gynécée.

_____

_____

_____

_____

_____

_____

_____

_____

3.12
Des occupations féminines

2. De nombreux mots en français ont une racine grecque.

Voici trois mots qui contiennent l'élément «gyn-», du grec *gunê* :

- Gynécée : pièce réservée aux femmes dans les maisons grecques de l'Antiquité.
- Gynécologie : branche de la médecine consacrée à l'anatomie des femmes.
- Misogynie : sentiment de mépris et de haine envers les femmes.

Selon toi, que signifie la racine grecque *gunê,* présente dans ces trois mots ?

_____

❹ La **démocratie** athénienne

La démocratie athénienne est une forme de démocratie dite directe, car les citoyens votent eux-mêmes les lois et participent aux débats politiques. Ce n'est plus uniquement un roi et ses conseillers qui décident de tout. Mais comme les citoyens représentent 10 % environ de la population, le droit de participer aux décisions politiques reste entre les mains d'un petit groupe de personnes. Un pourcentage encore plus petit a accès au pouvoir.

Avec l'utilisation de la monnaie et le développement du commerce se forme une classe de riches marchands, comprenant des métèques. Cette classe souhaite prendre part au gouvernement de la cité. Les citoyens pauvres veulent aussi participer aux décisions, car ils défendent Athènes et contribuent à ses conquêtes.

Le gouvernement athénien n'intègre pas tous ces gens d'un seul coup. Athènes ne passe pas d'un **régime politique** aristocratique à une démocratie du jour au lendemain. En fait, les aristocrates conservent le vrai pouvoir. Cependant, avec l'avènement d'hommes tels que Solon, Clisthène et Périclès, les institutions où les décisions se prennent subissent des transformations et se multiplient. Graduellement, elles admettent les riches commerçants et les citoyens pauvres.

La démocratie athénienne dure plus de deux siècles. Pendant cette période, toutefois, ce régime est interrompu à quelques reprises. Des gens prennent le pouvoir par la force et décident de tout : ce sont des **tyrans**. Il arrive cependant que ceux-ci appliquent une certaine justice sociale.

Aujurd'hui

La démocratie canadienne

La démocratie canadienne est une forme de démocratie dite *représentative*, donc indirecte. La population canadienne n'exerce pas elle-même le pouvoir, elle élit des représentants, ou députés, qui gouvernent en son nom. Au moment des élections, les citoyens, hommes et femmes, votent pour un député. Les citoyens ne votent pas eux-mêmes les lois. Tout le monde, riches et pauvres, peut se faire élire comme député, sauf les immigrants qui n'ont pas encore obtenu la citoyenneté canadienne, comparables aux métèques, à Athènes. Comme dans la cité athénienne, les dirigeants rendent compte de leurs décisions à une assemblée, et les lieux où se prennent les décisions sont multiples.

3.13

Solon (v. –640 à v. –558)
Le législateur Solon est considéré comme le père fondateur de la démocratie.

1. Dans un régime démocratique, les pouvoirs sont répartis entre plusieurs personnes.

a) Dans notre société, est-ce que ce sont les mêmes personnes qui font les lois et qui jugent celles qui ne les respectent pas ? Entoure ta réponse.

OUI   **NON**

b) Aujourd'hui, la démocratie repose toujours sur trois sortes de pouvoir : judiciaire, législatif et exécutif. Dans le tableau suivant, au haut de chaque colonne, inscris le type de pouvoir qui correspond à l'information fournie.

Les sortes de pouvoir aujourd'hui

TYPE DE POUVOIR :	_____	_____	_____
RÔLE :	Fait les lois, les écrit.	Exécute les lois, les applique.	Règle les conflits lorsque la loi n'est pas respectée.
EXERCÉ PAR :	Un groupe de représentants du peuple.	Le gouvernement et son chef.	Les juges et les tribunaux.

c) Vrai ou faux ? Si les pouvoirs ont été répartis dans la société athénienne, c'est pour éviter les abus de pouvoir, pour empêcher qu'une seule personne décide de tout.

VRAI   FAUX
○   ○

d) Comment se nomment les structures politiques qui se partagent les pouvoirs dans une société ? Fais un « X » dans le bon cercle.

INSTITUTIONS   CITOYENS   PARLEMENTS   DÉPUTÉS   ESPACES PUBLICS
○   ○   ○   ○   ○

2. Parmi les énoncés suivants, lesquels décrivent des conditions qui ont entraîné l'évolution du gouvernement athénien vers la démocratie ? Coche les bons cercles.

a) Athènes est gouvernée par de riches commerçants.   ○

b) Les citoyens pauvres ne veulent plus défendre la cité.   ○

c) Les citoyens pauvres veulent participer aux prises de décision politiques.   ○

d) Le commerce est prospère.   ○

e) Les familles aristocratiques et les riches commerçants ont les mêmes droits.   ○

f) Les institutions se transforment et se multiplient.   ○

g) Les riches marchands n'ont pas de droits politiques.   ○

⑤ Les institutions et le pouvoir

Lorsque la première expérience de démocratie débute à Athènes, on n'invente pas de nouvelles institutions du jour au lendemain. Trois grandes institutions sont déjà en place et elles le demeureront jusqu'à la disparition de la démocratie : l'archontat, l'Aréopage et l'*ecclésia*.

Quand des législateurs créent une nouvelle institution, le pouvoir doit être redistribué. Les anciennes perdent certaines responsabilités au profit des nouvelles. Une des principales caractéristiques de la démocratie athénienne est que chaque législateur modifie les pouvoirs des institutions en faisant gagner à l'une ce qu'il fait perdre à une autre.

3.14

Les principaux moments de la « période démocratique » athénienne

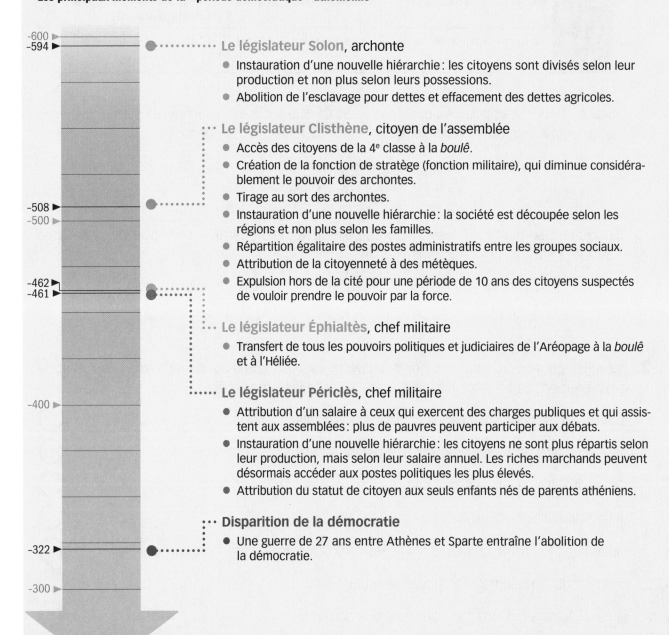

Le législateur Solon, archonte
- Instauration d'une nouvelle hiérarchie : les citoyens sont divisés selon leur production et non plus selon leurs possessions.
- Abolition de l'esclavage pour dettes et effacement des dettes agricoles.

Le législateur Clisthène, citoyen de l'assemblée
- Accès des citoyens de la 4e classe à la *boulê*.
- Création de la fonction de stratège (fonction militaire), qui diminue considérablement le pouvoir des archontes.
- Tirage au sort des archontes.
- Instauration d'une nouvelle hiérarchie : la société est découpée selon les régions et non plus selon les familles.
- Répartition égalitaire des postes administratifs entre les groupes sociaux.
- Attribution de la citoyenneté à des métèques.
- Expulsion hors de la cité pour une période de 10 ans des citoyens suspectés de vouloir prendre le pouvoir par la force.

Le législateur Éphialtès, chef militaire
- Transfert de tous les pouvoirs politiques et judiciaires de l'Aréopage à la *boulê* et à l'Héliée.

Le législateur Périclès, chef militaire
- Attribution d'un salaire à ceux qui exercent des charges publiques et qui assistent aux assemblées : plus de pauvres peuvent participer aux débats.
- Instauration d'une nouvelle hiérarchie : les citoyens ne sont plus répartis selon leur production, mais selon leur salaire annuel. Les riches marchands peuvent désormais accéder aux postes politiques les plus élevés.
- Attribution du statut de citoyen aux seuls enfants nés de parents athéniens.

Disparition de la démocratie
- Une guerre de 27 ans entre Athènes et Sparte entraîne l'abolition de la démocratie.

-600
-594
-508
-500
-462
-461
-400
-322
-300

Les institutions athéniennes au 5ᵉ siècle avant notre ère

LES ARCHONTES

Institution déjà existante en –600

Les «grands dirigeants»

9 citoyens

Sièges réservés aux nobles de la 1ʳᵉ classe

Ils perdent peu à peu presque tous leurs pouvoirs aux mains des chefs militaires (stratèges).

- Exécutent les décisions de l'*ecclésia*.

L'ARÉOPAGE

Institution déjà existante en –600

Le «tribunal supérieur»

Sièges réservés aux anciens archontes

- Exerce tout le pouvoir judiciaire, à l'origine.
- Surveille l'application des lois.
- Conseille les archontes.

L'*ECCLÉSIA*

Institution déjà existante en –600

L'assemblée des citoyens

À partir de Solon, les citoyens pauvres y sont admis et peuvent voter. Pendant quelques décennies, les métèques hommes y sont aussi admis.

- Les citoyens y prennent la parole pour exprimer leur opinion.
- Ils votent les projets de loi préparés par la *boulê*.
- Ils votent les traités de paix et les déclarations de guerre.
- Ils élisent des fonctionnaires et des juges à partir de listes déjà constituées.

LES STRATÈGES

Institution créée en –508 par Clisthène

Les chefs militaires

Ils prennent une grande partie des pouvoirs des archontes et finissent par avoir plus de pouvoirs qu'eux.

10 citoyens élus

Sièges réservés aux nobles et aux riches des 1ʳᵉ et 2ᵉ classes

- Décident de la politique étrangère et financière de la cité.

L'HÉLIÉE

Institution créée en –594 par Solon

10 tribunaux populaires

L'Héliée prend une partie des pouvoirs de l'Aréopage et finit par avoir plus de pouvoirs que celui-ci.

6000 citoyens tirés au sort parmi tous les citoyens de plus de 30 ans : la 4ᵉ classe peut donc y siéger.

- Exerce un pouvoir judiciaire.

LA *BOULÊ*

Institution créée en –594 par Solon

Le «conseil des ministres»

La *boulê* prend une grande partie des pouvoirs de l'Aréopage.

500 citoyens tirés au sort

Institution accessible à la 4ᵉ classe 80 ans après sa création, en –514.

- Prépare les dossiers qui seront discutés par l'*ecclésia*.
- Rédige les projets de loi sur lesquels l'*ecclésia* est appelée à voter.

1. Les énoncés ci-dessous se rapportent à des événements qui se sont déroulés au cours des 6e, 5e et 4e siècles avant notre ère. Place-les en ordre chronologique sur la ligne du temps. Inscris seulement les lettres qui correspondent aux énoncés.

BAO

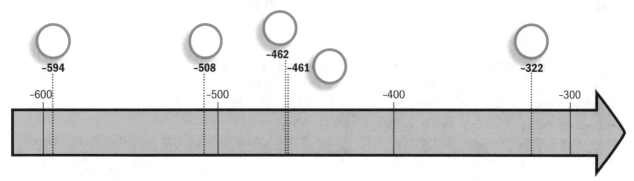

a) Des métèques se voient attribuer la citoyenneté.

b) Les citoyens pauvres et les riches marchands obtiennent le droit de parole à l'assemblée.

c) Désormais, seuls les enfants nés d'une mère et d'un père athéniens peuvent devenir citoyens.

d) Une grave crise économique entraîne la disparition de la démocratie.

e) Les pouvoirs politiques et judiciaires sont tous transférés de l'Aréopage à la *boulê* et à l'Héliée.

2. Désigne par un **L** les institutions athéniennes qui sont responsables du pouvoir législatif, par un **E** celles qui sont responsables du pouvoir exécutif et par un **J** celles qui sont responsables du pouvoir judiciaire.

L'Héliée ◯   La *boulê* ◯

Les stratèges ◯   L'Aréopage ◯

L'*ecclésia* ◯   Les archontes ◯

3. Associe les institutions ci-dessous aux énoncés correspondants.

• Aréopage • Archontes • Boulê • Ecclésia • Héliée • Stratèges

a) Administrent la justice. _____

b) Dirigent l'armée et déterminent la politique étrangère de la cité. _____

c) Vote les lois, les déclarations de guerre et les traités de paix. _____

d) Rédige les projets de loi sur lesquels votera l'*ecclésia*. _____

e) Exécutent les décisions de l'*ecclésia*. _____

⑥ La culture à Athènes

La construction de temples donne un grand essor aux arts comme l'architecture, la peinture et la sculpture. C'est surtout sous Périclès, qui fait édifier de nombreux monuments sur l'Acropole, que les artistes disposent des ressources nécessaires pour exprimer leur talent. Les poètes grecs laissent aussi une marque dans l'histoire de la littérature. Un des grands apports culturels que nous devons à Athènes est l'essor de la **philosophie**.

Les grands penseurs

Athènes est le centre intellectuel du monde grec. On y trouve des historiens, des astronomes, des mathématiciens, mais aussi des penseurs, c'est-à-dire des gens qui réfléchissent sur les valeurs humaines, la manière de gouverner, la vie et la mort. Ces penseurs fondent leurs connaissances sur la raison, et non pas sur la croyance en l'action des dieux. Ils sont appelés «philosophes». Les plus célèbres philosophes de l'époque sont Socrate, Platon et Aristote.

Philosophie

Mot d'origine grecque venant de *philo*, qui signifie «aimer», et de *sophia*, qui signifie «sagesse». La philosophie s'interroge sur le sens de la vie et les valeurs morales à l'aide de la raison.

SOCRATE (–470 à –399)

On le surnomme le «père de la philosophie». Il invente une forme de dialogue dans lequel il pousse ses élèves à développer une méthode d'analyse rigoureuse basée sur la raison. Socrate s'intéresse beaucoup aux questions **éthiques**. Comme il s'interroge sur la religion, on l'accuse notamment d'être antireligieux et on le condamne à boire un breuvage mortel : la **ciguë**. Son principal lieu d'«enseignement» est l'Agora. Il ne laisse aucun texte. Ses idées nous sont parvenues par les écrits de ses élèves.

PLATON (–428 à –347)

Platon s'attache à transmettre la pensée et la méthode de réflexion de son maître, Socrate. Il crée une école de philosophie : l'Académie. Il réfléchit sur le lien entre le corps et l'âme, sur les formes de gouvernement et, surtout, sur la manière dont l'être humain acquiert ses connaissances. Ses nombreux écrits se sont rendus jusqu'à nous. Parmi les plus étudiés encore de nos jours, on compte *La République*, *Le Banquet*, *Les Lois* et *Apologie de Socrate*.

Éthique

Qui concerne les principes de la morale et les règles de conduite.

Ciguë

Plante très toxique. Poison extrait de cette plante.

ARISTOTE (–384 à –322)

Aristote est un métèque. Il suit les cours de Platon, puis fonde sa propre école de philosophie : le Lycée. On le surnomme le «père de la logique», en raison de la méthode de raisonnement qu'il a élaborée pour acquérir la connaissance. Il réfléchit aussi sur le pouvoir et sur la place des esclaves et des femmes dans la cité. Une part seulement de ses écrits est arrivée jusqu'à nous. Parmi les principaux figurent *Les Politiques* et *Éthique à Nicomaque*.

1. Explique ce qu'est un philosophe.

_____

_____

2. Qu'est-ce qui distingue la philosophie de la religion ?

_____

_____

3. La ligne du temps suivante situe la vie de trois philosophes célèbres.

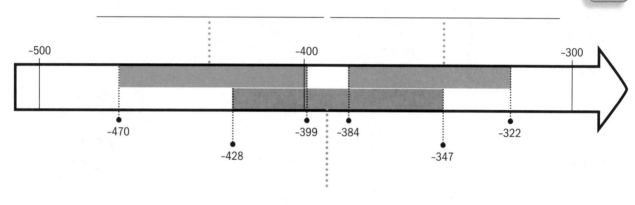

a) Indique leur nom à l'endroit approprié.

b) Un des trois philosophes de la ligne du temps ci-dessus a été
l'élève de l'un et le professeur de l'autre. De qui s'agit-il ? _____

4. Dans le tableau suivant, indique les principaux sujets de réflexion de chacun des philosophes
mentionnés.

PHILOSOPHE	PRINCIPAUX SUJETS DE RÉFLEXION
Socrate	
Platon	
Aristote	

Les jeux d'Olympie

Les grandes fêtes religieuses sont accompagnées de compétitions sportives. Ces compétitions prennent le nom de la ville où elles se tiennent. Une des compétitions les plus prestigieuses se déroule dans la ville grecque d'Olympie, d'où elle tire son nom : Jeux olympiques. Ces jeux ont lieu tous les quatre ans. Ils sont organisés en l'honneur de Zeus, le roi des dieux.

On associe le début des cités-États grecques à la tenue des premiers Jeux olympiques, en 776 avant notre ère.

Les épreuves

Les disciplines sportives au programme des Jeux olympiques sont la course à pied, la course à cheval, la course de chars, la lutte et la boxe. Les athlètes participent aussi à un pentathlon, une épreuve qui regroupe cinq disciplines : le saut en longueur avec des poids dans les mains, les lancers du disque et du javelot, la lutte et la course.

3.16

Le pancrace, un mélange de boxe et de lutte

Le mot *pancrace* veut dire «toutes forces». Dans cette épreuve, tout est permis sauf mordre son adversaire et lui arracher les yeux. Les concurrents doivent combattre jusqu'à épuisement total. Seul le coucher du soleil ou l'abandon d'un des deux lutteurs met fin au combat.

Chaque cité grecque envoie ses meilleurs athlètes pour la représenter. Comme la politique, le sport est réservé aux hommes citoyens. Certaines compétitions sont destinées aux adultes, d'autres aux adolescents, d'autres encore aux jeunes garçons.

Les tricheries et les prix

Les jeux durent cinq jours. Les arbitres ont le pouvoir d'exclure les tricheurs ou de leur imposer une amende.

Les gagnants reçoivent une simple couronne d'olivier, mais leur nom est intégré dans des chansons et des poèmes. Leur gloire rejaillit sur leur cité d'origine.

3.17

La flamme olympique, aujourd'hui
Tous les quatre ans, à Olympie, en Grèce, on allume la flamme olympique. Celle-ci est ensuite portée jusqu'à la ville qui accueille les jeux.

Aujⓞurd'hui

Les Jeux olympiques modernes

En l'an 394, un empereur romain interdit les Jeux olympiques, considérés comme une institution païenne. Grâce au Français Pierre de Coubertin, les jeux renaissent en 1896, à Athènes. Des athlètes de plusieurs pays y participent. Les Jeux olympiques d'aujourd'hui ont gardé quelques disciplines d'Olympie, en plus des cérémonies d'ouverture et de clôture.

Comme les femmes ont maintenant les mêmes droits que les hommes dans la majorité des pays, elles participent aussi aux jeux. En évoluant, les sociétés ont fini par reconnaître que les personnes handicapées ont aussi la capacité de devenir des athlètes. Tous les quatre ans, hommes, femmes et personnes handicapées s'affrontent, chacun dans son groupe.

1. Indique si les énoncés ci-dessous sont vrais ou faux. Corrige-les, s'il y a lieu.

	VRAI	FAUX	CORRECTION
a) Les Jeux olympiques font partie d'une fête dédiée à la déesse Athéna.	◯	◯	_____
b) Les Jeux olympiques ont lieu tous les cinq ans et durent quatre jours.	◯	◯	_____
c) L'appellation *Jeux olympiques* est tirée du mot *Olympie,* ville où se tiennent ces jeux.	◯	◯	_____
d) Le pentathlon comprend quatre disciplines : la lutte, la course et les lancers du disque et du javelot.	◯	◯	_____
e) Les femmes de citoyens et les métèques peuvent prendre part aux jeux.	◯	◯	_____
f) Les tricheurs peuvent être exclus ou emprisonnés.	◯	◯	_____
g) Les vainqueurs reçoivent une couronne d'olivier.	◯	◯	_____

2. Associe chacune des images ci-dessous à la discipline sportive appropriée.

> • Course de chars • Lancer du disque • Course à pied • Lutte

_____   _____   _____   _____

3. Pourquoi les sports sont-ils réservés aux hommes dans la société athénienne?

_____

_____

Deux types d'éducation

Jusqu'à l'âge de sept ans, les enfants vivent avec leur mère dans le gynécée, appartement réservé aux femmes. Par la suite, l'**éducation** dépend du sexe de l'enfant et de la fortune familiale.

> **Éducation**
> Action de former et d'instruire une personne.

Les filles

Les filles ne vont pas à l'école. Elles sont élevées à la maison par leur mère ou des esclaves. Jusqu'à leur mariage, elles vivent généralement dans le gynécée. Elles apprennent les travaux domestiques comme le filage et le tissage de la laine, la couture et la cuisine. On leur enseigne aussi le chant et la danse ainsi qu'un peu d'écriture et de lecture.

Les garçons

Les garçons fréquentent l'école ou ont un maître qui vient à la maison. Ils apprennent à lire, à écrire, à compter, à danser et à jouer d'un instrument de musique. Ils doivent réciter par cœur des poèmes de grands auteurs, comme *L'Odyssée* d'Homère, poète du 8e siècle avant notre ère. Pour les préparer à leur rôle de défenseur de la cité, on leur enseigne l'éducation physique et le maniement des armes. À 18 ans, ils font leur service militaire, d'une durée de 2 ans.

La durée de leur formation dépend de la richesse des parents. La plupart exercent le métier de leur père ou deviennent apprentis chez des artisans. Les plus riches peuvent poursuivre leur éducation et étudier auprès de philosophes ou de scientifiques.

Les neuf Muses

Zeus s'unit à Mnémosyne, fille du Ciel et de la Terre, le couple qui régnait sur l'Univers avant Zeus. De cette union naissent neuf déesses, appelées « Muses ». Elles forment le chœur de leur demi-frère Apollon, dieu de la musique et de la poésie. Dans l'Antiquité, un chœur désigne un groupe de personnes qui dansent et chantent ensemble. Les Muses protègent les sciences, le théâtre, la musique, la danse et la poésie. C'est de leur nom que vient le mot *musique,* qui signifie « l'art des Muses ».

1. À l'aide de l'alphabet grec fourni ci-dessous, décode les lettres grecques de la première colonne du tableau. Inscris le nom puis l'équivalent français de chaque lettre grecque, et trouve le mot mystère.

Lettre grecque	Nom de la lettre grecque	Lettre française
A	_____	_____
γ	_____	_____
o	_____	_____

Lettre grecque	Nom de la lettre grecque	Lettre française
ϱ	_____	_____
α	_____	_____

MOT MYSTÈRE : _____

3.19 L'alphabet grec

Majuscule	Minuscule	Nom	Transcription
A	α	alpha	a
B	β	bêta	b
Γ	γ	gamma	g
Δ	δ	delta	d
E	ε	epsilon	é
Z	ζ	dzêta	z
H	η	êta	ê
Θ	θ	thêta	th
I	ι	iota	i
K	ϰ	kappa	k
Λ	λ	lambda	l
M	μ	mu	m

Majuscule	Minuscule	Nom	Transcription
N	ν	nu	n
Ξ	ξ	ksi ou xi	x
O	o	omicron	o
Π	π	pi	p
P	ϱ	rho	r
Σ	σ	sigma	s
T	τ	tau	t
Y	υ	upsilon	y
Φ	φ	phi	ph
X	χ	khi	kh
Ψ	ψ	psi	ps
Ω	ω	oméga	ô

2. Écris les noms des voyelles de l'alphabet grec.

_____   _____   _____

_____   _____   _____

_____

3. Écris ton prénom en grec ancien. Aide-toi du tableau de l'alphabet grec de la page précédente.

_____

4. Complète les phrases suivantes, puis retranscris tes réponses dans la grille. Trouve le mot mystère.

a) Les enfants athéniens vivent avec leur mère jusqu'à l'âge de _____ ans.

b) Le principal apprentissage des filles est celui des tâches _____ .

c) Pour se préparer à la vie militaire, les garçons font de l'exercice _____ .

d) Les enfants, garçons et filles, vivent dans le _____ jusqu'à l'âge de sept ans.

e) Certains garçons reçoivent leur éducation d'un _____ qui vient à la maison.

f) À 18 ans, le garçon doit faire son service _____ .

g) Les filles vivent généralement dans le gynécée jusqu'à leur _____ .

h) Les garçons apprennent à lire, à écrire, à _____ et à danser.

i) Les filles apprennent à coudre, à _____ , ainsi qu'à filer et à tisser la laine.

MOT MYSTÈRE :

_____

Des dieux amoureux ou en colère

La religion grecque est polythéiste. Les Athéniens croient qu'il existe une grande famille de dieux et que ceux-ci résident au sommet de la plus haute montagne de Grèce : le mont Olympe. Les membres de cette famille ont des relations semblables à celles des humains : ils vivent des querelles et éprouvent de la jalousie entre frères et sœurs, des punitions leur sont infligées par les parents.

3.20
Zeus, le roi des dieux

Parce qu'ils croient que les dieux peuvent les protéger ou les punir, les Athéniens accomplissent des gestes pour mériter leur protection : ils les prient, leur font des offrandes et des sacrifices d'animaux.

Les divinités Cronos et Rhéa, frère et sœur, s'unissent et ont plusieurs enfants. Une prêtresse avertit Cronos qu'un de ses fils lui volera son trône. Il dévore donc ses enfants dès leur naissance. Rhéa réussit à cacher Zeus.

Les divinités nées de l'union de Cronos et de Rhéa sont :

- Zeus, dieu du ciel et de la terre ;
- Poséidon, dieu des mers ;
- Hadès, dieu du monde souterrain des morts ;
- Déméter, déesse des récoltes ;
- Hestia, déesse du foyer ;
- Héra, déesse de la maternité.

3.21
Quelques dieux de la grande famille de l'Olympe

ZEUS

- Il prend de force le trône de son père, Cronos, et devient le plus puissant des dieux. Il oblige son père à recracher ses frères et ses sœurs qu'il avait avalés.
- Il s'unit à plusieurs déesses, de qui il a de nombreux enfants.

- Il a le pouvoir de s'unir à des humaines. Ces femmes donnent naissance à des demi-dieux, souvent dotés de pouvoirs surhumains.
- Il a même le pouvoir d'enfanter : il donne naissance à Athéna, en la tirant simplement de son front.

QUELQUES ENFANTS DE ZEUS

ARÈS	HÉPHAÏSTOS	HERMÈS	APOLLON	ARTÉMIS	APHRODITE
dieu de la guerre	dieu des artisans	messager des dieux	dieu des arts	jumelle d'Apollon, déesse de la chasse	déesse de l'amour

ATHÉNA

déesse de la sagesse et de la guerre, qui protège la cité-État d'Athènes

1. Le texte ci-dessous porte sur le père de nombreux dieux : Zeus. Complète-le à l'aide des mots suivants.

- surnaturels • enfants • front • fille • sagesse • demi-dieux
- Athéna • Cronos • terre • puissant • humaines

Zeus est le plus _____ des dieux grecs. Il est le fils de

_____ et de sa sœur Rhéa. Zeus est le dieu du ciel

et de la _____ . Zeus s'unit à plusieurs déesses avec

lesquelles il a plusieurs _____ . Zeus s'unit aussi

à des _____ . Les enfants de ces unions sont des

_____ dotés de pouvoirs _____ .

_____ , déesse de la _____

et de la guerre, est la _____ de Zeus. Elle est née de son

_____ !

2. De quel dieu grec s'agit-il ?

a) Déesse de l'amour : _____

b) Dieu des mers : _____

c) Déesse de la guerre : _____

d) Déesse des récoltes : _____

L'héritage de l'architecture grecque

L'architecture des temples grecs se conforme à des styles, ou ordres, qui suivent des règles strictes. Les ordres grecs sont au nombre de trois : dorique, ionique et corinthien. L'ordre corinthien est plus rarement utilisé dans le monde grec.

3.22

L'édifice Ernest-Cormier

L'art grec a inspiré les artistes jusqu'à notre époque. Cet édifice, situé rue Notre-Dame, à Montréal, a été construit en 1926 selon les plans de l'architecte Ernest Cormier. Il abrite actuellement la Cour d'appel du Québec.

Les trois ordres grecs

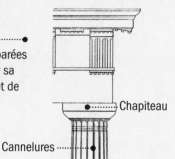

L'ordre dorique
La colonne de style dorique est creusée de cannelures verticales séparées par des arêtes tranchantes. Cette colonne robuste se caractérise par sa forme conique. Sa partie haute est plus étroite pour accentuer l'effet de légèreté. Elle est surmontée d'un chapiteau simple.

Chapiteau

Cannelures

L'ordre ionique
La colonne de style ionique est plus délicate et plus fine que la colonne de style dorique. Ses cannelures sont plus profondes et sont séparées par des arêtes plates. Elle est couronnée par un chapiteau décoré de deux volutes horizontales, c'est-à-dire des ornements en forme de spirale.

Chapiteau Cannelures
à volutes

Acanthe
Plante qui a des épines et dont les feuilles sont très dentelées.

 L'ordre corinthien
La décoration grecque emprunte divers éléments à la nature. Ainsi, le chapiteau corinthien a une ornementation qui a la forme de feuilles d'**acanthe**. Ces feuilles sont placées sur deux rangs.

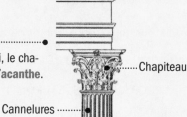
Chapiteau

Cannelures

---

1. Observe la photographie de l'édifice Ernest-Cormier à la page précédente.

BAO

a) Quelle est la source d'inspiration de l'architecte qui a dessiné cet édifice ? _____

b) Quel élément architectural reflète la source d'inspiration dont il est question en a) ?

_____

c) Quel style de colonne est utilisé dans cet édifice ? _____

d) Où est situé l'édifice Ernest-Cormier ? _____

2. Indique à quel ordre appartiennent les colonnes présentées dans les photos ci-dessous.

3.24 Le temple d'Athéna Niké
Ce temple érigé sur l'Acropole est dédié à Athéna Niké, surnom donné à Athéna.

3.25 L'Olympiéion
Ce temple dédié à Zeus olympien ne sera achevé que vers 130 de notre ère, sous l'empereur romain Hadrien.

a) _____   b) _____

1. Sur la carte géographique suivante :

a) situe la mer Méditerranée, la mer Égée, la mer Noire et la mer Ionienne.

b) situe l'Attique et le Péloponnèse.

c) situe les cités suivantes : Athènes, Sparte, Corinthe et Olympie.

d) colorie en rouge le territoire grec égéen vers 500 avant notre ère.

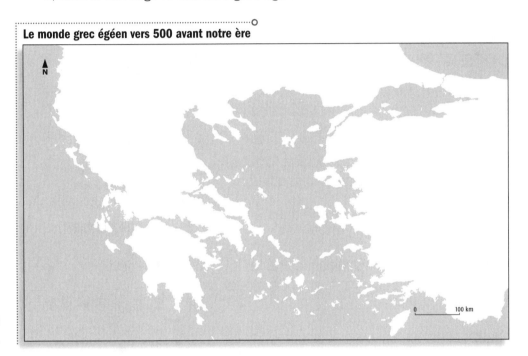

Le monde grec égéen vers 500 avant notre ère

0   100 km

2. a) Trouve l'année qui correspond à chacun des événements ou des faits suivants.

1. Fin de la démocratie à Athènes : _____.

2. Établissement des véritables bases de la démocratie à Athènes : _____.

3. Prédominance du royaume de Mycènes en Hellade : _____ à _____.

4. Construction du Parthénon : _____.

5. Tenue des premiers Jeux olympiques : _____.

6. Mort de Périclès : _____.

7. Début de l'ère des trois grands philosophes : _____.

b) Remets ces événements ou ces faits en ordre chronologique en reportant les numéros correspondants dans les cercles ci-dessous.

3. Associe chacun des énoncés ci-dessous au concept approprié. Inscris la lettre correspondant à l'énoncé dans le bon cercle.

Énoncés

a) À Athènes, il y en a trois types : celui qui concerne l'établissement des lois (législatif), celui qui concerne l'application des lois (exécutif) et celui qui concerne le règlement des conflits (judiciaire).

b) Avant l'avènement de la démocratie, Athènes avait un gouvernement dirigé par l'aristocratie.

c) Dans ce domaine, il y a une grande différence entre les garçons et les filles, et entre les enfants de familles fortunées et ceux de familles moins fortunées.

d) Athènes est le centre du territoire qu'elle domine : d'autres villes et des villages, et les campagnes avoisinantes.

e) Les citoyens remplissent leurs devoirs politiques et religieux dans divers lieux de la cité.

f) Des penseurs réfléchissent sur les valeurs humaines, la manière de gouverner, la vie et la mort. Ils fondent leurs connaissances sur la raison.

g) Cette forme de gouvernement permet aux citoyens de s'exprimer et de prendre part à la vie politique de la cité.

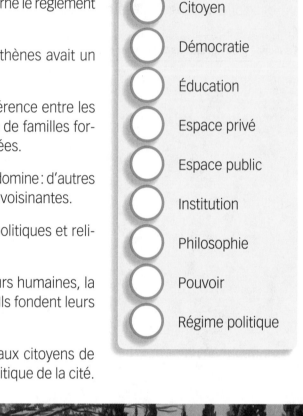

Concepts

○ Cité-État

○ Citoyen

○ Démocratie

○ Éducation

○ Espace privé

○ Espace public

○ Institution

○ Philosophie

○ Pouvoir

○ Régime politique

h) Il peut participer à la vie de la cité et occuper des fonctions politiques. Il doit suivre une formation militaire d'une durée de deux ans.

i) Dans la maison athénienne, le gynécée est la pièce réservée aux femmes et aux enfants.

j) Les responsabilités politiques sont réparties entre diverses structures : l'*ecclésia,* les stratèges, l'Héliée, etc.

4. La démocratie marque la vie politique à Athènes à une certaine époque. Les énoncés suivants décrivent chacun un aspect de cette démocratie. À l'aide d'une flèche, associe chaque énoncé au mot approprié.

Énoncés

a) L'*ecclésia,* l'assemblée des citoyens, se réunit sur la colline de la Pnyx. Les citoyens y ont le droit de s'exprimer et de voter.

• Solon

b) Beaucoup le considèrent comme le fondateur de la démocratie à Athènes.

• Institution

c) Personne qui s'exprime devant une assemblée.

• Stratèges

d) Ce petit nombre de citoyens élus acquiert une grande partie du pouvoir des archontes.

• Orateur

5. Réponds aux questions suivantes.

a) Quel est le nom des célèbres compétitions sportives grecques ? _____

b) Comment se nomme le roi des dieux grecs ? _____

c) En l'honneur de qui la cité d'Athènes a-t-elle été ainsi nommée ? _____

d) Comment désigne-t-on l'épreuve sportive qui regroupait cinq disciplines ? _____

e) À quel domaine de l'art grec se rapportent les ordres dorique, ionique et corinthien ? _____

6. La démocratie mise en place à Athènes accordait du pouvoir aux citoyens, mais avait ses limites.

a) Dans la démocratie athénienne,

• qui avaient le droit de vote ? _____

• qui pouvaient prendre part aux diverses institutions ? _____

• quel pourcentage de la population représentaient les citoyens ? _____

b) Pourquoi dit-on que la démocratie mise en place à Athènes avait ses limites ?

_____

_____

_____

_____

▼ AILLEURS

Sparte est une cité-État grecque comme Athènes. Société militaire, elle possède une organisation sociale et politique basée sur la défense de la cité et la conquête de territoires.

3.26
La phalange spartiate
Les Spartiates ont une technique d'attaque très spéciale : la phalange. Cette technique consiste pour les soldats à se serrer les uns contre les autres de façon à former un « mur ». Ils foncent ainsi vers l'ennemi, protégés par leurs boucliers, leurs casques, leurs cuirasses et leurs jambières. Ils sont armés d'une lance et d'une épée.

L'organisation sociale de **Sparte** est l'une des plus particulières de l'Antiquité. La petite portion de la population qui a le titre de citoyen se consacre exclusivement aux métiers des armes. Seuls les citoyens ont des droits. Pour se nourrir, ils s'appuient sur les esclaves, qui cultivent la terre. Ils s'approvisionnent en armes et en biens chez les commerçants et les artisans, établis dans les montagnes et sur la côte.

Sparte

CONTINENT Europe

PAYS Grèce

TERRITOIRE Sparte

RÉGIME POLITIQUE Monarchie/Oligarchie

PRINCIPALES DIVISIONS SOCIALES
Homoíoi (citoyens)
Périèques (habitants libres, non-citoyens)
Hilotes (esclaves)

PRINCIPALES ACTIVITÉS ÉCONOMIQUES
Guerre
Commerce
Agriculture

RELIGION Polythéisme

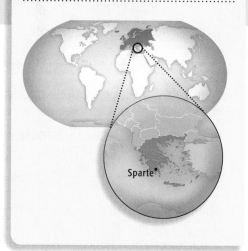

1. Indique ce qui distingue l'organisation de la société spartiate de celle de la société athénienne.

_____

_____

_____

_____

_____

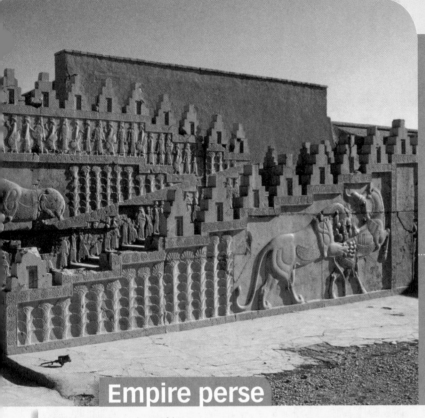

© ERPI Reproduction interdite

3.27

Les escaliers du palais de Persépolis
Le roi Darios Ier, surnommé « le grand », fait construire la ville de Persépolis vers 520 avant notre ère. Les rampes de cet escalier du palais royal montrent un défilé de représentants des peuples soumis. Ils viennent prêter serment de fidélité au roi.

Empire perse

CONTINENTS Asie et Afrique

TERRITOIRE Empire perse

RÉGIME POLITIQUE Monarchie absolue

PRINCIPALES DIVISIONS SOCIALES
Roi
Satrapes (administrateurs des peuples conquis)
Nobles
Militaires
Fonctionnaires
Artisans
Ouvriers
Paysans

PRINCIPALES ACTIVITÉS ÉCONOMIQUES
Guerre
Construction de villes
Construction de routes
Agriculture

RELIGION Mazdéisme (croyance au dieu Ahura Mazda)

L'Empire perse est, comme la cité-État grecque de Sparte, un ennemi d'Athènes. C'est le premier empire de l'histoire à s'étendre sur un territoire aussi immense. Il domine un grand nombre de peuples. Pour faciliter l'administration de ses territoires, il fait construire des routes royales. L'empereur vit dans un gigantesque palais dont l'architecture est une véritable œuvre d'art. Sa puissante armée compte 10 000 combattants. Dès qu'un soldat est tué, un nouveau est recruté. Comme l'armée n'a jamais d'hommes en moins, on dit qu'elle est composée d'« immortels ».

1. Dans une monarchie absolue, à qui appartient le pouvoir ?

_____

2. Pourquoi l'Empire perse avait-il une armée aussi puissante ?

_____

_____

_____

4 L'Empire romain

Dans la péninsule italienne, un regroupement de petits villages habités par des Latins va devenir le centre de l'Europe. Ces villages font rapidement place à une ville, Rome, puis à une grande cité-État. Attaquée par des peuples voisins, cette cité-État passe à l'offensive. Ses victoires sont si nombreuses que Rome devient un empire. Rome impose sa langue, son droit, ses lois, ses croyances, sa morale, son art, sa manière de vivre aux peuples qu'elle conquiert : c'est la romanisation. Comment un simple petit regroupement de villages a pu se transformer si rapidement en un État qui domine tous les pays autour de la mer Méditerranée ? Quel héritage avons-nous conservé de la Rome antique ?

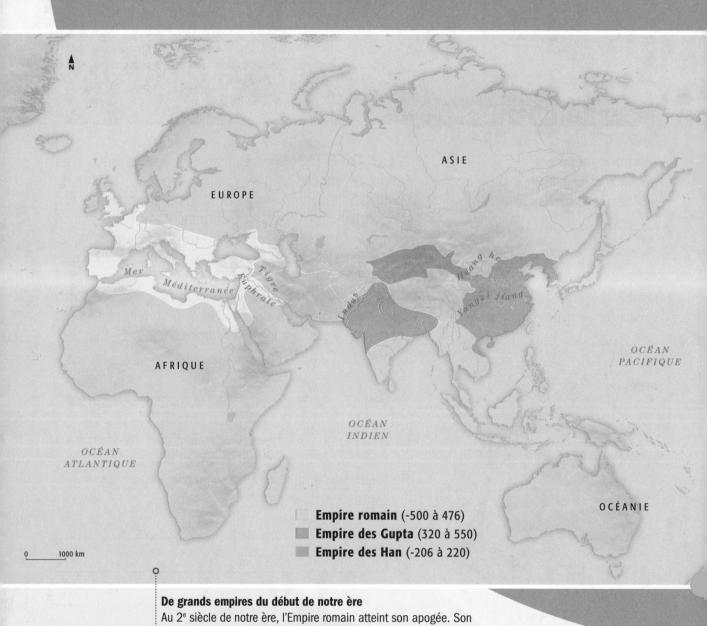

Empire romain (-500 à 476)
Empire des Gupta (320 à 550)
Empire des Han (-206 à 220)

De grands empires du début de notre ère
Au 2e siècle de notre ère, l'Empire romain atteint son apogée. Son territoire est très étendu et son organisation politique et sociale, développée.

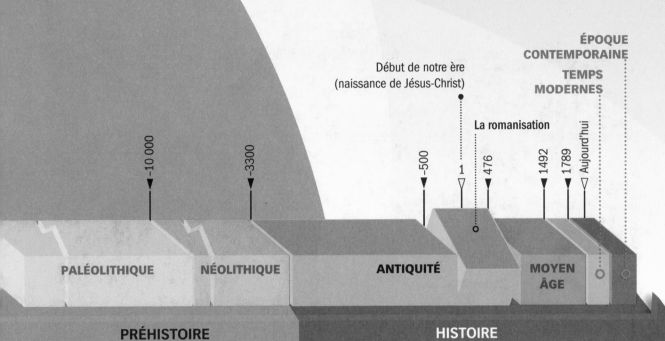

Début de notre ère
(naissance de Jésus-Christ)

ÉPOQUE
CONTEMPORAINE

TEMPS
MODERNES

La romanisation

-10 000

-3300

-500

1

476

1492

1789

Aujourd'hui

PALÉOLITHIQUE

NÉOLITHIQUE

ANTIQUITÉ

MOYEN
ÂGE

PRÉHISTOIRE

HISTOIRE

Les vestiges du Forum romain

Le Forum romain est le centre économique, politique, judiciaire et religieux de Rome. Autour de cette grande place de marché, on trouve des temples, des tribunaux. C'est là que l'activité sociale est la plus intense.

4.1 **Un gladiateur romain combattant une bête sauvage**
L'empereur offre aux citoyens romains des divertissements, comme des combats entre gladiateurs et bêtes sauvages. Ces gladiateurs sont des esclaves.

EN UN **COUP D'ŒIL**

1. Aujourd'hui, les communications occupent une place importante et la culture voyage d'un pays à l'autre. Pour chacun des domaines suivants, donne deux exemples d'influence étrangère et indique son pays d'origine.

a) Alimentation :

- _____
- _____

b) Habitudes vestimentaires :

- _____
- _____

c) Arts (cinéma, musique) :

- _____
- _____

d) Communication (journaux, Internet, télévision) :

- _____
- _____

2. Les énoncés suivants décrivent des moyens qui permettent à un État (pays) d'influencer d'autres États. Indique s'ils sont de nature militaire ou politique.

a) Installer une ambassade dans un pays étranger. _____

b) Maintenir des bateaux et des avions le long des frontières. _____

c) Signer un accord de paix. _____

d) Envoyer son armée prêter main-forte à un pays allié. _____

3. Au cours de l'histoire, de puissants États ont réussi à dominer d'autres pays et à s'imposer comme puissance ; on dit de ces pays qu'ils sont «impérialistes». Coche les énoncés qui décrivent des actions posées par des pays impérialistes pour s'imposer comme puissance.

○ a) Faire des essais nucléaires sur une île près d'un pays ennemi.

○ b) Négocier un accord économique de libre-échange.

○ c) Prendre le contrôle d'un pays en utilisant l'armée.

○ d) Contrôler les moyens de communication et l'information provenant de l'extérieur.

○ e) Signer un traité de paix.

❶ Les débuts de la ville de Rome

Peuple

Ensemble de personnes qui vivent sur un même territoire et qui ont des coutumes communes.

État

Forme d'organisation sociale où l'autorité gouvernementale est la seule à décider des lois qui s'appliquent à la population sur son territoire.

Monarchie

Forme de gouvernement où le chef de l'État est un roi héréditaire, c'est-à-dire que le futur roi est le fils du roi.

Rome se situe dans la région du Latium. Le site de la future ville est traversé par le fleuve Tibre. Il est formé d'une plaine marécageuse et de sept collines. À l'origine, ce territoire est occupé par des Latins, un peuple regroupé en petits villages bâtis sur les collines. Ces villages sont entourés de plusieurs autres **peuples**, dont les Sabins et les Étrusques.

Au milieu du 8e siècle avant notre ère, des Étrusques assèchent les marécages de la plaine romaine. Ils drainent l'eau plus loin par des canaux. Près des sept collines, ils établissent une place du marché, qu'ils nomment *Forum*. Autour de ce marché, ils construisent une ville : Rome.

La ville de Rome s'agrandit peu à peu, intégrant les villages latins des sept collines. Elle devient une cité-**État** qui regroupe principalement trois peuples : les Latins, les Sabins et les Étrusques.

Une monarchie

La première forme de gouvernement à Rome est une **monarchie.** Elle débute en 753 avant notre ère et prend fin en 509 avant notre ère. Ce royaume présente deux aspects inhabituels : le pouvoir n'est pas uniquement entre les mains du roi et il n'est pas héréditaire.

4.2

Une reconstitution du Forum, au 8e siècle avant notre ère

Tous les groupes sociaux se rencontrent au Forum romain : les paysans qui vendent leur production, les pêcheurs, les propriétaires de boutiques, les prêtres, les juges, les gens riches et leurs esclaves.

Les premiers rois de Rome sont des Sabins et des Latins. Le trône est par la suite occupé par des Étrusques. Un sénat et une assemblée, constitués de chefs de familles riches, ainsi qu'une assemblée de militaires, forment le gouvernement. Ces institutions constituent des héritages étrusques que Rome va conserver.

L'héritage étrusque

La civilisation étrusque est la première à voir le jour sur le territoire de l'Italie actuelle, vers 700 avant notre ère. Elle est constituée de plusieurs cités-États. Pendant longtemps, son territoire correspond à celui qu'on appelle aujourd'hui la Toscane. Cette région, située au nord de Rome, possède des terres très fertiles et un sous-sol riche en minerais. Au fil des ans, les Étrusques étendent un peu leur territoire vers le sud-ouest et le nord-est de la péninsule.

La civilisation étrusque emprunte de nombreux éléments à la civilisation grecque, avec qui elle commerce. Beaucoup de marchands étrusques achètent des œuvres d'art grecques, des pièces d'orfèvrerie et des objets en céramique. Des artistes étrusques cherchent à reproduire l'art grec. Ils intègrent peu à peu à leur **culture** des aspects de la culture grecque. Les Grecs, de leur côté, ont besoin du cuivre et du fer extraits des mines étrusques. Les Étrusques qui fondent Rome et se mêlent aux premiers habitants du Latium laissent une marque durable sur le peuple romain des points de vue culturel, technique et religieux.

Selon une légende, deux bébés jumeaux, Romulus et Rémus, sont abandonnés dans une corbeille sur les eaux du fleuve Tibre. Une louve envoyée par le dieu Mars les recueille et les allaite. Les enfants sont ensuite élevés par un berger et son épouse, près du mont Palatin. Une fois adulte, Romulus fonde près de ce mont la ville de Rome. Peu après, il tue son frère Rémus, qui n'a pas respecté un rite sacré. Romulus devient le premier roi de Rome.

4.3
Romulus et Rémus, allaités par une louve

> **Culture**
>
> Ensemble des connaissances, des traditions, des coutumes, des croyances, des formes d'art, du droit et des comportements que les membres d'une société partagent.

4.4

L'Italie avant l'Empire romain

L'Italie est un pays situé dans une péninsule en forme de botte. Rome naît au cœur du Latium, une région au centre de cette péninsule.

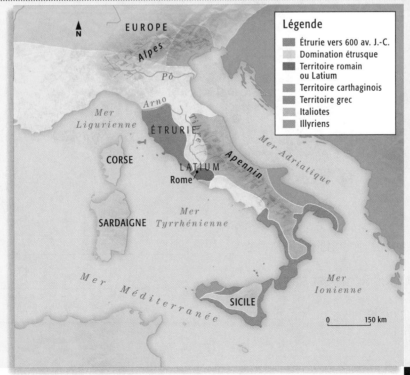

Légende
- Étrurie vers 600 av. J.-C.
- Domination étrusque
- Territoire romain ou Latium
- Territoire carthaginois
- Territoire grec
- Italiotes
- Illyriens

1. Observe attentivement les documents suivants. Chacun évoque un épisode des débuts de Rome. Place-les dans l'ordre chronologique en inscrivant les chiffres de 1 à 5 dans les cercles appropriés.

> **1** = épisode le plus ancien   **5** = épisode le plus récent

LES ROIS DE ROME ET LES DATES APPROXIMATIVES DE LEURS RÈGNES						
Romulus 1er roi légendaire Latin −753 à −715	Numa Pompilius 2e roi légendaire Sabin −715 à −672	Tullus Hostilius 3e roi légendaire Latin −673 à −640	Ancus Martius 4e roi légendaire Sabin −639 à −616	Tarquin l'Ancien 5e roi de Rome selon la tradition Étrusque −616 à −578	Servius Tullius 6e roi de Rome selon la tradition Étrusque −578 à −535	Tarquin le Superbe 7e roi de Rome selon la tradition Étrusque −534 à −509

Le territoire de l'Étrurie

Les sept collines de Rome (8e siècle avant notre ère)

Le Forum romain

Produits échangés avec les Grecs

2. Qui suis-je ?

a) Je suis le fondateur légendaire de Rome. _____

b) Je suis la région où Rome est située. _____

c) Avec les chefs de familles riches, nous formons le gouvernement. _____

❷ De la république à l'empire

La monarchie disparaît en 509 avant notre ère lorsque les habitants de Rome chassent le roi Tarquin le Superbe, devenu impopulaire. Les Romains mettent alors en place une nouvelle forme de gouvernement : la république. La ville de Rome repousse de plus en plus loin ses frontières pour devenir un immense empire.

La romanisation de l'Empire

Rome impose à de nombreux peuples sa forme de gouvernement, son mode d'administration et son système de justice. Ainsi, les populations des territoires conquis se romanisent peu à peu. Elles apprennent le latin, car c'est la langue des administrateurs. Au fil des ans, elles intègrent la culture romaine, son droit, son art, son architecture, sa littérature. Elles adoptent même ses croyances, car Rome impose sa religion, ses rites et ses dieux. Les empreintes de cette romanisation d'une grande partie de l'Europe, du Moyen-Orient et du nord de l'Afrique sont encore visibles aujourd'hui dans de nombreux pays.

4.5

Le territoire de la République romaine
Vers 300 avant notre ère, Rome devient la plus grande puissance de la péninsule italienne.

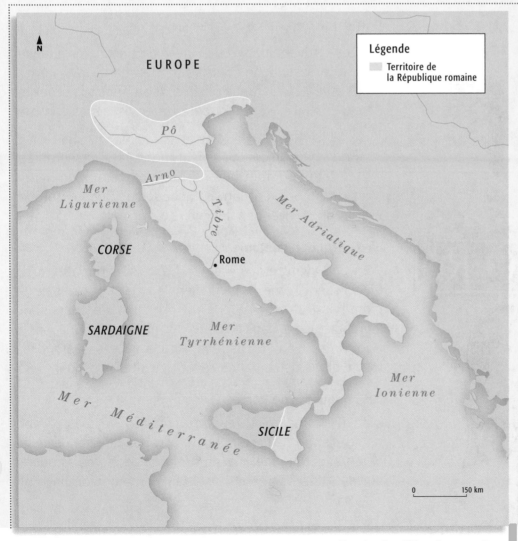

Légende
- Territoire de la République romaine

EUROPE

Pô

Arno

Mer Ligurienne

Tibre

Mer Adriatique

CORSE

•Rome

SARDAIGNE

Mer Tyrrhénienne

Mer Ionienne

Mer Méditerranée

SICILE

N

0   150 km

Aujourd'hui

Quelques empreintes de l'Empire romain

Au cœur du Vieux-Montréal, l'édifice de la Banque de Montréal témoigne de l'héritage artistique de la Rome antique. Il ressemble à un temple romain. Six immenses colonnes supportent le fronton et présentent des personnages sculptés. Un dôme coiffe le bâtiment. La construction date de 1845.

4.6
La Banque de Montréal

4.7

Senatus Populusque Romanus (S. P. Q. R.)
Cette devise signifie *Le sénat et le peuple romain*. Elle constitue un des principaux symboles de l'Empire romain. Elle sert entre autres d'emblème pour l'armée de l'Empire. Elle rappelle aux soldats qu'ils n'agissent pas pour eux-mêmes, mais bien pour le sénat et le peuple de Rome.

La République romaine

Rome est une république de 509 à 27 avant notre ère. Au départ, le gouvernement de la République romaine exclut la majorité des habitants de la ville : les **citoyens** romains pauvres, les femmes, les esclaves, les **affranchis**, les immigrants et les descendants d'immigrants nés à Rome.

Les citoyens pauvres exigent de participer à la vie politique. Les riches refusent. Des conflits violents éclatent entre les deux parties. À plusieurs moments de son histoire, Rome vivra des guerres civiles comme celle-là.

Peu à peu, on crée des institutions, telle l'assemblée de la plèbe, qui font une certaine place aux pauvres. Mais ils ne peuvent jamais accéder aux postes où se prennent les grandes décisions.

La destruction de Rome

Vers 390 avant notre ère, les Gaulois, venus du nord, envahissent Rome. Ils incendient les maisons et les temples. Les Romains reconstruisent leur cité, mais sont bientôt engagés dans de nouvelles guerres les opposant, notamment, aux Étrusques. Pour mieux se défendre, Rome signe des alliances avec des cités voisines.

Les conquêtes de Rome

L'armée romaine cumule les victoires. Vers 300 avant notre ère, Rome devient la plus grande puissance de la péninsule italienne, mais les longues guerres se poursuivent. Les Carthaginois et les Romains combattent pendant plusieurs décennies pour dominer les échanges commerciaux autour de la mer Méditerranée. Vers 200 avant notre ère, Rome sort vainqueur de ces guerres contre Carthage (aujourd'hui une partie de Tunis, en Tunisie), qu'on appelle les **guerres puniques**. La République romaine craint que d'autres puissances l'agressent. Elle décide donc d'attaquer la première. Elle conquiert de nombreux pays par la force. Vers 150 avant notre ère, Rome règne sur toutes les cités autour de la Méditerranée.

Guerres puniques

On nomme ainsi les trois longues guerres qui opposent Rome et Carthage entre 264 et 146 avant notre ère. Les Carthaginois viennent de Phénicie (actuellement le Liban, au Moyen-Orient).

4.8

L'armée carthaginoise d'Hannibal traversant les Alpes
Le général Hannibal conduit la deuxième guerre punique. Plutôt que de tenter d'attaquer Rome par la mer, il prend une voie terrestre. La trentaine d'éléphants qu'il veut utiliser comme arme de guerre meurent pendant la traversée des Alpes, une haute chaîne de montagnes qui sépare la France et l'Italie.

1. Les énoncés suivants donnent des renseignements sur la République romaine. Relie chaque énoncé à l'aspect de société auquel il correspond. Attention ! Un aspect peut être utilisé plus d'une fois.

Énoncés	Aspects de société
a) En plus de la péninsule italienne, la République contrôle de nombreuses villes autour de la Méditerranée vers 150 avant notre ère.	• Culture
b) Sous la République romaine, le sénat établit les lois (pouvoir législatif), deux consuls gèrent la République (pouvoir exécutif) et les tribunaux s'occupent de la justice (pouvoir judiciaire).	• Territoire
c) L'assemblée de la plèbe permet aux citoyens de prendre part à la vie politique de la République.	• Institution
d) La langue latine et l'architecture romaine se répandent dans les territoires dominés par la République.	

2. Indique si les énoncés suivants sont vrais ou faux. Si l'énoncé est faux, corrige-le.

VRAI ☐   FAUX ☐   a) Dans la République romaine, les pauvres ont un grand pouvoir politique.

_____

VRAI ☐   FAUX ☐   b) Les femmes, les immigrants et les esclaves sont exclus des institutions romaines.

_____

VRAI ☐   FAUX ☐   c) Pour agrandir son territoire, Rome entre en guerre avec d'autres royaumes.

_____

3. Observe la figure 4.8 à la page précédente.

BAO

a) Pourquoi Hannibal s'est-il équipé d'éléphants?

_____

_____

b) Qui est représenté sur un cheval à l'avant-plan, et pointant à l'horizon?

_____

_____

La fin de la République romaine

Les conquêtes de Rome ne s'arrêtent pas après les guerres puniques. Le chef militaire et homme politique Jules César conquiert les deux Gaules du Nord, qui correspondent à la France et à la Belgique actuelles. Sa victoire marque un tournant dans l'histoire politique de Rome. Jusqu'au milieu du 1er siècle avant notre ère, les institutions de la République romaine

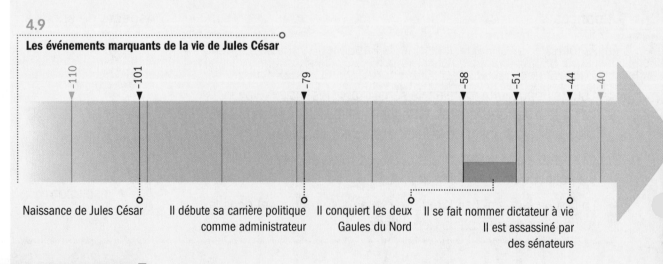

4.9

Les événements marquants de la vie de Jules César

-110   -101   -79   -58   -51   -44   -40

Naissance de Jules César   Il débute sa carrière politique comme administrateur   Il conquiert les deux Gaules du Nord   Il se fait nommer dictateur à vie
Il est assassiné par des sénateurs

assurent une certaine distribution du pouvoir entre plusieurs personnes. Lorsque César se retrouve seul à la tête du gouvernement, cette situation change. Il s'approprie tant de pouvoirs qu'on voit apparaître une façon de gouverner qui ressemble à celle d'un roi.

Jules César, dictateur (101 à 44 avant notre ère)

Jules César naît en 101 avant notre ère dans une famille riche. À 21 ans, il commence sa carrière politique comme administrateur. Par la suite, il devient chef militaire tout en exerçant des responsabilités politiques.

La chute des Gaulois

De 58 à 51 avant notre ère, César et ses armées conquièrent les deux Gaules du Nord, qui correspondent à la France et à la Belgique actuelles. Au cours de ces huit années de combats, deux millions de Gaulois meurent ou sont faits esclaves.

La dictature

Au moment où il combat dans les Gaules, César est aussi consul de Rome, c'est-à-dire un des plus hauts dirigeants de la République.

Après sa victoire contre les Gaulois, César se fait nommer **dictateur** à vie et met fin à la guerre civile qui ravage la capitale. Il accapare tous les pouvoirs. César maintient en place les institutions politiques, comme le sénat, mais il leur retire le pouvoir de décider.

César obtient l'appui du peuple en adoptant des politiques favorables aux pauvres, comme la distribution de blé et l'abolition de dettes. Grâce à ses conquêtes de nouveaux territoires, les pauvres peuvent aller s'établir sur des terres fertiles. César accorde une certaine autonomie aux peuples conquis et favorise la propagation de la culture latine.

L'assassinat de César

En 44 avant notre ère, César envisage de conquérir un nouveau territoire. Des sénateurs s'opposent à ce projet, car ils croient qu'il ruinera Rome. Ils craignent aussi un retour à la monarchie. Ils estiment que la seule façon de stopper le dictateur César est de l'assassiner. En plein sénat, César est frappé de nombreux coups de couteau par plusieurs sénateurs. Une nouvelle guerre civile éclate. La République s'apprête elle aussi à mourir pour donner naissance à l'Empire romain.

Dictateur

À l'époque de la Rome antique, politicien à qui le sénat attribue des pouvoirs illimités en raison d'une crise sociale.

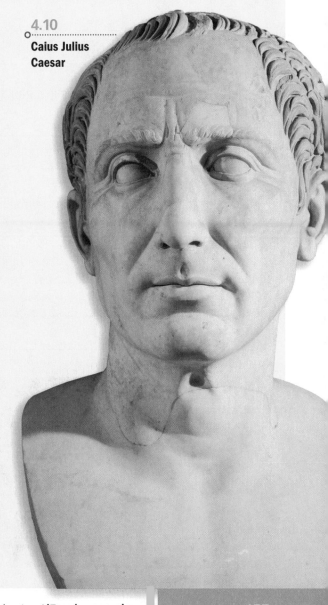

4.10
Caius Julius Caesar

1. Observe la figure ci-dessous.

4.11

Vercingétorix devant César, à Alésia, en 52 avant notre ère

a) Le chef gaulois Vercingétorix dépose les armes aux pieds de Jules César. Explique ce que ce geste signifie.

_____

_____

b) Qui sont les hommes placés à la gauche de Jules César ? Comment les reconnais-tu ?

_____

_____

_____

2. Observe la figure 4.12. Pourquoi César a-t-il été assassiné par plusieurs sénateurs ?

_____

_____

_____

4.12

L'assassinat de Jules César

Le grand empire

La nouvelle façon de gouverner ne disparaît pas avec la mort de César. Bien au contraire. Le gouvernement romain, qui est à la tête d'un vaste empire, sera bientôt dirigé par un empereur. Le régime politique de la République et sa démocratie naissante font donc place à un régime impérial. Sous ce régime, qui va de l'an 27 avant notre ère à 476, l'empereur a presque tous les pouvoirs et dirige l'Empire à la manière d'un roi.

Octave, le premier empereur

Peu après l'assassinat de César, son fils adoptif, Octave, âgé de 20 ans, ainsi que les politiciens Lépide et Antoine se partagent l'Empire. Octave finit par s'approprier les territoires des deux autres. En 31 avant notre ère, il s'approprie l'Égypte de la reine Cléopâtre.

En 27 avant notre ère, Octave devient le premier dirigeant romain à porter le titre d'empereur. À Rome, il calme la guerre civile. Il redonne certains pouvoirs aux sénateurs, mais il se réserve le droit de renverser leurs décisions. Il devient le chef religieux de l'Empire et le chef des armées.

Octave fait la promotion des arts et de la littérature afin d'assurer le rayonnement culturel de Rome. Le sénat lui donne le surnom d'*Auguste*. Une période de paix s'ouvre sous son règne. Elle va durer environ 200 ans. Cette période est connue sous le nom de la « Paix romaine » (ou *Pax Romana* en latin). Elle n'est cependant pas sans violence, mais elle n'est pas marquée par de grandes invasions ou des guerres civiles dévastatrices.

4.13

Caius Julius Caesar Octavianus, surnommé Auguste
Cette statue représente Auguste en chef militaire. Son bras droit tendu symbolise son autorité.

4.14

Des empereurs marquants de l'Empire romain

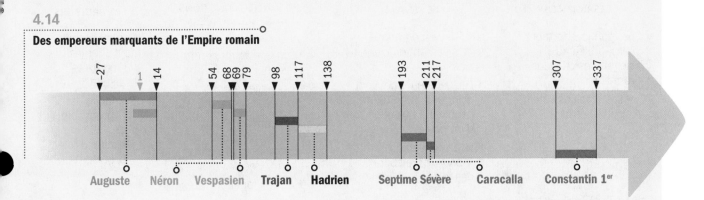

| | -27 | | 1 | 14 | | 54 | 68 69 | 79 | | 98 | 117 | | 138 | | 193 | 211 217 | | 307 | 337 |

Auguste   Néron   Vespasien   **Trajan**   **Hadrien**   Septime Sévère   Caracalla   Constantin 1er

Le gouvernement impérial

Le premier empereur laisse en place les institutions héritées de la République, mais il leur retire une grande partie de leurs pouvoirs. Par la suite, chaque empereur ajuste comme il le veut les pouvoirs de ces institutions.

UN EMPEREUR AU POUVOIR ABSOLU

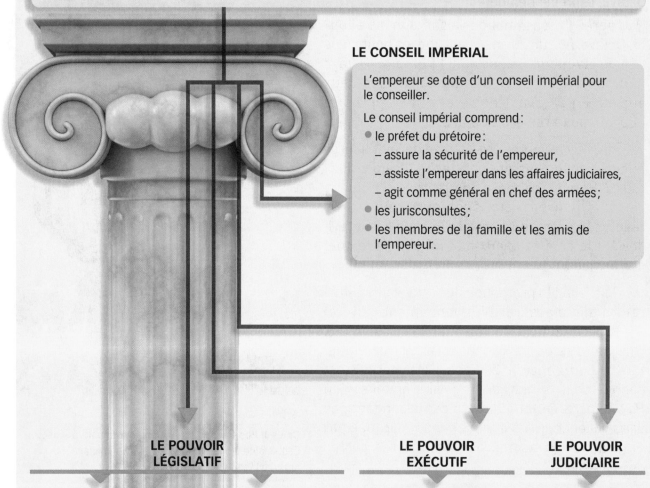

L'empereur:
- peut annuler les décisions ou les lois adoptées par les institutions;
- peut diminuer ou augmenter le nombre de sénateurs;
- accorde la citoyenneté aux individus ou aux peuples;
- en tant que chef religieux, détermine la liste des dieux que la population peut prier et les religions qui peuvent être pratiquées sur son territoire;
- décide des guerres;
- domine les pouvoirs législatif, exécutif et judiciaire.

LE CONSEIL IMPÉRIAL

L'empereur se dote d'un conseil impérial pour le conseiller.

Le conseil impérial comprend:
- le préfet du prétoire:
  - assure la sécurité de l'empereur,
  - assiste l'empereur dans les affaires judiciaires,
  - agit comme général en chef des armées;
- les jurisconsultes;
- les membres de la famille et les amis de l'empereur.

LE POUVOIR LÉGISLATIF

LES COMICES

Les comices forment l'assemblée où siègent les citoyens romains.
- Les comices votent certaines lois.

LE SÉNAT

Le sénat est composé exclusivement de citoyens riches.
- Les sénateurs peuvent acheter le droit d'être candidat à l'élection d'un poste.
- Ils perdent graduellement le pouvoir d'élaborer des lois.

LE POUVOIR EXÉCUTIF

LES HAUTES FONCTIONS ADMINISTRATIVES

- Les questeurs gèrent les finances.
- Les édiles gèrent l'approvisionnement des villes.
- Les gouverneurs des provinces gèrent les territoires conquis.
- Autres fonctionnaires.

LE POUVOIR JUDICIAIRE

LES PRÉTEURS

Ces magistrats sont chargés de rendre la justice.
- Chacun est responsable de l'adminis-tration d'une province.

4.16

La curie Julia
La curie Julia est située en plein cœur du Forum. Elle abrite le sénat, lieu de discussion des sénateurs.

1. Observe la pièce de monnaie ci-contre. Pourquoi Auguste y figure-t-il ?

_____

_____

_____

4.17
Une pièce de monnaie romaine

2. Le pouvoir de faire des lois (pouvoir législatif), celui de les faire appliquer (pouvoir exécutif) et celui de punir les personnes qui ne les respectent pas (pouvoir judiciaire) sont partagés entre les diverses institutions de l'Empire.

À l'aide de la banque de mots ci-dessous, complète les énoncés suivants.

> • l'empereur (4) • Les questeurs • les comices
> • le gouverneur des provinces • le préfet du prétoire

a) _____ est celui qui possède le plus de pouvoirs dans le gouvernement de l'Empire.

b) Comme l'Empire est vaste, _____ aident l'empereur à le gérer.

c) _____ est le principal conseiller de l'empereur ; il est le général en chef des armées, essentielles au maintien de l'ordre dans l'Empire.

d) _____ aident l'empereur à gérer les finances de l'Empire.

e) _____ est le chef religieux de l'Empire.

f) _____ juge du moment où il veut déclarer la guerre.

g) _____ décide qui peut obtenir la citoyenneté romaine.

h) _____ forment une assemblée de citoyens romains.

Savoirs +

Des idées de grandeur

Vers 312, l'empereur Constantin fait ériger une gigantesque statue à sa gloire dans la basilique Maxence, un édifice qui servait de tribunal près du Forum. Sculptée dans le marbre, elle a une hauteur de 12 mètres. La tête fait 1,75 mètre de haut, et les pieds mesurent plus de 2 mètres. Et curieusement, la statue comporte deux mains droites ! Les restes de l'œuvre, qu'on nomme *le Colosse de Constantin*, sont aujourd'hui dans un musée de Rome.

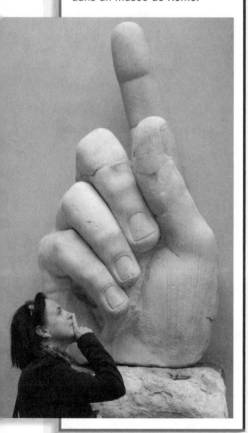

L'armée romaine

L'expansion et le maintien de l'Empire romain reposent sur quatre facteurs principaux : une armée puissante, constamment en expansion ; la construction de routes menant aux territoires ennemis ; la reconstruction quotidienne de camps fortifiés ; et l'édification de hauts murs sur plusieurs frontières.

À ses débuts, l'armée romaine est composée de citoyens. Ceux-ci sont obligés d'aller se battre lorsqu'ils sont appelés. Comme les guerres sont fréquentes, un problème de recrutement survient. À cela, il faut ajouter le problème qu'entraîne l'enrôlement des agriculteurs. Plus ils sont nombreux à combattre, moins il y a de récoltes pour nourrir la population et les soldats. Le gouvernement met alors sur pied une armée de métier, c'est-à-dire une armée formée de personnes dont le seul métier est de combattre.

De nombreux pauvres deviennent soldats. À l'origine, seuls ceux qui ont le titre de citoyen peuvent s'enrôler. Lorsque l'Empire grossit, l'armée romaine recrute des hommes parmi les peuples conquis. Ces soldats sont appelés « auxiliaires ». Ils combattent surtout dans la cavalerie et la marine.

Le soldat s'engage pour 20 ans. Il prête serment à un général, qui a alors un droit de vie ou de mort sur lui. Tout acte d'indiscipline ou manquement au règlement est sévèrement puni par les chefs militaires.

Le salaire des soldats est peu élevé, mais la victoire constitue une promesse de richesse. Des chefs partagent avec leurs troupes une partie du butin de guerre. Les soldats retraités ont aussi droit à un lopin de terre.

Les campements

L'armée romaine assure sa défense de façon remarquable. Sur leur chemin vers l'ennemi, les légions construisent un nouveau campement fortifié tous les soirs. Chaque soldat doit transporter, en plus de son équipement, un pieu de bois destiné à la construction d'une **palissade** autour des tentes. Les soldats marchent des centaines de kilomètres ainsi chargés.

Palissade
Clôture faite de pieux collés les uns sur les autres et servant de mur de défense.

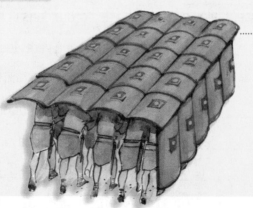

4.18

La tortue romaine
La formation en « tortue » permet aux soldats groupés d'avancer vers l'ennemi en restant à l'abri des tirs de pilums. Selon leur position, ils mettent leur bouclier au-dessus de leur tête ou sur le côté. Le groupe se trouve ainsi protégé par une carapace, à la manière d'une tortue.

Les armes et la machinerie

Pour assiéger une ville, les soldats lancent d'abord des projectiles derrière les fortifications à l'aide de catapultes et de balistes. Ensuite, ils défoncent les portes avec un bélier. Pour que les soldats soient à l'abri des tirs pendant cette opération, le bélier est installé sous une sorte de hangar roulant, couvert d'un matériau non inflammable.

La tour de siège est une autre arme « roulante ». Il s'agit d'une haute tour en bois montée sur des roues. On la fait rouler jusqu'aux murs de fortifications de l'ennemi. Les soldats grimpent alors sur le toit de la tour par des échelles clouées sur un des côtés. Une fois sur le toit, ils abaissent une passerelle fixée sur le haut de la tour. Cette passerelle se rabat sur le sommet des fortifications ennemies. La hauteur de la tour correspond à celles des fortifications. Avec une tour de siège, les attaquants sont à l'abri lorsqu'ils s'approchent des murs de l'ennemi. Une fois la bataille engagée, les soldats se battent avec des glaives et des pilums.

Les voies romaines : chemins de guerre

Une des grandes marques de l'armée impériale est la construction de routes. Les voies romaines mènent vers les territoires ennemis. Elles assurent le passage des machines de guerre, des soldats chargés de leurs « fortifications portables » et, surtout, le ravitaillement en nourriture des combattants.

4.19

La voie Appienne
La voie Appienne, comme les autres routes romaines, est bombée afin que l'eau s'écoule sur les côtés et que les soldats puissent passer. Les routes dans le nord de l'Empire sont aussi surélevées pour être facilement repérables après une tempête de neige.

Certaines routes traversent des rivières et d'immenses chaînes de montagnes. Il faut défricher des forêts, détourner des cours d'eau et charrier les matériaux de construction. On recouvre les routes de matériaux durs pour qu'elles soient praticables même après la pluie. Ainsi, par-dessus des couches de pierres, de petits cailloux et de sable, on dispose des dalles de pierre extraites de carrières. La construction des routes fait appel à plusieurs métiers : bûcherons, carriers, charpentiers, tailleurs de pierre et terrassiers.

Après la conquête d'un territoire, Rome s'approprie les ressources naturelles et humaines des pays vaincus. Les quelque 120 000 kilomètres de voies romaines construites dans l'Empire permettent le transport de ces ressources vers la capitale, pour le profit des citoyens de Rome.

Une vingtaine de voies partent de Rome. Cette structure en forme d'araignée est à l'origine du dicton « Tous les chemins mènent à Rome ! » Parmi ces voies, la plus célèbre est la voie Appienne, longue d'environ 600 kilomètres. Elle relie Rome au « talon de la botte » italienne.

Les voies maritimes

L'Empire possède des ports sur tout le pourtour de la mer Méditerranée. Ses navires de guerre ont une coque renforcée de métal. Les petites barges entrent à l'intérieur des terres par les fleuves et les canaux, et facilitent ainsi le ravitaillement des soldats.

Des murs contre les envahisseurs

L'Empire romain érige à partir de 69 de notre ère des murs défensifs pour se protéger des envahisseurs. Ces murs, établis à la frontière de certaines provinces, se nomment « limes ». Les frontières de l'Empire ne sont pas toutes munies de tels murs, car elles changent souvent au fil des conquêtes et des défaites.

L'apogée de l'Empire romain

Au moment où il atteint sa pleine expansion, sous le règne de Trajan, l'Empire romain couvre une superficie d'environ 4,5 millions de kilomètres carrés. Son pouvoir s'étend sur une grande partie de l'Europe de l'Ouest et du Moyen-Orient, et sur le nord de l'Afrique.

4.20

Le mur d'Hadrien

Le limes le plus célèbre est le mur d'Hadrien, situé entre l'Écosse et l'Angleterre actuelles. Il traverse d'est en ouest l'île de Grande-Bretagne. L'empereur Hadrien ordonne sa construction en 122, qui durera six ans. Long de 117 kilomètres, ce mur est un des plus grands monuments de l'Antiquité. Ses ruines sont encore bien visibles aujourd'hui.

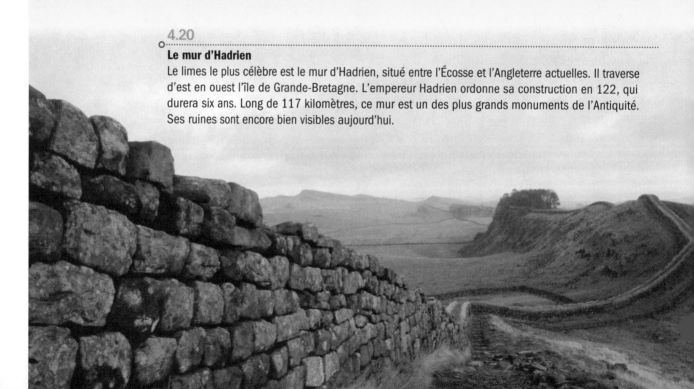

1. Les énoncés ci-dessous correspondent à des facteurs expliquant la grandeur de l'Empire romain. Associe chaque énoncé à l'illustration appropriée. Inscris le numéro du document dans le cercle prévu à cet effet.

Facteurs expliquant la grandeur de l'Empire romain

○ a) La construction de routes conduisant vers les territoires ennemis.

○ b) Une armée constamment en expansion.

○ c) L'édification de hauts murs sur plusieurs frontières.

○ d) La reconstruction quotidienne de camps fortifiés.

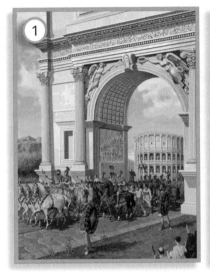

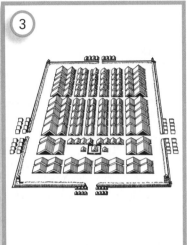

2. Complète les énoncés suivants concernant l'armée romaine.

a) Ayant des problèmes de recrutement, le gouvernement romain met sur pied une armée

de ___ ___ ___ ___ ___ ___ .

b) Les soldats provenant des peuples conquis sont appelés

___ ___ ___ ___ ___ ___ ___ ___ ___ ___ ___ .

c) Un soldat romain s'engage dans l'armée pour ___ ___ ans.

d) Le salaire des soldats est ___ ___ ___ élevé.

e) Les soldats retraités ont droit à un ___ ___ ___ ___ ___ ___ ___ ___ ___ ___ ___ ___ .

f) Tous les soirs, l'armée romaine construit un nouveau

___ ___ ___ ___ ___ ___ ___ ___ ___ fortifié.

3. Indique les armes utilisées par les Romains dans les illustrations présentées ci-dessous. Aide-toi des définitions suivantes.

Baliste

Machine de guerre qui lance des projectiles légers, comme des flèches, de l'autre côté des fortifications ennemies.

Bélier

Machine de guerre faite d'une longue poutre de bois. Elle est portée à l'horizontale par plusieurs soldats, qui l'enfoncent contre les portes d'une ville ou d'un campement ennemi. Le bout de la poutre est souvent fait d'une tête de bélier sculptée.

Catapulte

Machine de guerre utilisée pour lancer des projectiles lourds, comme de gros boulets. Les projectiles peuvent passer par-dessus les fortifications ennemies.

Glaive

Courte épée à double tranchant.

Pilum

Arme semblable à un javelot, mais plus lourde. Le pilum sert dans les combats et peut aussi être projeté sur l'ennemi.

Tour de siège

Haute tour en bois montée sur des roues, qu'on pousse contre un mur de fortification. Les soldats grimpent sur le haut de la tour par des échelles et abaissent une passerelle qui s'appuie sur le dessus des fortifications.

a) _____

b) _____

c) _____

d) _____

e) _____

f) _____

4. Observe la figure 4.19 à la page 163.

a) Pourquoi les routes romaines sont-elles bombées?

_____

_____

b) Pourquoi les routes dans le nord de l'Empire sont-elles surélevées?

_____

_____

c) Nomme un matériau de construction utilisé pour recouvrir les routes.

_____

5. Observe la carte ci-contre.

BAO

a) Pourquoi dit-on que les routes romaines servent au pillage des territoires conquis?

_____

_____

_____

_____

_____

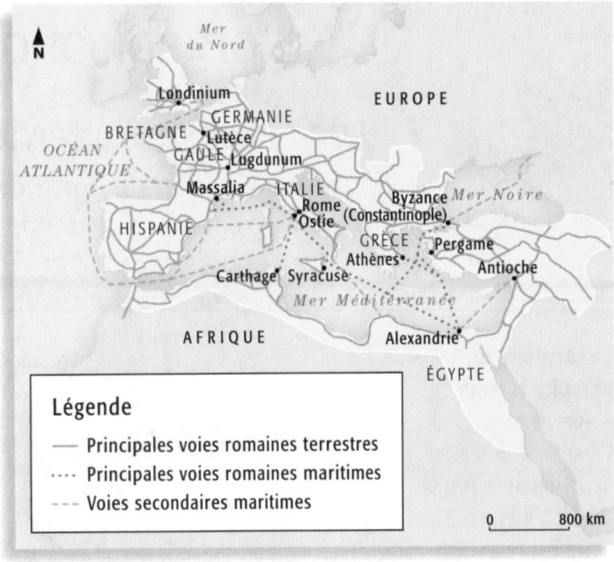

b) Pourquoi dit-on que «tous les chemins mènent à Rome»?

_____

_____

_____

4.21

Le réseau des voies romaines au 2e siècle

Légende

— Principales voies romaines terrestres

···· Principales voies romaines maritimes

--- Voies secondaires maritimes

0   800 km

c) Nomme quatre pays conquis par l'Empire romain.

_____

_____

d) Autour de quelle mer sont situés la majorité des ports de l'Empire romain?

_____

e) Sur la carte, trace en rouge le contour de l'Empire romain.

6. La fiche suivante contient des renseignements sur les routes romaines. Remplis-la à l'aide des données ci-contre.

D'ingénieuses routes romaines

LES ROUTES ASSURENT LE PASSAGE :
- des machines de guerre
- des _____
- du _____

CERTAINES ROUTES TRAVERSENT :
- des rivières
- d'immenses _____

LA CONSTRUCTION DES ROUTES PROCURE DU TRAVAIL À DE NOMBREUX :
- carriers
- _____   - _____
- _____   - _____

- charpentiers
- ravitaillement en nourriture des combattants
- terrassiers
- chaînes de montagnes
- soldats chargés de leurs fortifications portables
- tailleurs de pierre
- bûcherons

❸ L'organisation de l'Empire romain

Les divisions du territoire

L'Empire romain s'agrandit constamment jusqu'en 117. Les moyens de communication sont si limités que les autorités de Rome ne peuvent administrer seules tout le territoire. Elles divisent donc les nouvelles possessions en provinces et en confient la gestion à des gouverneurs.

4.22

Le territoire de l'Empire romain à son apogée
C'est sous le règne de l'empereur Trajan, de 98 à 117 de notre ère, que l'Empire romain couvre le plus grand territoire.

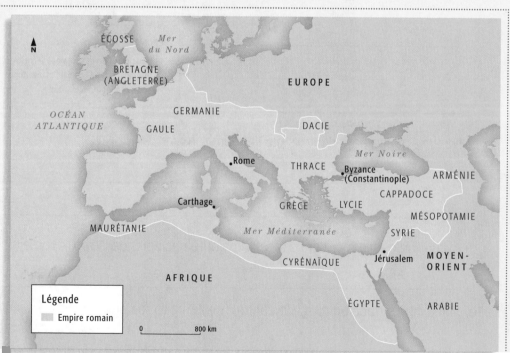

ÉCOSSE — Mer du Nord — BRETAGNE (ANGLETERRE) — EUROPE — OCÉAN ATLANTIQUE — GERMANIE — GAULE — DACIE — Rome — Mer Noire — THRACE — Byzance (Constantinople) — ARMÉNIE — CAPPADOCE — Carthage — GRÈCE — LYCIE — MÉSOPOTAMIE — MAURÉTANIE — Mer Méditerranée — SYRIE — CYRÉNAÏQUE — Jérusalem — MOYEN-ORIENT — AFRIQUE — ÉGYPTE — ARABIE

Légende
▢ Empire romain

0   800 km

Les pays devenus provinces romaines

Rome établit deux types de provinces : les provinces sénatoriales, gérées par des délégués du sénat ; et les provinces impériales, où l'on installe une armée et qui sont gérées par un envoyé de l'empereur. Seule l'Égypte ne devient pas une province : elle demeure la propriété de l'empereur. Dans ses provinces, Rome envoie aussi des administrateurs pour qu'ils s'occupent de l'administration municipale et qu'ils surveillent le travail des gouverneurs.

Le trésor public et les ressources naturelles

Rome s'approprie le trésor public des territoires conquis, c'est-à-dire l'argent et les minéraux précieux, comme l'or, qui sont dans les coffres des gouvernements. Ce butin assure la prospérité de Rome. Plusieurs régions devenues des provinces romaines sont riches en ressources naturelles. Ces ressources sont acheminées vers Rome.

Du pain gratuit

Le transfert des ressources provinciales vers Rome permet à l'empereur de fournir gratuitement 44 litres de blé par mois à 200 000 citoyens de la capitale, et de construire des bâtiments et des routes.

L'appropriation des terres agricoles

La grande cité de Rome attire beaucoup de paysans incapables de survivre. Pour résoudre le problème de la pauvreté dans la capitale, l'empereur donne à ces anciens paysans des lopins de terre dans les pays conquis.

LES QUATRE RICHESSES DES PROVINCES

Chaque province romaine enrichit Rome de quatre façons : par son trésor public, ses ressources naturelles, ses habitants et ses terres.

Des travailleurs sans salaire

Les prisonniers de guerre deviennent des esclaves. Certains sont envoyés sur les grands chantiers de construction de l'empereur ; les autres sont vendus aux familles romaines et aux entreprises de gladiateurs. Les esclaves ne sont pas payés pour leur travail et ne peuvent pas circuler librement.

4.23

Le Colisée
En 80 de notre ère, l'empereur Titus inaugure le Colisée. La construction de cet énorme amphithéâtre a duré près d'une dizaine d'années.

1. Qui a la responsabilité de gérer les provinces et d'informer l'empereur de ce qui s'y passe ? Encercle ta réponse.

a) Les gouverneurs.   b) Les gladiateurs.   c) Les familles romaines.

2. Le tableau ci-dessous présente des caractéristiques des provinces romaines. Remplis-le en t'aidant de l'information fournie dans le texte.

TYPE DE PROVINCE	CARACTÉRISTIQUES
Les provinces sénatoriales	_____
_____	Cette province appartient à l'empereur.
_____	Ces provinces sont gérées par un envoyé de l'empereur et une armée y est installée.

3. À l'aide d'un «X», indique les énoncés qui décrivent un **avantage** d'avoir de nombreuses provinces pour l'Empire romain.

○ 1. L'empereur utilise les prisonniers des provinces pour la réalisation de grandes constructions et pour fournir des divertissements aux citoyens de Rome.

○ 2. Rome s'enrichit en puisant dans les richesses des pays conquis.

○ 3. La grande cité de Rome attire beaucoup de paysans incapables de survivre.

○ 4. L'empereur romain donne à des citoyens romains pauvres des terres agricoles dans ses provinces, afin de régler le problème de la pauvreté dans la capitale.

○ 5. Rome nourrit gratuitement des milliers de citoyens avec le blé de ses provinces.

Les divisions sociales

Au début de l'Empire, Rome compte environ un million d'habitants. Cette société est très hiérarchisée. Elle se divise en deux grandes catégories : les gens libres et les esclaves. La population libre se partage entre les citoyens romains, les immigrants et leurs descendants ainsi que les esclaves affranchis. À leur tour, les citoyens se divisent en deux groupes : les patriciens et les plébéiens. Le plus petit de ces deux groupes, les patriciens, est celui qui a le plus de pouvoir.

L'acquisition de la citoyenneté

Au début de l'Empire romain, seuls les hommes libres habitant Rome ont droit au titre de citoyen. Les hommes ayant servi 25 ans dans l'armée romaine peuvent aussi acquérir la citoyenneté. Cependant, compte tenu du nombre de guerres menées par l'Empire et de la faible espérance de vie à l'époque, un nombre limité de personnes acquiert le titre de citoyen de cette façon. Des personnes fortunées peuvent aussi parfois convaincre les autorités de leur donner le titre en échange d'un certain montant d'argent.

Les peuples des territoires conquis ne bénéficient pas des privilèges accordés aux citoyens. Quand les besoins en soldats deviennent urgents, Rome accorde la citoyenneté à tous les habitants de la péninsule italienne. En fait, l'empereur se réserve le droit d'accorder la citoyenneté à un individu en particulier, à un groupe ou à tout un peuple. Par exemple, en 212, l'empereur Caracalla accorde en bloc le titre de citoyen à tous les hommes libres de l'Empire. L'acquisition de la citoyenneté romaine est un facteur qui favorise la romanisation des peuples conquis.

4.24 Les divisions sociales au début de l'Empire romain

GENS LIBRES
- Citoyens romains
  - patriciens
  - plébéiens
- Immigrants et descendants d'immigrants
- Esclaves affranchis

ESCLAVES

4.25

Les droits et les devoirs des citoyens

LES DROITS DES CITOYENS

Les hommes citoyens ont le droit de vote à l'assemblée du peuple.

Les hommes citoyens ont le droit d'être candidats à l'élection de postes de fonctionnaire, selon leur richesse.

Les hommes citoyens peuvent être propriétaires et léguer leur propriété à leur mort.

Les hommes citoyens peuvent signer des contrats et ont le droit de se marier.

Les hommes citoyens poursuivis en justice ont le droit de se défendre.

Les hommes citoyens peuvent intenter un procès contre une personne devant un tribunal romain.

LES DEVOIRS DES CITOYENS

Les hommes citoyens doivent faire leur service militaire.

Les hommes citoyens doivent indiquer la totalité de leurs avoirs aux recenseurs.

Les hommes citoyens doivent payer des impôts.

Les hommes citoyens doivent participer à divers rites religieux.

1. Réponds aux questions suivantes concernant les divisions sociales au début de l'Empire romain.

   a) Combien d'habitants la ville de Rome compte-t-elle à cette époque ?

   _____

   b) Quelles sont les deux grandes catégories de cette société fortement hiérarchisée ?

   _____   _____

   c) Parmi les habitants de l'Empire, lesquels ont droit au titre de citoyen ?

   _____

   _____

2. Être citoyen romain comporte des droits et des devoirs. Classe chacun des énoncés suivants selon qu'il correspond à un droit ou à un devoir du citoyen romain.

   - Intenter un procès devant un tribunal romain.
   - Déclarer ses possessions aux recenseurs.
   - Être propriétaire.
   - Faire son service militaire.
   - Voter et être élu à certains postes.
   - Participer au culte.
   - Payer un impôt.
   - Se marier.

DROITS DU CITOYEN ROMAIN	DEVOIRS DU CITOYEN ROMAIN

3. De nombreux hommes libres aspirent à devenir citoyen romain. Indique trois moyens d'acquérir le statut de citoyen romain.

   _____

   _____

   _____

Les groupes sociaux et leur place par rapport au pouvoir

EMPEREUR

L'**empereur** est le chef politique, militaire et religieux de l'Empire. Il gère les finances de l'État, il fait les lois, il rend les jugements, il lance des attaques de territoires, il établit le montant des impôts, il gère les provinces conquises, il ordonne la construction de bâtiments colossaux, et il fait réaliser des travaux d'**infrastructure**. Il organise les jeux du cirque et distribue du blé à une partie des habitants.

PERSONNES LIBRES

CITOYENS ROMAINS

PÉRÉGRINS

Le mot *pérégrin* signifie «étranger». Il désigne les immigrants venus des pays conquis par Rome ou d'autres pays, ainsi que leurs descendants. Ils n'ont pas le statut de citoyens et ne peuvent donc pas participer à la vie politique et administrative.

AFFRANCHIS

L'**affranchi** est un ancien esclave à qui son maître a rendu la liberté. L'affranchi n'est pas totalement libre, car il doit verser à son ancien maître une partie de son salaire. Il a le droit de vote, mais il ne peut pas occuper un poste politique ou administratif.

FEMMES

Les **femmes** sont sous la **tutelle** de leur père, puis de leur époux. Elles doivent s'occuper de la maison et des enfants. Les femmes, même les filles de citoyens romains, n'ont pas le droit de vote et ne peuvent occuper de postes politiques ni de charges administratives.

ESCLAVES

Environ un tiers des habitants de Rome sont des **esclaves**. Ces prisonniers de guerre et leurs descendants appartiennent à l'État ou aux familles. Ils ne sont pas libres de circuler et doivent faire tout ce que leur maître exige d'eux. Beaucoup travaillent dans les mines ou les champs des grands propriétaires terriens. Ils sont également nombreux à construire des routes, des aqueducs et des bâtiments publics ou gouvernementaux. Les plus instruits deviennent pédagogues pour les garçons des familles riches ou scribes auprès des collecteurs d'impôts. Les plus forts deviennent gladiateurs.

PATRICIENS

Les **patriciens** sont les citoyens de la classe supérieure à Rome : les nobles, les grands propriétaires terriens, les riches, les gens proches de la famille impériale. Ils occupent la majorité des postes politiques et administratifs sous la République et l'Empire. Les patriciens se divisent en deux groupes : l'ordre sénatorial et l'ordre des chevaliers.

PLÉBÉIENS

Les **plébéiens** sont tous les autres habitants qui ont le titre de citoyen. Ils ont le droit de vote à certaines élections. Les plus pauvres ont la possibilité de se faire vivre par l'État : l'empereur leur fournit de quoi se nourrir. Les autres sont paysans, ouvriers, artisans, soldats, petits propriétaires terriens ou commerçants.

Des patriciens

ORDRE SÉNATORIAL   ORDRE DES CHEVALIERS

Infrastructure

Ensemble des constructions et des équipements nécessaires pour le fonctionnement d'une société : routes, canaux de navigation, ponts, ports, fontaines publiques, aqueducs, égouts.

Tutelle

Situation de dépendance légale d'une personne par rapport à une autre. Le tuteur prend toutes les décisions légales à la place de la personne sous tutelle.

1. Quels sont les quatre principaux domaines où l'empereur exerce son autorité ?

P __ __ __ __ __ __ __ __   M __ __ __ __ __ __ __ __

R __ __ __ __ __ __ __ __   J __ __ __ __ __ __ __ __ __

2. a) Dans le tableau suivant, indique à l'aide d'un «X» les droits que possèdent les divers groupes sociaux formant la population sous l'Empire romain.

GROUPE SOCIAL	LIBERTÉ CIVILE	DROITS POLITIQUES	AUCUNE LIBERTÉ CIVILE NI DROITS POLITIQUES
Citoyens (patriciens et plébéiens)			
Pérégrins			
Esclaves			
Femmes			

b) L'affranchi a un statut particulier. Explique de quelle façon sa liberté civile et ses droits politiques sont différents de ceux des autres groupes.

- Liberté civile : _____

_____

- Droits politiques : _____

_____

3. À l'aide d'un trait, relie à l'illustration ci-dessous chaque énoncé décrivant la situation de la femme romaine.

a) Une fois mariée, elle est sous la tutelle de son époux.

b) Une fois mariée, elle est sous la tutelle de son père.

c) Elle s'occupe de la maison et des enfants.

d) Elle travaille à l'extérieur de la maison et confie les enfants aux soins d'une esclave.

e) Elle n'a pas le droit de vote.

f) Elle a le droit de vote.

La vie à Rome

Dans plusieurs grandes villes de l'Empire romain, le mode de vie est souvent calqué sur celui de Rome. La place centrale est occupée par un marché. Les commerçants y étalent leurs produits. Autour, on construit des portiques, pour permettre aux gens de se rassembler à l'abri du soleil et de la pluie. Tout près, un édifice portant le nom de *basilique* loge le tribunal, et la curie accueille les sénateurs. Le temple religieux est habituellement bâti sur une colline qui domine la ville. Toutes les villes ont un théâtre ; les plus grandes ont aussi un **amphithéâtre**. On y trouve aussi un gymnase pour les adolescents, des bains publics non mixtes et des fontaines pour l'approvisionnement en eau potable.

Les aqueducs

La plupart des réseaux d'aqueducs comportent des canaux souterrains ou à la surface du sol. Certains aqueducs comptent parmi les constructions les plus impressionnantes de la civilisation romaine. L'eau potable est amenée jusqu'aux villes sur de gigantesques constructions de pierre faites d'arcs superposés. Seules quelques familles proches de l'empereur reçoivent l'eau potable directement à la maison. La majorité de la population puise son eau aux fontaines publiques.

Les grands témoins de l'histoire

Des lettrés de l'époque romaine ont écrit l'histoire de leur siècle, et une partie de leurs ouvrages est arrivée jusqu'à nous.

Le grec Polybe, devenu partisan de la République romaine, a rédigé 40 livres sur la période des guerres puniques. Le dictateur Jules César a décrit dans sept livres ses campagnes militaires contre les Gaulois. L'historien Tite-Live a produit 142 livres présentant Rome depuis ses origines jusqu'à l'an 9 avant notre ère. Enfin, le politicien Tacite a écrit une œuvre colossale : les 16 livres de ses *Annales* racontent l'histoire de Rome, de la mort du premier empereur en 14 à celle de Néron en 68 ; et ses 12 livres d'*Histoires* couvrent la période allant de 68 à 96.

Amphithéâtre

Grand bâtiment circulaire avec une arène de sable au centre. L'arène est entourée de plusieurs étages de gradins et elle sert aux spectacles de gladiateurs.

4.28

Les vestiges d'un aqueduc romain, aujourd'hui le pont du Gard, en France
Le savoir romain concernant la construction d'aqueducs est exporté dans plusieurs régions de l'Empire. C'est un des aspects de la romanisation.

4.29

Les vestiges des thermes d'Antonin

Inaugurés sous le règne de l'empereur Antonin, ces thermes, situés à Carthage, en Tunisie, sont les plus grands thermes romains en sol africain. Les bains publics romains, non mixtes, accueillent des gens de différentes classes sociales. Ils sont des lieux de rencontre et l'on y expose des œuvres d'artistes.

Les eaux usées

Dans les grandes villes romaines, les eaux usées sont évacuées par des canalisations, à ciel ouvert pour la plupart. Les habitants utilisent des latrines publiques. Il s'agit d'une pièce où de longs bancs percés de trous à égale distance sont disposés le long des murs. Sous les bancs, l'eau des égouts coule et évacue les excréments humains.

1. Observe les images suivantes. Sous chacune, écris ce qu'elle représente et précise son utilité.

a) _____

_____

Utilité : _____

_____

_____

b) _____

_____

Utilité : _____

_____

_____

c) _____

_____

Utilité : _____

_____

_____

2. Fais l'entrecroisé suivant.

La vie à Rome

Horizontal

1. Édifice constitué de vastes gradins au centre duquel il y a une arène.

3. Les gens s'y rassemblent, à l'abri du soleil et de la pluie.

5. Le temple religieux est situé à son sommet.

6. Il est situé au centre des villes romaines.

7. Les adolescents le fréquentent.

Vertical

2. Se trouve dans la basilique civile.

3. Cet ancien aqueduc romain en est un aujourd'hui.

4. On y puise l'eau potable.

5. Endroit où se regroupent les sénateurs.

L'éducation scolaire

Dans l'Empire romain, comme dans toutes les sociétés de l'Antiquité, seuls les garçons de familles riches reçoivent une éducation scolaire complète.

Les garçons commencent l'école vers l'âge de sept ans. Un grammairien leur apprend à lire. Les élèves doivent mémoriser des poèmes ainsi que des **maximes** tirées de pièces de théâtre. Pour faire régner la discipline, les enseignants recourent au fouet.

Maxime

Phrase courte qui présente une règle morale ou une vérité générale.

Rhéteur

Personne qui enseigne l'art de bien parler et de convaincre les gens.

4.30
La classe d'un rhéteur

L'éducation des garçons

Le soir, à la maison, les enfants récitent leurs leçons avec l'aide de leur pédagogue. Le pédagogue est souvent un esclave grec très cultivé auquel les parents confient l'éducation de leurs garçons.

Apprendre à réfléchir

Les adolescents, eux, suivent les classes d'un **rhéteur**. Ils y apprennent l'art de raisonner et de s'exprimer. Ils analysent la littérature et les lois de leur société. Cet enseignement les prépare à devenir de bons orateurs. Comme les Romains assurent eux-mêmes leur défense devant les tribunaux, il est important qu'ils soient capables de faire valoir leurs droits. Les plus riches poursuivent souvent leur formation en Grèce auprès de philosophes.

L'éducation des filles

Les filles restent à la maison avec leur mère et apprennent les tâches domestiques. Lorsqu'elles atteignent l'âge du mariage, leur père les marie à un homme qu'il choisit.

1. Complète les phrases suivantes.

   a) Un garçon romain commence l'école vers l'âge de _____.

   b) Il doit mémoriser des _____ ainsi que des maximes tirées de pièces de théâtre.

   c) Le _____ enseigne l'art de bien parler.

   d) L'élève indiscipliné reçoit le _____.

   e) Un _____ aide l'élève à réciter ses leçons à la maison.

   f) Les adolescents apprennent l'art de raisonner et de s'_____.

   g) Ils se préparent à devenir de bons _____.

2. Décris en une phrase l'éducation des jeunes filles romaines.

   _____

   _____

Le droit romain : notre héritage

Le droit civil québécois doit beaucoup aux Romains. Plusieurs principes du droit romain nous ont été transmis par le Code civil de la France, surnommé le «Code Napoléon». Celui-ci s'appuie en partie sur le Code Justinien. En 528, l'empereur Justinien a fait réviser et classer les lois romaines des 500 années précédentes.

Le droit

Ensemble des lois et des règlements dans une société.

4.31 **Les trois principes du droit romain**

LA PRÉSOMPTION D'INNOCENCE	Toute personne accusée d'avoir commis une infraction est considérée comme innocente tant que sa culpabilité n'a pas été prouvée.
LE FARDEAU DE LA PREUVE	Il revient à la victime ou au plaignant de prouver que la personne accusée est coupable.
LE JUGEMENT DU TRIBUNAL	Ce jugement doit s'appuyer sur des preuves et non sur des rumeurs.

Le peuple veut connaître ses lois

Pendant plusieurs décennies, la société romaine fonctionne avec des lois non écrites, qui sont transmises oralement. Seuls les juges les connaissent. La majorité des Romains ne sait donc pas précisément quand elle enfreint une loi ni comment faire valoir ses droits.

Cette ignorance donne un énorme pouvoir aux juges, car ils peuvent interpréter et modifier les règles de justice comme bon leur semble. Les Romains réclament donc que les lois soient mises par écrit.

La loi des Douze Tables

Succession

Biens qu'une personne possède au moment où elle meurt.

Accord amiable

Entente intervenue entre deux personnes pour régler un conflit, sans l'intervention d'un tribunal.

De 451 à 449 avant notre ère, des juristes rédigent une série de lois. Ces règles sont gravées sur 12 tablettes de bronze, d'où leur nom : loi des Douze Tables. Pour que tous les Romains puissent en prendre connaissance, elles sont affichées au Forum, un point central de la ville.

Le principe central des Douze Tables établit que la loi s'applique à tous. Et, désormais, un condamné à mort ou à l'exil peut faire appel de la décision de son juge devant l'assemblée du peuple.

4.32 Extrait du code de lois des Douze Tables

Seulement quelques fragments des Douze Tables sont parvenus jusqu'à nous. Nous les connaissons par l'entremise d'auteurs latins qui les ont citées dans leurs ouvrages. Elles concernent surtout le droit familial, la religion, les crimes, la propriété, les testaments et l'organisation des procès.

« [...]

Si le père a vendu trois fois son fils, que le fils soit libéré de son père.

Que soit tué l'enfant atteint d'une difformité manifeste.

L'enfant né après les dix mois de la mort de son père n'est point admis à sa succession légitime.

Les femmes, même majeures, restent en tutelle.

Lorsque quelqu'un meurt sans faire de testament ni laisser d'héritier, sa succession appartient au parent mâle le plus proche.

S'il a blessé gravement un membre et n'a pas conclu d'un accord amiable avec la victime, que la peine du talion soit appliquée.

Pour les vols où les voleurs sont pris sur le fait : les hommes libres seront battus s'ils ont agi de jour sans s'être défendus avec une arme ; les esclaves également punis et précipités du haut du rocher ; les enfants impubères seront punis à la discrétion du préteur et répareront le dommage causé.

Celui qui aura mis le feu à un bâtiment, ou à un tas de blé près d'une maison, sera jeté au feu, s'il a agi sciemment ; mais, si c'est par négligence, il devra réparer le dommage.

[...] »

Source : adapté d'Yves LASSARD, *Histoire du droit des obligations*, Faculté de droit de l'Université Pierre-Mendès-France, Grenoble II [en ligne]. (Consulté le 26 octobre 2010.)

1. Le Code civil québécois est inspiré de deux codes civils. Quels sont-ils ?

_____

2. Énumère trois principes du droit romain. Donne une explication pour chacune de tes réponses.

- _____
  _____
  _____

- _____
  _____
  _____

- _____
  _____

3. Les lois romaines ne sont pas écrites. Quel problème cela pose-t-il ?

_____

_____

_____

4. Pourquoi les juges romains ont-ils un pouvoir énorme ?

_____

_____

_____

5. Réponds aux questions suivantes concernant la loi des Douze Tables. **BAO**

a) D'où vient l'appellation _loi des Douze Tables_ ? _____

_____

b) À quel endroit les Romains peuvent-ils les consulter ? _____

c) À qui s'appliquent ces lois écrites ? _____

d) Selon l'extrait des Douze Tables, qu'arrive-t-il dans les cas suivants ?

1. Un enfant naît avec une malformation.

_____

2. Au cours d'une querelle, un homme blesse gravement son adversaire au bras, sans par la suite conclure d'entente avec lui pour le dédommager.

_____

_____

3. Un esclave est pris à voler un objet au marché.

_____

4. Un père a vendu trois fois son fils.

_____

5. Un Romain n'a pas éteint un feu et celui-ci s'est propagé à un bâtiment.

_____

Les loisirs

Les loisirs occupent une place importante dans l'Empire romain, surtout à Rome. Une grande partie des citoyens de la capitale sont sans travail. Les empereurs craignent qu'ils se révoltent. Pour prévenir le mécontentement populaire, ils mettent en place le système nommé « Du pain et des jeux ». Ils distribuent gratuitement aux pauvres du blé et quelques autres aliments, et organisent des jeux et des divertissements.

Le théâtre

Les théâtres sont très populaires chez les Romains. On y présente des comédies et des tragédies. Un autre type de pièce, la pantomime, est très apprécié du public. Il s'agit d'une pièce où les acteurs s'expriment avec des gestes et sont accompagnés de danseurs, de musiciens et de chanteurs. Les femmes ont le droit de jouer uniquement dans les pantomimes.

Les jeux

Les loisirs qui rassemblent le plus grand nombre de personnes sont les courses de chars et les combats. À Rome, les courses se déroulent dans le Grand Cirque. Les combats se tiennent dans des amphithéâtres, comme le Colisée de Rome, qui peut contenir 45 000 personnes.

Les combats opposent des gladiateurs ou des animaux sauvages, par exemple un lion et un ours. Les gladiateurs se battent jusqu'à la mort avec des armes telles que des tridents, des filets et des poignards. Ce sont des esclaves, des hommes ruinés ou des condamnés à mort.

4.33

Une reconstitution du Circus Maximus
La construction du Grand Cirque de Rome remonte au VIe siècle avant notre ère. Il peut accueillir jusqu'à 350 000 personnes. De tous les bâtiments construits à ce jour pour recevoir des spectateurs, le Grand Cirque est le plus imposant. On y présente principalement les courses de chars.

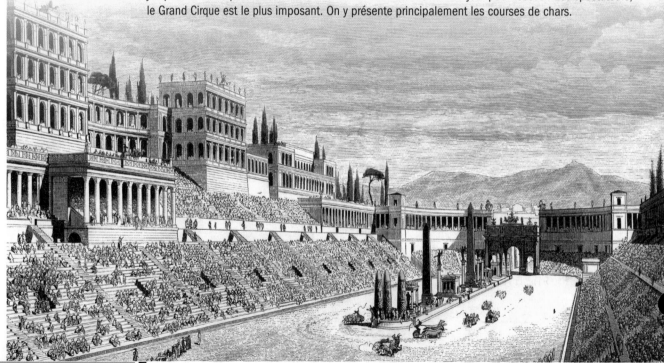

Au Colisée, il est même possible de présenter des simulations de batailles navales. En effet, les Romains ont mis au point un système complexe permettant de remplir l'arène d'eau et d'y faire naviguer des bateaux.

Plusieurs dieux et plusieurs religions

Les Romains ont des dieux anciens et des dieux nouveaux qu'ils empruntent à d'autres cultures, surtout aux Grecs et aux Étrusques. Les dieux occupent une place centrale dans les villes. On leur construit des temples à l'intérieur desquels on dispose des statues les représentant. Le Panthéon et le temple de Jupiter sont les deux principaux temples de Rome.

Chez les peuples conquis par Rome, les religions traditionnelles cohabitent souvent avec la religion romaine. Certains empereurs établissent une liste des dieux étrangers qui ne peuvent plus être priés.

4.34

Scène de combat au Colisée
L'empereur peut envoyer dans l'arène des gladiateurs qui combattent contre des bêtes féroces, par exemple des tigres.

4.35

Le Panthéon
Le Panthéon rassemble tous les dieux. De tous les grands bâtiments de la Rome antique, c'est le mieux conservé.

Quelques dieux vénérés par les Romains

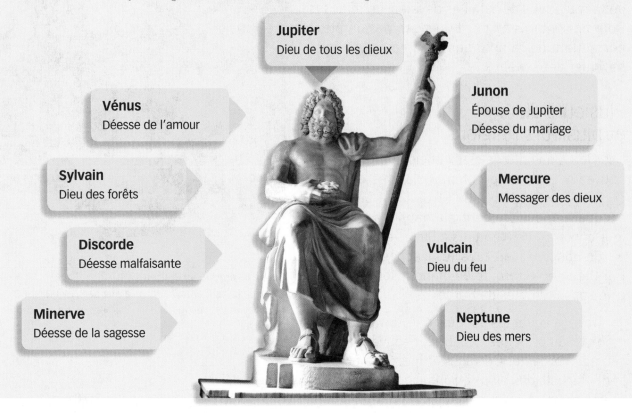

Jupiter
Dieu de tous les dieux

Junon
Épouse de Jupiter
Déesse du mariage

Vénus
Déesse de l'amour

Mercure
Messager des dieux

Sylvain
Dieu des forêts

Discorde
Déesse malfaisante

Vulcain
Dieu du feu

Minerve
Déesse de la sagesse

Neptune
Dieu des mers

1. Explique d'où vient l'expression *Du pain et des jeux*.

_____

_____

_____

_____

2. Indique quel loisir romain est décrit dans chacun des énoncés suivants. Précise aussi le lieu où il se déroule.

a) Ces combattants sont reconnus pour leur force colossale. Sous le regard de 45 000 spectateurs, ils provoquent de nombreux cris dans le bâtiment circulaire.

Loisir : _____   Lieu : _____

b) Quelque 350 000 spectateurs sont impatients de voir courir les équipages. Certains ont parié sur des chevaux.

Loisir : _____   Lieu : _____

c) Aujourd'hui, ces Romains ont la chance de discuter ensemble tout en profitant des installations aquatiques aménagées dans un établissement d'une très grande superficie.

Loisir : _____   Lieu : _____

3. Trouve le mot mystère à l'aide des définitions suivantes.

MOT MYSTÈRE :

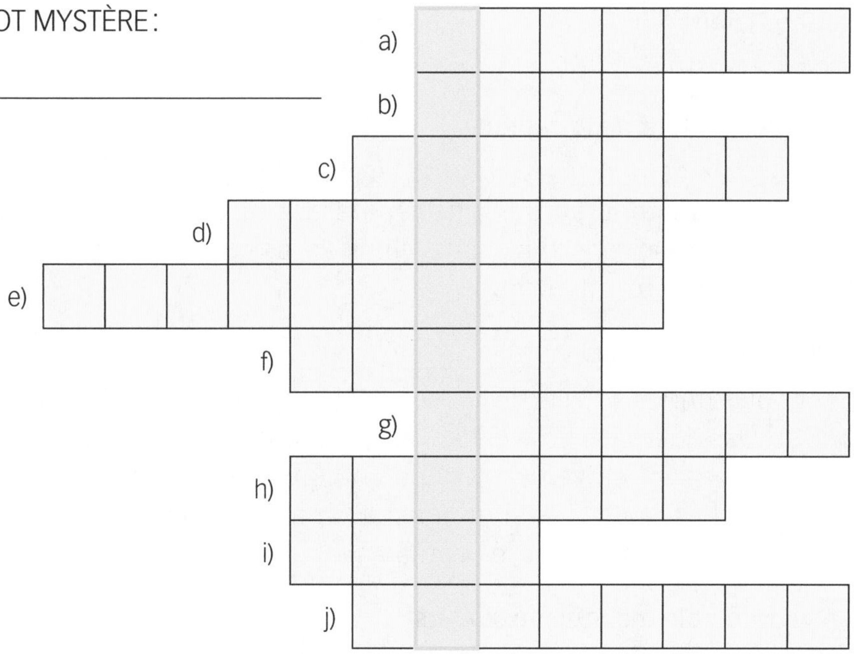

_____

a) Lieu où les Romains se mettent en forme physique.

b) Animal sauvage utilisé pour les combats présentés au Colisée de Rome.

c) On les fait naviguer dans le Colisée de Rome.

d) Arme à trois pointes dont se servent les gladiateurs.

e) Seules pièces dans lesquelles les femmes ont le droit de jouer.

f) Ces courses attirent un grand nombre de spectateurs.

g) On y présente des comédies et des tragédies.

h) Les aqueducs approvisionnent en eau ces établissements.

i) Du pain et des…

j) Aux thermes, on expose leurs œuvres.

4.36

Un dieu menaçant un cheval... à queue de poisson

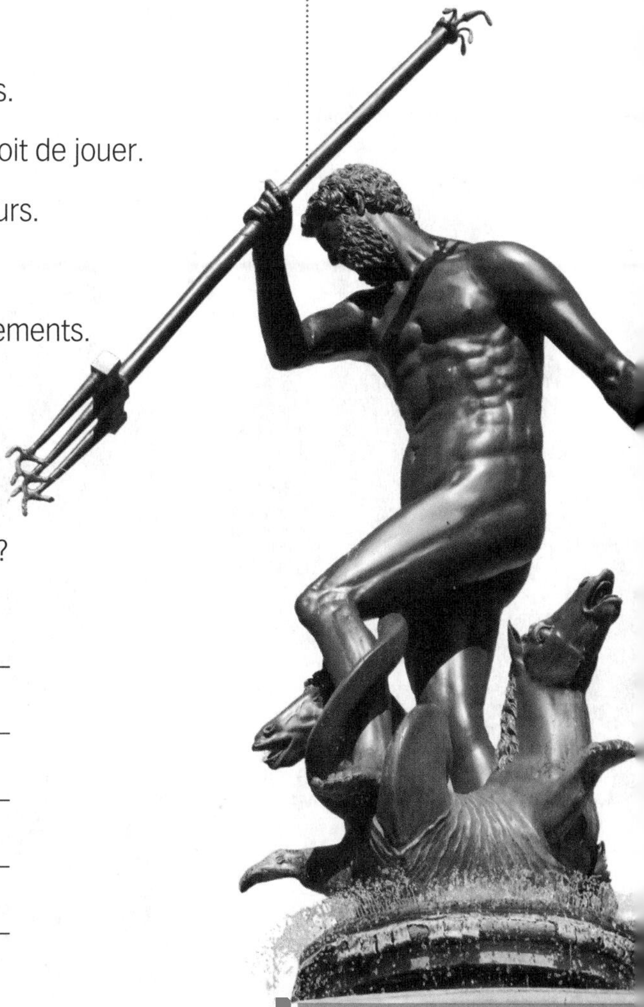

4. Observe la figure ci-contre. Quel dieu y est représenté ? Explique ta réponse.

_____

_____

_____

_____

_____

❹ La chute de Rome

Plusieurs événements sont à l'origine de la disparition de l'Empire romain. Parmi les plus importants, on trouve :

● Le déménagement de la capitale

L'empereur Constantin 1er est de plus en plus impopulaire à Rome. En 330, il s'éloigne de la contestation en transférant la capitale de l'Empire à Byzance. Constantin renomme cette ville d'après son nom : Constantinople (aujourd'hui Istanbul, en Turquie).

● Les querelles internes

Plusieurs personnes au sein de l'Empire tentent de prendre le pouvoir pour gouverner. Des querelles éclatent entre les gens qui ont du pouvoir. D'autres conflits surviennent entre des groupes qui ont de l'influence et ceux qui n'en ont pas. Les querelles sont aussi à un autre niveau : entre Rome et les peuples conquis par l'armée romaine.

● La pauvreté et le manque de soldats

Mercenaire

Homme qui offre ses services comme soldat à un gouvernement étranger en échange d'un salaire.

Plusieurs facteurs économiques sont à l'origine de la chute de l'Empire. L'écart entre les riches et les pauvres s'agrandit énormément. Les provinces s'appauvrissent pour enrichir Rome. De plus en plus de gens sont obligés de mendier pour survivre. Les paysans s'endettent et peinent à payer les lourds impôts. L'armée manque de soldats pour garder adéquatement les vastes frontières de l'Empire. Elle est forcée de recruter des **mercenaires** pour servir dans l'armée. La récolte d'un salaire leur importe plus que la défense du territoire, auquel ils ne sont pas attachés.

4.37

Des guerriers germaniques

● L'arrivée des envahisseurs

Le roi Attila et son peuple de nomades venus d'Asie, les Huns, viennent bouleverser la carte de l'Empire romain. Ils terrorisent des peuples germaniques en Europe du Nord. Ces peuples fuient en masse leurs terres, en envahissant des territoires de l'Empire plus au sud. Tous ces envahisseurs profitent de l'affaiblissement militaire de l'armée romaine. Les Romains commencent ainsi à perdre des territoires, dont la Dacie (Roumanie actuelle) prise par les Goths, un peuple germanique. D'autres Germains, les Wisigoths, saccagent la ville de Rome en 410.

● **La grande séparation de l'Empire**

Théodose 1er est le dernier empereur à régner sur le vaste Empire romain. À sa mort, en 395, l'Empire est partagé entre ses deux fils. C'est ainsi que naissent l'Empire romain d'Orient, avec Constantinople pour capitale, et l'Empire romain d'Occident, avec sa capitale à Milan, au nord de Rome. À compter de ce partage, la civilisation romaine marche vers sa disparition.

Le nouveau découpage de l'Empire

Incapable de résister aux nombreuses invasions, l'Empire romain d'Occident disparaît en 476. La péninsule italienne tombe aux mains des Ostrogoths. De leur côté, les Francs deviennent maîtres des Gaules (France). Les Wisigoths s'approprient l'Espagne. Les Angles, les Saxons et les Jutes prennent la Bretagne (Angleterre) ; et les Vandales, l'Afrique du Nord. Chacun de ces peuples germaniques établit son royaume. Pendant les 300 ans qui suivent, les conflits se multiplient entre ces royaumes.

1. a) Indique la période de chacun des événements suivants.

BAO

Monarchie à Rome : de _____ à _____ .   Empire romain d'Occident : de _____ à _____ .

République romaine : de _____ à _____ .   Expansion maximale du territoire de l'Empire : _____ .

Empire romain : de _____ à _____ .   Rome domine la péninsule italienne : _____ .

b) Situe-les ensuite sur la ligne du temps.

```
 -800                                    1              500
```

2. Plusieurs facteurs contribuent à la chute de l'Empire romain d'Occident.

À l'aide d'un « X », indique si les facteurs suivants sont d'ordre politique, économique ou militaire.

FACTEURS À L'ORIGINE DE LA CHUTE DE L'EMPIRE ROMAIN	POLITIQUE	ÉCONOMIQUE	MILITAIRE
a) Les hausses d'impôts entraînent une pauvreté grandissante chez les paysans.			
b) Les peuples des provinces conquises exigent une plus grande autonomie.			
c) Le manque de soldats pousse l'armée romaine à engager des mercenaires.			
d) L'Empire perd des territoires, comme la province de la Dacie.			

3. Observe la carte suivante.

4.38

Les deux Empires romains en 395

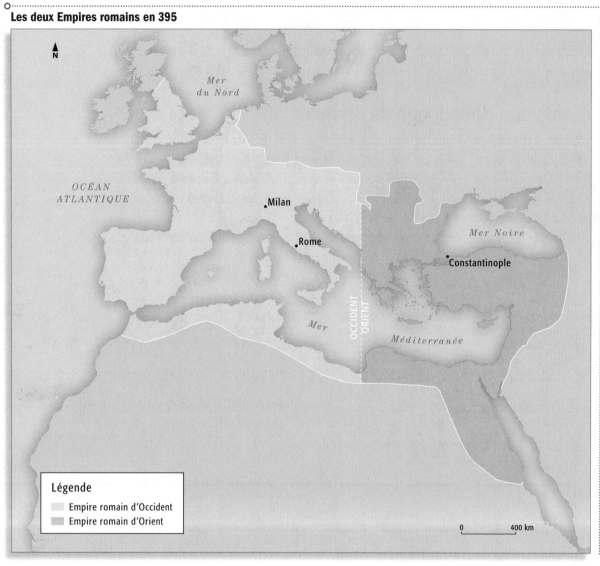

a) Qu'est-ce qu'elle t'apprend au sujet du territoire de l'Empire romain ?

_____

_____

_____

b) Quelle est la capitale de chaque empire ?

_____

_____

4. Quel peuple est responsable des migrations germaniques dans l'Empire romain ?

_____

1. a) Trouve l'année ou la période qui correspond à chacun des faits suivants.

    1. La capitale de l'Empire est déménagée de Rome à Byzance. _____

    2. Victoire de Rome contre la ville de Carthage, lors des guerres puniques.

    _____

    3. La civilisation étrusque rayonne sur une partie de l'Italie pendant près de

    200 ans. _____

    4. Début de la construction des limes, murs défensifs des frontières de l'Empire.

    _____

    5. Les lois romaines sont regroupées et révisées par l'empereur Justinien. _____

b) Replace en ordre chronologique ces faits en reportant les numéros dans les cercles ci-dessous :

4.39

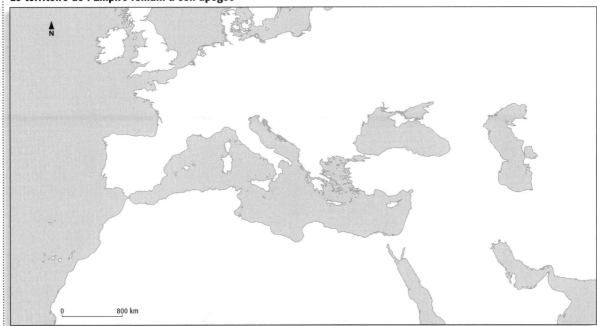

Le territoire de l'Empire romain à son apogée

0   800 km

2. Sur la carte géographique ci-dessus :

    a) situe la mer Méditerranée, la mer Noire et l'océan Atlantique ;

    b) trace en rouge les frontières de l'Empire romain lorsqu'il était à son apogée ;

    c) colorie en jaune l'Italie et situe la ville de Rome.

3. Associe chaque énoncé suivant au concept approprié. Inscris la lettre de l'énoncé dans le cercle prévu à cet effet.

Énoncés

a) Le sénat fait partie de la structure politique romaine depuis l'époque des Étrusques.

b) Le principe des Douze Tables établit que la loi s'applique à tous.

c) La plupart des réseaux d'aqueducs comportent des canaux souterrains ou à la surface du sol. L'eau potable est amenée jusqu'aux villes.

d) Les théâtres sont très populaires chez les Romains. On y présente des comédies et des tragédies.

e) Dans le gouvernement impérial, l'empereur domine tous les pouvoirs et les institutions.

f) Sous le règne de l'empereur Trajan, de 98 à 117 de notre ère, l'Empire romain comprend tout le pourtour de la mer Méditerranée et une grande partie de l'Europe.

g) Parmi les gens libres de la société romaine, ils sont ceux qui ont le plus de pouvoir politique.

h) Cette catégorie de la société romaine est devenue nécessaire quand les problèmes de recrutement de l'armée se sont fait sentir.

i) Les autorités romaines ne peuvent administrer seules tout le territoire. Elles divisent donc les nouvelles possessions en provinces et en confient la gestion à des gouverneurs.

Concepts

◯ Citoyen(s)

◯ Culture

◯ Droit

◯ Empire

◯ État

◯ Infrastructure

◯ Institution

◯ Peuple

◯ Territoire

4. Plusieurs réalisations ont été effectuées lors de la romanisation de l'Empire romain. Indique à quel concept est associée chacune des réalisations suivantes en la coloriant de la couleur appropriée.

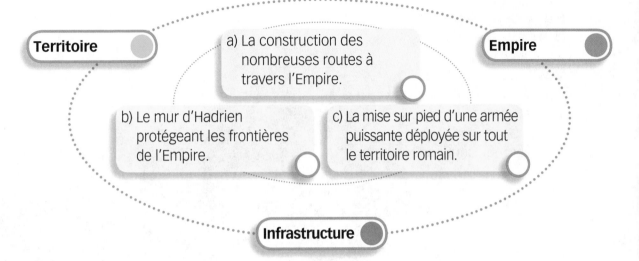

5. Réponds aux questions suivantes.

a) Quel est le dieu le plus puissant de la religion romaine ?   _____

b) Comment nomme-t-on les hommes qui s'affrontent au Colisée ?   _____

c) Comment nomme-t-on les premières toilettes publiques ?   _____

d) Quelle machine de guerre est utilisée pour lancer de lourds projectiles ?

_____

6. L'État romain a joué un grand rôle dans la romanisation de l'Empire.

a) Choisis l'une des deux questions ci-dessous et encercle-la.

1. Explique le rôle de l'État romain dans le contrôle du territoire de l'Empire.
2. Explique le rôle de l'État romain dans le contrôle des peuples conquis.

b) Réponds à cette question en rédigeant un court texte d'environ cinq lignes.

_____

_____

_____

_____

_____

_____

▼ AILLEURS

En même temps que Rome règne sur une immense partie de l'Europe, de l'Afrique du Nord et du Moyen-Orient, deux autres **empires** contrôlent d'immenses territoires en Asie. Ils tiennent leur nom des familles qui les gouvernent : les **Han** règnent sur une grande partie de la Chine, et les **Gupta** étendent leur domination en Inde.

4.40

La Grande Muraille
Pendant l'Antiquité, quelque 300 000 ouvriers construisent en Chine la plus grande fortification de toute l'histoire. La Grande Muraille mesure environ 6000 kilomètres. Elle constitue une précieuse défense contre les invasions.

L'empire des Han

L'**empire des Han**, en Chine, commence vers 200 avant notre ère et survit environ 400 ans. La famille des Han constitue la deuxième dynastie d'empereurs en Chine. Le commerce de la soie connaît un essor si important que des routes de commerce lient la Chine à l'Europe. Une route maritime et une route terrestre assurent le passage de caravanes et de navires chargés de cette fibre animale très recherchée.

CONTINENT   Asie

PAYS   Empire des Han

RÉGIME POLITIQUE   Monarchie impériale

PRINCIPALES DIVISIONS SOCIALES
Empereur
Fonctionnaires
Seigneurs (propriétaires terriens)
Soldats
Artisans
Paysans
Esclaves

PRINCIPALES ACTIVITÉS ÉCONOMIQUES
Guerre
Construction de canaux et de murs de défense
Culture du ver à soie
Fabrication de l'acier
Agriculture

RELIGION   Taoïsme

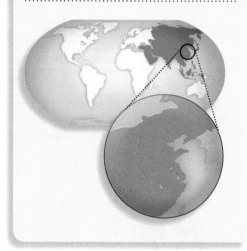

1. Quelles infrastructures, semblables à celle de l'Empire romain, assurent à l'empire des Han son essor commercial ?

_____

_____

2. À quelle fortification romaine la Grande Muraille peut-elle ressembler ?

_____

4.41
L'université de Nalanda
Sous l'empire des Gupta, le développement des connaissances prend de l'importance. L'université de Nalanda pouvait accueillir 10 000 personnes. Des gens venus de diverses régions de l'Asie y étudiaient le bouddhisme, mais aussi les sciences, comme la physique, la chimie, l'astronomie et la médecine.

L'empire des Gupta

CONTINENT   Asie

PAYS   Empire des Gupta

RÉGIME POLITIQUE   Monarchie

PRINCIPALES DIVISIONS SOCIALES
Roi
Brahmanes (prêtres et moines)
Kshatriyas (noblesse, guerriers)
Vaishyas (agriculteurs, commerçants)
Shudras (ouvriers, artisans, domestiques)
Intouchables (personnes affectées à des tâches considérées comme impures : balayeurs, tanneurs, etc.)

PRINCIPALES ACTIVITÉS ÉCONOMIQUES
Enseignement
Recherche scientifique
Art
Agriculture
Artisanat
Guerre

RELIGION   Bouddhisme

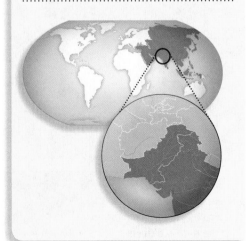

L'**empire des Gupta** débute vers 320. Il lègue à l'humanité des connaissances qui vont faciliter son développement dans différents domaines. Un des plus grands héritages est l'invention du chiffre *zéro* et du système décimal. Sans le concept du *zéro*, une infinité de calculs mathématiques complexes auraient été impossibles, et n'auraient pas permis les grandes avancées en physique, en chimie et en astronomie.

1. Selon toi, pourquoi l'empire des Gupta accorde-t-il une grande importance au développement des connaissances?

_____

2. Donne deux exemples qui nous indiquent que le développement des connaissances est tout aussi important aujourd'hui.

_____

_____

_____

_____

La christianisation de l'Occident

Le Moyen Âge marque une des plus importantes transformations culturelles de l'histoire en Occident : l'époque où un peuple prie plusieurs dieux fait place à une époque où plusieurs peuples prient un même dieu. Comment une nouvelle religion telle que le christianisme parvient-elle à détrôner les dieux de la famille de Jupiter dans l'Empire romain ? Comment la croyance en un seul dieu se propage-t-elle dans toute l'Europe ? Pourquoi des guerres de religion suivent-elles l'expansion du christianisme et de l'islam ?

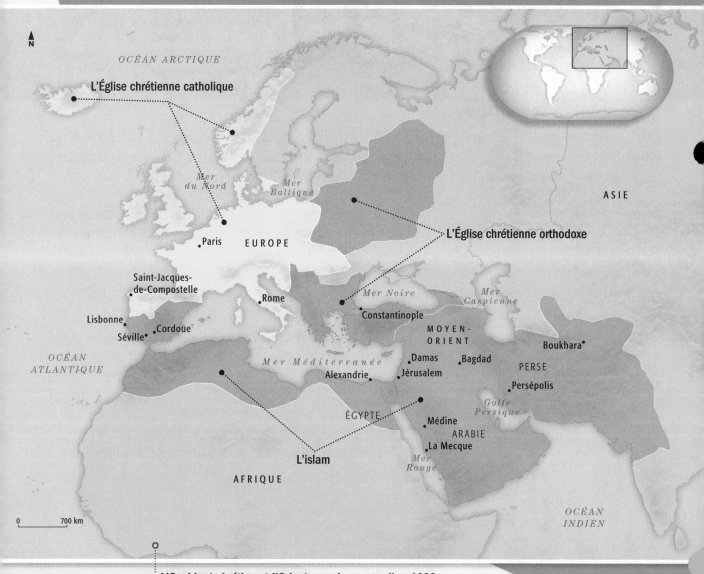

L'Occident chrétien et l'Orient musulman vers l'an 1090

Vers 1090, la religion chrétienne domine l'Europe. À cette époque, elle est déjà divisée en deux groupes : les catholiques et les orthodoxes. De son côté, la religion musulmane est en expansion. Elle finira par s'étendre jusqu'au cœur de l'Empire romain d'Orient à la fin du Moyen Âge.

La christianisation de l'Occident

Début de notre ère
(naissance de Jésus-Christ)

ÉPOQUE
CONTEMPORAINE

TEMPS
MODERNES

-10 000

-3300

1

476

400

1492

1500

1789

Aujourd'hui

PALÉOLITHIQUE   NÉOLITHIQUE   ANTIQUITÉ   MOYEN ÂGE

PRÉHISTOIRE   HISTOIRE

L'Église chrétienne dans la société médiévale européenne
Au Moyen Âge, le pape impose son pouvoir aux populations et à plusieurs gouvernements d'Europe.
Des rois tentent de limiter son pouvoir au domaine religieux.

5.1 | **Les chevaliers**
Au Moyen Âge, les chevaliers combattaient pour leur seigneur. Ils devaient défendre la seigneurie et ses habitants, et respecter un code de conduite rigoureux.

Pourquoi les chevaliers portent-ils des armures imposantes ?

EN UN COUP D'ŒIL

1. Le graphique ci-dessous indique, en pourcentage, la répartition des religions pratiquées au Québec.

a) À quelle religion est associée la majorité des Québécois?

_____

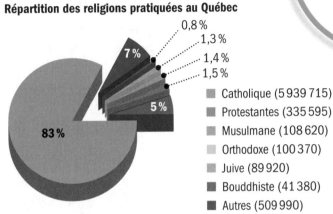

b) Quel pourcentage représente cette religion par rapport aux autres? _____

c) Quelles religions se classent…

… en deuxième place?

_____

… en troisième place?

_____

Répartition des religions pratiquées au Québec

0,8 %
1,3 %
1,4 %
1,5 %
7 %
5 %
83 %

■ Catholique (5 939 715)
■ Protestantes (335 595)
■ Musulmane (108 620)
■ Orthodoxe (100 370)
■ Juive (89 920)
■ Bouddhiste (41 380)
■ Autres (509 990)

Source: Statistique Canada, *Recensement de la population 2001* [en ligne]. (Consulté le 5 février 2011.)

2. Parmi les documents suivants, lequel garantit la liberté de religion aux citoyens québécois? Entoure-le.

a) Le Code du travail du Québec.

b) La Charte des droits et libertés de la personne du Québec.

c) La Loi sur l'immigration au Québec.

3. Associe les événements suivants à la bonne religion.

Religion catholique (**C**)
Religion musulmane (**M**)
Religion juive (**J**)

◯ Noël   ◯ Ramadan

◯ Yom Kippour   ◯ Carême

4. Encore aujourd'hui, des édifices sont consacrés aux pratiques religieuses. Associe chacun des édifices suivants à la bonne religion.

Église   • Religion musulmane

Synagogue   • Religion catholique

Mosquée   • Religion juive

5. Selon toi, est-ce que la religion a beaucoup d'influence dans notre société québécoise?

_____

_____

❶ La naissance et la propagation du christianisme

En 476, l'Empire romain d'Occident disparaît à la suite d'invasions de peuples germaniques. Mais l'Empire romain d'Orient, lui, continue d'exister encore 1000 ans environ, soit pendant tout le Moyen Âge. Il domine un vaste territoire autour de sa capitale, Constantinople, aujourd'hui Istanbul, en Turquie. Le christianisme est la religion officielle de l'Empire. Les autorités veillent à la protection de ses lieux sacrés. Elles défendent surtout Jérusalem, en Palestine, où se trouverait le tombeau de Jésus, personnage central de la religion chrétienne. L'Empire d'Orient soutient aussi la propagation du christianisme dans l'ancien Empire d'Occident. C'est le début de la christianisation de l'Europe.

Jésus naît en Palestine, un territoire de l'Empire romain. L'année de sa naissance marque le début de notre ère. Vers l'âge de 30 ans, il parcourt la Palestine en propageant son message religieux. Les gens qui adhèrent à ses idées lui donnent le nom de « Christ », qui signifie « envoyé de Dieu ». À sa mort, en 33, certaines personnes qui croient en son enseignement vont répandre sa parole dans plusieurs villes de l'Empire. On les appelle les **apôtres**. C'est ainsi que naît la religion de Jésus-Christ : le christianisme.

Les chrétiens se réunissent d'abord dans des maisons privées. Puis, à mesure que le nombre de **fidèles** grandit, ils construisent des églises. Vers 250, Rome compte environ 50 **basiliques** chrétiennes.

Apôtre

Chacune des 12 personnes choisies par Jésus pour propager ses idées.

Fidèle

Personne qui adhère à une religion et qui croit à ses enseignements.

Basilique

Église chrétienne dont l'architecture rappelle celle des basiliques de l'Antiquité, des édifices rectangulaires destinés à des usages publics : justice, commerce, etc.

5.2 **Jésus sur la croix**

Jésus rassemble des foules et annonce la venue d'un nouveau royaume : celui de Dieu. Son enseignement inquiète les autorités romaines, qui sentent leur pouvoir menacé. Jésus est arrêté et mis à mort sur une croix.

Les persécutions

La religion officielle de l'Empire romain honore la grande famille du dieu Jupiter. Les personnes qui pratiquent d'autres religions, comme les religions **monothéistes** juive et chrétienne, sont souvent persécutées. Ainsi, des groupes de juifs et de chrétiens sont jetés aux lions dans l'arène du cirque. Certains empereurs s'acharnent contre les chrétiens. C'est le cas, en particulier, de Dioclétien. À partir de 303, il exclut les chrétiens de l'administration, leur interdit de se rassembler et fait détruire leurs églises. De nombreux chrétiens sont torturés et tués.

En 313, l'empereur Constantin Ier accorde aux chrétiens le droit de pratiquer leur culte librement et ordonne la fin de leur persécution. Il devient, 24 ans plus tard, le premier empereur à recevoir le baptême. Malgré sa conversion, il n'impose pas le christianisme dans l'Empire romain. La religion officielle demeure le polythéisme romain traditionnel.

Le christianisme, religion officielle de l'Empire romain

L'empereur romain Théodose Ier est le premier à faire du christianisme la religion officielle de l'Empire romain. En 380, il adopte une loi qui oblige tous les peuples conquis à devenir chrétiens. Ainsi, la religion chrétienne peut, du jour au lendemain, s'étendre à tout l'Empire.

Environ 100 ans plus tard, lorsque l'Empire romain d'Occident disparaît, le christianisme est bien implanté dans quelques régions d'Europe. Parmi les peuples germaniques qui se partagent le territoire romain, plusieurs conservent les principaux piliers de la culture romaine : la langue latine, le droit romain et la religion catholique.

Le premier baptême d'un roi germanique

À la fin des années 400, Clovis, roi des Francs, unifie les Gaules. Avec ses armées, il tente d'élargir son royaume. En 496, avant de livrer une bataille, il fait la promesse de se convertir au christianisme s'il remporte la victoire. Son souhait est exaucé. Il reçoit le baptême en 498. Dès lors, il obtient l'appui de l'**Église** pour mener ses conquêtes.

5.3

Le baptême du roi Clovis
Clovis reçoit le baptême de Remi, évêque de Reims. Sa conversion a donné un nouvel élan à la propagation du christianisme en Europe.

1. L'image ci-dessous représente la personne dont la date de naissance marque le début de notre ère. Remplis sa fiche descriptive.

NOM : _____

Autre nom que lui donnent les gens
qui adhèrent à son enseignement : _____

Lieu de naissance : _____

Année de sa mort : _____

Religion dont il est à l'origine : _____

2. Observe l'image ci-dessous et réponds aux questions qui s'y rapportent.

BAO

a) Où se déroule la scène représentée ?

_____

b) Qui pourraient être les personnes regroupées
   dans l'arène ?

_____

c) Quel sort semble réservé à ces personnes ?

_____

d) Quel empereur romain pourrait être responsable de cette situation ?

_____

3. Associe les quatre personnages suivants aux énoncés auxquels ils se rapportent. Inscris la bonne lettre dans chaque cercle.

(A) Empereur
Constantin Ier

(B) Empereur
Théodose Ier

(C) Clovis,
roi des Francs

(D) Empereur
Dioclétien

○ a) Il permet aux chrétiens de pratiquer
   leur religion librement.

○ b) Il est le premier roi germanique
   chrétien.

○ c) Il est le premier empereur chrétien.

○ d) Sous son règne, le christianisme
   devient la religion officielle de
   l'Empire romain.

○ e) Il interdit aux chrétiens de se rassembler et fait détruire leurs églises.

❷ Le premier empire chrétien et l'Église

Le Moyen Âge est une des grandes périodes de l'histoire. Cet «entre-deux-âges», c'est-à-dire cette période entre l'âge de l'Antiquité et l'âge des Temps modernes, dure près de 1000 ans.

Tout au cours de la période **médiévale**, qui commence avec la chute de l'Empire romain d'Occident, en 476, et se termine avec le premier voyage de l'explorateur Christophe Colomb en Amérique, en 1492, des empereurs, des rois, des seigneurs et leurs chevaliers contribueront à la diffusion du christianisme dans toute l'Europe, et même au Moyen-Orient.

Un État pour l'Église

Après Clovis, plusieurs autres rois germaniques se font baptiser, non seulement des Francs, mais aussi des Wisigoths et des Anglo-Saxons. Ils peuvent alors s'appuyer sur le clergé pour imposer leur domination sur de nouveaux territoires. Pour récompenser l'Église de son soutien, les rois convertis adoptent des lois qui aident le clergé dans son travail de christianisation.

Par exemple, le roi des Francs Pépin le Bref se fait **sacrer** roi par le pape en 754. Ce sacre renforce le pouvoir de Pépin le Bref sur sa population. En retour, Pépin le Bref donne au pape un grand territoire en Italie. Le chef de l'Église catholique devient ainsi chef d'un État **pontifical** (l'ancêtre du **Vatican**).

Le sacre de Pépin le Bref consolide une alliance durable entre les rois chrétiens et les papes.

Médiéval

Qui concerne le Moyen Âge.

Sacrer

Cérémonie religieuse chrétienne au cours de laquelle le pape ou un évêque approuve officiellement la souveraineté d'un roi ou d'un empereur.

Pontifical

Qui se rapporte aux pontifes, c'est-à-dire aux hauts dirigeants de l'Église chrétienne.

Vatican

État dirigé par l'Église chrétienne catholique et situé au cœur de la ville de Rome.

5.4 Le sacre du roi Pépin le Bref par le pape Étienne II
Le sacre d'un roi est un geste politique de grande importance. Le plus haut dirigeant de l'Église oblige ainsi les fidèles chrétiens à reconnaître l'autorité de celui qu'il sacre.

1. Sur la ligne du temps ci-dessous :

    a) inscris les trois périodes historiques suivantes : Antiquité, Moyen Âge et Temps modernes ;

    b) colorie ces périodes en utilisant les couleurs suivantes : le vert pour l'Antiquité, le rouge pour le Moyen Âge et le bleu pour les Temps modernes ;

    c) fais un trait noir pour situer la chute de l'Empire romain d'Occident et un autre pour le premier voyage de Christophe Colomb en Amérique, puis inscris la date de ces deux événements.

-3500   1   2000

2. Quelle religion domine l'Europe au Moyen Âge ? _____

3. Nomme un avantage que procure aux rois germaniques le fait d'être baptisé.

_____

_____

4. En 754, Pépin le Bref se fait sacrer roi par Étienne II. Quel avantage chacun tire-t-il de ce sacre ?

Le roi : _____

Le pape : _____

5. Indique si les énoncés suivants sont vrais ou faux. Reformule les énoncés erronés.

VRAI   FAUX   a) Le Moyen Âge commence avec la chute de l'Empire romain d'Occident et se termine avec le début des Temps modernes.

                      _____

VRAI   FAUX   b) Durant tout le Moyen Âge, la propagation du christianisme sera soutenue par les rois ainsi que par les seigneurs et leurs chevaliers.

                      _____

VRAI   FAUX   c) Après Clovis, seuls des Francs, parmi les rois germaniques, se feront baptiser.

                      _____

VRAI   FAUX   d) Le sacre de Pépin le Bref marque le début d'une longue querelle entre les rois chrétiens et les papes.

                      _____

L'organisation de l'Église catholique

Petit à petit, les fidèles de l'Église chrétienne établissent une hiérarchie. Ils divisent les territoires christianisés et les responsabilités entre diverses personnes. Au sein de son État, en Italie, l'Église installe son gouvernement, ou *curie*, avec son administration politique, juridique et économique. La curie est gérée par des cardinaux. Ce gouvernement est aussi doté de tribunaux. Aujourd'hui, le gouvernement de l'Église catholique est situé dans la cité-État du Vatican, en Italie.

L'Église catholique est présente dans plusieurs pays. Pour faciliter l'administration de ses affaires, elle divise le territoire en trois paliers : les provinces, les diocèses et les paroisses. Chaque province se divise en plusieurs diocèses, et chaque diocèse, en plusieurs paroisses.

5.5
La hiérarchie de l'Église

CLERGÉ RÉGULIER

Membres d'une communauté religieuse (par exemple les bénédictins, les jésuites et les ursulines).

PAPE

Chef de l'Église catholique et du gouvernement de l'Église. Aujourd'hui, il est élu parmi et par les cardinaux. Au Moyen Âge, c'est souvent l'empereur qui le choisit. Avec ses cardinaux, il élabore les lois de l'Église.

CLERGÉ SÉCULIER

Ensemble des prêtres qui exercent un ministère.

CARDINAL

Archevêque, évêque ou prêtre nommé par le pape pour occuper une fonction au sein du gouvernement de l'Église.

ARCHEVÊQUE

Évêque désigné par le pape pour administrer une province religieuse. Il est responsable des évêques.

ABBÉ ET ABBESSE

Moine et moniale élus par d'autres moines et moniales pour diriger un monastère.

COMMUNAUTÉ RELIGIEUSE

Regroupement de sœurs ou de frères ordonnés par un évêque. Les communautés se donnent diverses missions : enseignement, soins infirmiers, aide aux pauvres, prière, etc.

ÉVÊQUE

Prêtre désigné par le pape pour gérer un diocèse. Il ordonne les prêtres et les diacres.

MOINE ET MONIALE

Religieux qui vivent dans un monastère et qui se consacrent à la prière et au travail.

Curé

Prêtre responsable de l'administration d'une paroisse et de l'exercice du culte sur son territoire.

Vicaire

Prêtre sans paroisse. Il aide le curé ou l'évêque dans sa tâche.

Diacre

Homme qui peut donner certains sacrements et prêcher pendant la célébration du culte. Un diacre peut être célibataire ou marié.

1. Comment se nomme le gouvernement de l'Église catholique ? _____

2. Qui assurent la gestion de ce gouvernement ? _____

3. Qui suis-je ?

a) J'aide le curé dans sa paroisse. _____

b) Je suis responsable des évêques placés à la tête
de mes diocèses. _____

c) Au Moyen Âge, je suis souvent choisi par l'empereur. _____

d) Je dirige un monastère. _____

e) J'administre une paroisse. _____

f) J'ordonne les prêtres et les diacres. _____

g) J'administre une province religieuse. _____

h) Je me consacre à la prière et au travail. _____

4. Donne quatre exemples de missions que peut accomplir une communauté religieuse.

_____

Le premier empire chrétien

À partir de 768, le roi Charlemagne, fils de Pépin le Bref, poursuit les conquêtes de son père. Il unifie la plupart des royaumes chrétiens d'Europe et fonde un empire auquel il donne son nom : l'Empire carolingien. C'est le premier empire chrétien catholique. Il comprend les territoires actuels de la France, de la Belgique, des Pays-Bas et de la Suisse, ainsi qu'une partie de l'Allemagne, de l'Autriche, de l'Italie et de l'Espagne.

Pendant son règne, qui durera 46 ans, Charlemagne se donne pour mission de christianiser les peuples païens. Dans les régions

5.6

Charlemagne, roi des Francs

Charlemagne, fils de Pépin le Bref, est le deuxième roi de la dynastie des Carolingiens. C'est à lui que cette dynastie doit son nom. *Charlemagne* vient du latin *Carolus Magnus* qui signifie «Charles le Grand».

5.7
○

**Le couronnement
de Charlemagne
par Léon III**
En 799, le pape
Léon III est la cible
d'un attentat à Rome
et se réfugie auprès
de Charlemagne.
Avec son armée, le
roi franc réimpose
le pape à Rome.
L'année suivante,
Léon III couronne
Charlemagne empe-
reur. Ce dernier
se considère alors
comme plus puis-
sant que le pape.

de son empire où il a de la difficulté à imposer son pouvoir, Charlemagne fait régner la terreur. Il adopte des lois qui prévoient, par exemple, la mise à mort de ceux qui refusent le baptême.

Charlemagne s'approprie une partie du **pouvoir spirituel**. Il adopte des lois qui dictent les devoirs du clergé : obligation de prêcher, d'entretenir les églises et d'enseigner la lecture afin que les règles religieuses soient comprises par le plus grand nombre de personnes.

La division de l'empire chrétien

À la mort de Charlemagne, son fils Louis le Pieux lui succède. Puis l'empire est divisé entre les trois fils de Louis : Charles le Chauve, Lothaire et Louis le Germanique. Charles le Chauve devient maître de la partie occidentale de l'empire (grande partie de la France et nord de l'Espagne) ; Lothaire, d'une partie de l'Italie et de la France, des Pays-Bas et de la Belgique ; et Louis, de la partie orientale de l'empire, qui comprend les territoires germaniques (Suisse et partie de l'Allemagne et de l'Autriche), d'où son surnom de Louis le « Germanique ».

Le pape couronne Charles le Chauve empereur, car ce dernier l'aide à combattre des musulmans en Italie. L'alliance entre l'Église et les rois se poursuit.

**Pouvoir
spirituel**
Pouvoir qui est d'ordre moral.

1. Remplis la fiche biographique de Charlemagne.

NOM : _____

Fils de : _____

Durée de son règne : _____ ans.

Religion : _____

Mission : _____ les peuples païens.

Nom de son successeur : _____

2. a) Sur la carte ci-contre, colorie en rouge l'Empire carolingien.

b) Nomme cinq pays d'Europe actuels qui appartiennent, en entier ou en partie, à l'Empire carolingien.

_____

_____

_____

_____

_____

5.8

L'empire de Charlemagne vers 800

3. a) Pourquoi Charlemagne fait-il régner la terreur dans certaines régions de son empire ?

_____

b) Quelles mesures Charlemagne prend-il pour faire régner la terreur ?

_____

_____

4. a) Quelques années après la mort de Charlemagne, l'empire chrétien est divisé en trois royaumes. Indique les territoires qui correspondent à ces royaumes et les rois qui les dirigent.

Territoires	Rois

b) Lequel des rois mentionnés à la question précédente sera couronné empereur ? _____

c) Pourquoi le pape le couronne-t-il empereur ?

_____

La puissance des comtes et des ducs

Depuis l'époque de Charlemagne, le territoire est divisé en comtés et en duchés. L'administration de ces comtés et de ces duchés est confiée à des nobles, qu'on nomme « comtes » et « ducs ». Pour s'assurer leur loyauté, les rois leur donnent des terres, les revenus d'un monastère et une partie des amendes royales. Rapidement, leur trésor s'épuise, mais les comtes et les ducs, eux, s'enrichissent et leur pouvoir grandit. Ils décident même, sans demander la permission à leur roi, de construire des fortifications. Ils s'occupent eux-mêmes de recruter des combattants pour défendre leur région contre les invasions. En fait, ils veulent se créer de petits royaumes et ne plus dépendre de l'autorité du roi. Ce désir d'autonomie des comtes et des ducs va bouleverser l'organisation politique, sociale et militaire de plusieurs régions d'Europe.

Les Vikings, les Hongrois et les Sarrasins

Les Vikings, venus du nord, pillent les villes et les monastères de France et d'Angleterre. Leurs navires allongés leur permettent de remonter les fleuves et de saccager les villes riveraines. Ces bateaux à voiles et à rames transportent une centaine d'hommes. Les Hongrois, venus de l'est, dévastent la Germanie. Les Sarrasins, provenant d'Afrique du Nord, pillent le sud de l'Espagne. Ce sont des musulmans, c'est-à-dire des gens dont la religion est l'islam.

5.9

Un drakkar viking

1. Indique quelles lettres, sur la carte ci-contre, correspondent aux endroits d'où sont venus les Vikings, les Hongrois et les Sarrasins.

Vikings	Hongrois	Sarrasins
○	○	○

2. Indique si les énoncés ci-dessous sont vrais ou faux.

VRAI	FAUX
○	○

a) Les bateaux à voiles et à rames des Vikings se nomment « drakkars ».

VRAI	FAUX
○	○

b) Les ducs et les comtes n'ont aucun désir d'autonomie par rapport au roi.

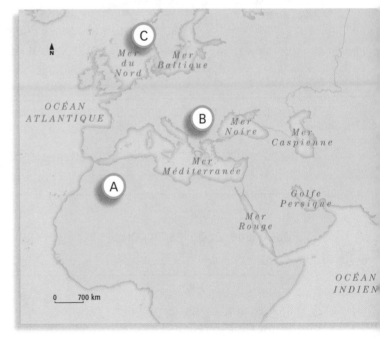

3. Complète le schéma suivant.

Le territoire ⟶ _____ ⟶ administrés ⟶ _____ ⟶ qui ne veulent plus dépendre
est divisé en ⟶ _____ ⟶ par des ⟶ _____ ⟶ de l'autorité du _____ .

Le Saint Empire romain germanique

Othon Ier, roi de Germanie, parvient à unifier plusieurs duchés et comtés. Pour conclure ces alliances, il obtient l'aide des évêques, qu'il récompense en leur donnant de vastes terres. En 962, le pape le couronne empereur du nouvel empire qu'il vient de créer : le Saint Empire romain germanique. Cet empire, qui survivra jusqu'en 1806, comprend la Germanie, la Suisse, l'Autriche et une partie de l'Italie. Le nom de cet empire illustre bien le rayonnement de la **chrétienté**.

Sous Othon Ier, l'empereur contrôle l'élection du pape et devient ainsi le chef de l'Église. Dans les années 1070, le pape Grégoire VII s'oppose à ce que l'empereur Henri IV continue de se mêler des affaires de l'Église. En guise de réponse, l'empereur le destitue, c'est-à-dire qu'il le relève de ses fonctions. Le pape décide de rester en place et réplique en **excommuniant** Henri IV. Celui-ci décide alors de nommer lui-même un autre pape. À partir de ce moment et jusqu'à la fin du Moyen Âge, l'Église et les souverains ne cesseront de se quereller pour le pouvoir suprême.

L'apparition des « seigneurs féodaux »

Pendant ces querelles entre l'Église et les rois, les comtes et les ducs s'approprient des pouvoirs. Afin de défendre leur territoire, ils recrutent des hommes pour former des armées. Ils délèguent aussi une partie de leurs pouvoirs à des **seigneurs** locaux, des hommes à qui ils confient la gestion de vastes domaines. Ces seigneurs s'entourent d'un vaste réseau de fidèles alliés et deviennent puissants. Le pouvoir du roi s'effrite pendant qu'augmente celui des « seigneurs féodaux », à la tête de leur armée de **chevaliers**. C'est le début de la **féodalité**.

Chrétienté
Ensemble des pays et des régions où la religion dominante est le christianisme.

Excommunier
Chasser un chrétien de l'Église catholique.

Seigneur
Grand propriétaire terrien qui a un pouvoir politique, économique et judiciaire sur les paysans à qui il loue des terres.

Chevalier
Homme à cheval qui combat dans l'armée d'un seigneur.

Féodalité
Forme d'organisation sociale basée sur un lien de dépendance des paysans envers de grands propriétaires terriens.

---

1. Combien d'années a duré le Saint Empire romain germanique ? _____

2. Quels territoires comprend le Saint Empire romain germanique ?

_____

3. Pour quelle raison les empereurs et l'Église ne cessent de se quereller à partir des années 1070 ?

_____

4. Qui suis-je ?

a) Je suis le fidèle allié d'un seigneur féodal et je combats à cheval dans son armée. _____

b) On m'a confié la gestion d'un grand domaine. _____

❸ La féodalité

Entre les années 920 et 1100, les comtes, les ducs et les seigneurs construi-sent des châteaux au sommet de collines. Ils y installent leurs familles pour les mettre à l'abri des attaques. Derrière les fortifications de leurs châ-teaux, ils administrent les terres de leur comté, de leur duché ou de leur **seigneurie**. Les vastes terres qu'ils possèdent sont cultivées par des paysans. Un échange de services s'établit alors entre ces grands pro-priétaires terriens et ces paysans. Contre la possibilité de cultiver un morceau de terre et de trouver refuge au château en cas d'invasion, le paysan remet une partie de sa récolte au propriétaire. Le mode d'orga-nisation politique et sociale qui naît autour de cet échange de services se nomme la « féodalité ».

La protection et la fidélité

Le seigneur offre la protection aux habitants du territoire qu'il contrôle. Lorsque des attaques surviennent, les familles se réfugient à l'intérieur des fortifications. En échange de la sécurité offerte à leurs familles, les hommes sont obligés de servir dans l'armée seigneuriale. Ils doivent prêter serment de fidélité à leur seigneur et deviennent alors ses **vassaux**. En plus du service militaire, nommé alors « service d'ost », le vassal a le devoir du « service de Cour ». Cela signifie qu'il est parfois appelé à siéger à un tribunal, à participer à un conseil politique et à servir comme **écuyer**.

Le seigneur, quant à lui, prête serment à son **suzerain**, celui qui lui a concédé son grand domaine : le roi, un comte, un duc ou un autre seigneur. Les seigneurs sont aussi des suzerains, car ils ont des vassaux. Tous les vassaux prêtent serment en jurant sur la Bible.

Seigneurie

Vaste domaine sur lequel un seigneur règne au Moyen Âge. Une seigneurie comporte des terres concédées à des paysans, des terres réservées aux cultures du seigneur, des terres communes, ainsi qu'un cours d'eau auquel tous les habitants ont accès.

Vassal

Personne liée à une autorité supérieure, qui lui a concédé une terre.

Écuyer

Homme issu de la noblesse, respon-sable des écuries d'un seigneur. Aussi, noble qui apprend le métier des armes en vue de devenir chevalier.

Suzerain

Personne qui concède un territoire ou une terre à un vassal, tout en continuant d'en être propriétaire.

5.10

Un château fort
Au Moyen Âge, le château fort sert de résidence seigneuriale. Il sert aussi de lieu de protection aux habitants de la seigneurie en cas d'attaque.

5.11

Une seigneurie au Moyen Âge

Lorsque les paysans partent à la guerre avec leur seigneur, ce sont les femmes et les enfants qui cultivent la terre, coupent le bois et s'occupent du bétail.

Fief

Morceau de son grand domaine qu'un seigneur concède à un paysan.

Les autres droits et devoirs

Le seigneur cède un **fief** à des paysans. En retour, ces derniers doivent remettre une partie de leurs récoltes au seigneur. Ils sont aussi soumis à d'autres impôts, en argent ou en nature. Par exemple, un paysan qui marie une femme provenant d'une autre seigneurie paie une taxe pour dédommager le seigneur qui perd ainsi une travailleuse. De son côté, le seigneur se réserve des terres. Pour les cultiver, il impose des corvées, c'est-à-dire des tâches que tous ses vassaux doivent accomplir gratuitement.

Le seigneur met à la disposition de ses vassaux le moulin à grains, le four, le pressoir et la forge. Des terres communes servent au pâturage des bêtes de tous les occupants de la seigneurie. Les vassaux ont le droit de couper du bois pour le chauffage, la cuisson et la construction dans la forêt commune et d'y ramasser des fruits. La chasse et la pêche sont réservées au seigneur.

1. Parmi les termes suivants, entoure ceux qui ont rapport à la féodalité.

Échange de services   Vassal   Suzerain

Démocratie   Commerce   Dépendance   Communication

2. Complète les phrases suivantes à l'aide du mot *vassal* ou *suzerain*.

a) Le paysan est le _____ du seigneur.

b) Le roi est le _____ de tous.

c) Le seigneur est le _____ d'un comte, d'un duc ou du roi.

d) Un comte peut être à la fois _____ d'un seigneur et

_____ du roi.

e) Chaque _____ prête un serment de fidélité à son

_____ en échange d'un grand domaine ou d'une terre.

f) Tout _____ d'un seigneur peut se faire imposer des corvées.

LE SEIGNEUR

Le seigneur fait partie de la noblesse. Son principal devoir est de protéger la population de son territoire. Il tire sa richesse du travail des serfs sur ses terres et des **redevances**, que les serfs et les roturiers lui versent.

LES NOBLES

En l'an 1000, les nobles sont les chevaliers ainsi que des gens qui se sont suffisamment enrichis pour acheter un petit fief. La vie des chevaliers est consacrée à la défense de la seigneurie et aux guerres contre les autres seigneurs.

LES ROTURIERS

Les roturiers, c'est-à-dire les gens libres qui ne sont pas des nobles, ont un fief et paient des redevances à leur seigneur. Ils sont libres de changer de seigneurie. Le terme *roturier* désigne aussi les artisans, par exemple les menuisiers qui vivent dans les petits villages établis sur le domaine du seigneur. L'artisan paie un impôt au seigneur et doit servir dans son armée. Il peut trouver refuge au château en cas d'invasion.

LES ÉTRANGERS

Les roturiers étrangers viennent d'une autre seigneurie. S'ils ont pu quitter leur ancienne seigneurie, c'est qu'ils n'avaient pas de dettes envers leur seigneur. Ils doivent faire **aveu** à leur nouveau seigneur. Ils ont les mêmes droits et les mêmes devoirs que les autres roturiers. Ce sont des paysans ou des artisans.

LES SERFS

Le mot *serf* signifie «esclave». Souvent, les serfs ont un fief et paient des impôts au seigneur en argent, en récolte et en corvée. Ils ne peuvent pas quitter la seigneurie. La condition de serf est héréditaire. Une personne libre peut devenir serf d'une autre pour rembourser ses dettes.

LES JUIFS

Les juifs sont libres. Ils ne sont pas soumis aux lois de la seigneurie, ils ne paient pas d'impôt et n'ont aucun droit. Parfois, ils ne peuvent même pas posséder une terre. Le seul devoir du seigneur envers eux est de les protéger. Ils survivent grâce au commerce de l'argent. Ils prêtent de l'argent aux seigneurs.

Redevance

Taxe que les serfs et les roturiers versent au seigneur pour l'utilisation des services communs, comme la forge.

Aveu

Serment d'obéissance que le vassal venu d'une autre seigneurie doit prêter à son nouveau seigneur.

1. À l'aide d'une flèche, associe les habitants de la seigneurie aux énoncés correspondants.

a) Il tire sa richesse du travail des serfs sur ses terres et des redevances que lui paient les serfs et les roturiers.

• Seigneur

b) Il a un fief, il paie des redevances à son seigneur et il peut changer de seigneurie.

• Chevalier

c) Souvent, il a un fief et il paie des impôts à son seigneur, mais il ne peut pas quitter la seigneurie.

• Roturier

d) Il vient d'une autre seigneurie et doit faire aveu à son nouveau seigneur.

• Étranger

e) Sa vie est consacrée au métier des armes.

• Serf

2. Qui suis-je ?

a) Je fais le commerce de l'argent pour survivre. _____

b) Je ne suis pas un habitant libre de la seigneurie. _____

c) Nous payons des impôts. _____

d) Je reçois des impôts et des taxes. _____

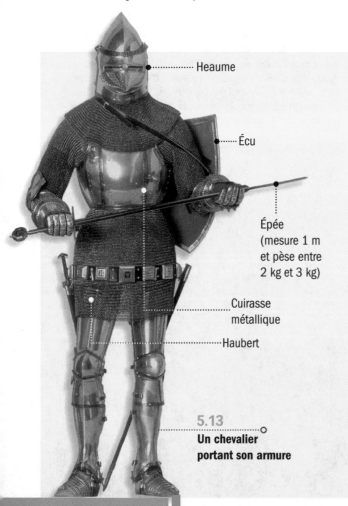

·········· Heaume

·········· Écu

Épée
(mesure 1 m
et pèse entre
2 kg et 3 kg)

·········· Cuirasse
métallique

··········Haubert

5.13
**Un chevalier
portant son armure**

Les chevaliers

L'initiation au métier des armes commence très tôt pour le fils du chevalier. Son apprentissage se fait chez le seigneur. On lui apprend le code d'honneur de la chevalerie : l'obligation d'être loyal envers son seigneur, de protéger les faibles, d'être généreux envers les pauvres et courtois envers les femmes, c'est-à-dire de leur manifester respect et politesse. Le chevalier doit aussi combattre les injustices et les criminels. S'il ne respecte pas ce code, il perd son titre de chevalier. Le jeune homme termine sa formation à l'âge de 21 ans, avec la cérémonie d'adoubement. C'est au cours de cette cérémonie qu'il devient officiellement chevalier. Il reçoit alors ses armes et entre dans l'armée du seigneur. Plusieurs chevaliers côtoient le seigneur dans son château.

1. Indique deux règles imposées par le code d'honneur de la chevalerie.

_____

_____

_____

2. Examine l'illustration 5.13. Quelle partie de l'armure protège...

   a) le côté gauche du corps ? _____

   b) les bras, le ventre et le haut des cuisses ? _____

   c) la tête ? _____

   d) la poitrine ? _____

3. Dans quelle circonstance un chevalier peut-il perdre son titre ?

_____

L'Église et la féodalité

L'Église catholique a une position privilégiée en Occident. Elle est la seule institution qui traverse les frontières des royaumes, des comtés et des duchés. Son influence est grande. Alors que les rois et les seigneurs sont constamment en discorde, l'Église s'impose comme la seule autorité capable de diriger des peuples différents vers un objectif commun. Par exemple, elle intervient pour diminuer le nombre d'affrontements entre seigneurs. Elle fixe des règles qu'elle appelle « la paix de Dieu » et « la **trêve** de Dieu ».

Les évêques font prêter serment aux guerriers de ne jamais attaquer les terres de l'Église ni les personnes sans armes, comme les prêtres, les moines, les femmes, les vieillards, les enfants et les cultivateurs. Ils leur interdisent aussi de piller les récoltes, de détruire les moulins et de tuer les animaux de labour. Les évêques imposent également des trêves, qu'ils établissent selon le calendrier religieux. Par exemple, les combats sont interdits pendant le carême et le dimanche. Ceux qui ne respectent pas ces règles risquent l'excommunication.

L'Église adopte aussi des lois qui encadrent la vie civile, c'est-à-dire des lois qui relèvent du **pouvoir temporel**, pouvoir habituellement réservé au roi. Par exemple, le vol commis pour nourrir sa famille affamée, donc par nécessité, n'est pas punissable. Un paysan poursuivi par son seigneur pour s'être sauvé sans payer ses impôts peut trouver refuge dans une église, lieu considéré comme inviolable.

Trêve
Cessation temporaire de toute activité guerrière.

Pouvoir temporel
Pouvoir relatif aux choses matérielles.

Les ressources de l'Église

L'Église est propriétaire de vastes seigneuries. Comme les seigneurs, elle cède des terres à des paysans en échange d'une partie de leurs récoltes. Elle recrute aussi des serfs pour cultiver les terres qu'elle se réserve. Ce qu'elle tire de ses terres permet de nourrir le clergé. L'Église perçoit aussi un impôt, appelé « dîme », auprès de la population. Les paysans paient cet impôt avec une fraction de leurs récoltes. Une grande part des revenus de l'Église vient aussi des dons de la population.

1. Quelle institution jouit d'une autorité si grande qu'elle est la seule à pouvoir diriger des peuples différents vers un objectif commun ? _____

2. Sous la pression exercée par les évêques, à quoi les guerriers s'engagent-ils sous serment ?

_____

_____

_____

_____

3. Indique si les énoncés ci-dessous sont vrais ou faux.

VRAI ○	FAUX ○	a) Selon l'Église, un paysan qui vole de la nourriture pour nourrir sa famille doit être puni.
VRAI ○	FAUX ○	b) La paix de Dieu, comme la trêve de Dieu, est une règle fixée par l'Église pour limiter les guerres entre paysans.
VRAI ○	FAUX ○	c) Des trêves interdisent la guerre certains jours de la semaine et certaines périodes de l'année.
VRAI ○	FAUX ○	d) Les personnes qui ne respectent pas les trêves s'exposent à l'excommunication.

4. Sans ses seigneuries, l'Église serait privée d'éléments essentiels à son fonctionnement. Parmi les mesures ci-dessous, lesquelles lui assurent :

a) de la nourriture ? ○ ○   b) des revenus ? ○ ○

1. Elle perçoit un impôt nommé « dîme ».

3. Elle cède des terres à des paysans en échange d'une partie de leurs récoltes.

2. Elle fait cultiver les terres qu'elle se réserve par des serfs.

4. Elle reçoit des dons de la population.

④ Les divisions de l'Église et les croisades

En 330, lorsque l'empereur Constantin transfère d'Occident en Orient (c'est-à-dire de Rome à Constantinople) la capitale de l'Empire romain, l'Église chrétienne commence à se diviser. Les clergés d'Occident et ceux d'Orient ne s'entendent pas sur l'interprétation des **dogmes**. L'Église d'Occident se qualifie de *catholique*, ce qui veut dire « universelle ». L'Église d'Orient estime que sa **doctrine** est la seule « conforme à la religion chrétienne », c'est-à-dire *orthodoxe*. L'année 1054 marque la division des chrétiens entre catholiques et orthodoxes.

Désormais, l'Église chrétienne catholique évolue à sa façon en Occident, avec son gouvernement pontifical basé à Rome. L'Église chrétienne orthodoxe devient également autonome avec son gouvernement pontifical établi à Constantinople. Cette importante rupture est appelée le « **schisme** d'Orient », en raison de la situation géographique de Constantinople, en partie en Orient. La rupture définitive survient cependant 150 ans plus tard, en 1204, lorsque les chevaliers catholiques des **croisades** pillent les trésors de Constantinople, siège des orthodoxes, et tuent quelque 2000 Grecs.

En 1309, les guerres menacent la sécurité à Rome. Le gouvernement de l'Église catholique s'installe en France, à Avignon. À partir de 1378, les cardinaux élisent deux papes : l'un à Rome et l'autre à Avignon. Cette date marque le début d'une crise appelée le « grand schisme d'Occident ». En 1409, un troisième pape est élu. L'Église chrétienne d'Occident est alors gouvernée par trois papes. Ce n'est qu'en 1417 que cette crise prend fin. Les cardinaux destituent les trois papes et en élisent un seul.

Dogme

Croyance ou principe présenté comme une vérité qui ne peut pas être contestée.

Doctrine

Ensemble des principes et des croyances élaborés par une religion.

Schisme

Rupture entre les membres d'une religion qui refusent de reconnaître la même autorité.

Croisades

Expéditions militaires menées par des chrétiens d'Occident pour chasser les musulmans qui gouvernaient des territoires où se trouvent des lieux sacrés du christianisme.

Idolâtrie

Culte rendu à des idoles.

5.14

Une icône du début du 12ᵉ siècle

Pendant une trentaine d'années, au 8ᵉ siècle, les icônes sont interdites. L'Église juge que ces reproductions de l'image de Dieu et des personnages bibliques sont de l'**idolâtrie**.

Savoirs +

L'Église orthodoxe et la langue des fidèles

Au fil des siècles, les chrétiens orthodoxes se sont divisés en plusieurs groupes, réunis surtout par communautés ethniques. Par exemple, il existe une Église orthodoxe grecque, une Église orthodoxe russe et une Église orthodoxe ukrainienne. Contrairement aux chrétiens catholiques, les clergés orthodoxes ont rapidement accepté de célébrer la messe dans la langue de leurs fidèles. Ainsi, dès le Moyen Âge, même les fidèles peu instruits pouvaient comprendre ce que le prêtre disait pendant le culte.

Les croisades

Avec « la paix et la trêve de Dieu », l'Église réussit à imposer aux seigneurs et aux chevaliers une certaine morale. Elle réclame la fin des combats entre chrétiens et propose aux seigneurs de lutter plutôt contre les **infidèles**. Elle désigne ainsi les musulmans, qui gouvernent des territoires où se trouvent des lieux considérés comme sacrés par le christianisme. C'est le début des croisades, que l'Église appelle « guerres saintes ». En tout, il y en aura huit (entre 1095 et 1270).

L'Église encourage les **pèlerinages** vers Jérusalem, au Moyen-Orient, mais elle craint que les musulmans empêchent les pèlerins de se rendre à destination. Le pape Urbain II ordonne donc la première croisade. Il demande aux seigneurs de lever leurs armées et de prendre possession de la ville.

Infidèle

Personne qui a une religion autre que celle considérée comme vraie par un groupe.

Pèlerinage

Voyage d'un fidèle vers un lieu considéré comme sacré par sa religion.

Croisé

Chrétien qui participe à une croisade. Le mot *croisé* renvoie au tissu en forme de croix que le combattant devait coudre sur ses vêtements.

5.15

Jérusalem, lieu sacré de la chrétienté
Des **croisés** à cheval défendent Jérusalem et protègent l'église du Saint-Sépulcre, sous laquelle se trouverait le tombeau de Jésus.

5.16

Les huit croisades

Croisades	Trajets
1re	
2e	
3e	
4e	
5e	
6e	
7e	
8e	

Les récompenses des pèlerins

Beaucoup de pèlerins marchent des centaines de kilomètres pour aller prier dans divers lieux sacrés de la chrétienté. Ils s'assurent ainsi d'une partie de leur salut au moment de leur mort. Ils espèrent aussi que cette dure épreuve physique leur permettra d'obtenir une faveur de Dieu ou d'un saint, comme la guérison d'une maladie incurable.

Tous les sites où l'on découvre des **reliques** de chrétiens considérés comme des saints deviennent des lieux de pèlerinage pour les fidèles. Ainsi, les pèlerins traversent à pied les hautes montagnes des Pyrénées pour se rendre à Saint-Jacques-de-Compostelle, en Espagne, où se trouveraient les ossements de Jacques le Majeur, l'un des 12 apôtres de Jésus. Rome, en tant que centre de l'Église catholique, est aussi un lieu de pèlerinage important.

> **Relique**
> Restes du corps d'un chrétien que l'Église catholique a élevé au rang de saint, ou objet lui ayant appartenu ou ayant servi à le torturer.

1. a) Quand l'Église chrétienne commence-t-elle à se diviser ?

_____

_____

b) Quelle année marque la division des chrétiens entre catholiques et orthodoxes ? _____

c) Comment appelle-t-on cette rupture ? _____

d) Qu'est-ce qui causera, 150 ans plus tard, la rupture définitive entre les deux Églises ?

_____

_____

_____

2. Pourquoi l'Église déclenche-t-elle la première croisade ?

_____

_____

3. Vers quelle ville convergent le plus grand nombre de croisades ? _____

4. Parmi les énoncés suivants, lesquels décrivent une raison de faire un pèlerinage ? Coche la bonne réponse.

◯ a) Obtenir une faveur de Dieu ou d'un saint.

◯ b) Obtenir un pardon pour des fautes commises.

◯ c) Convertir les musulmans au christianisme.

◯ d) Guérir d'une grave maladie.

◯ e) Contrôler des routes commerciales.

◯ f) S'assurer une partie de son salut au moment de sa mort.

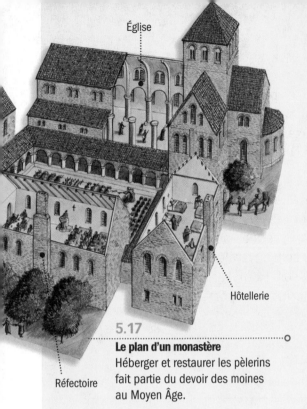

Église

Hôtellerie

Réfectoire

5.17

Le plan d'un monastère
Héberger et restaurer les pèlerins fait partie du devoir des moines au Moyen Âge.

❺ Les monastères

L'Église chrétienne s'appuie sur un vaste réseau de monastères en Europe. Un monastère est un établissement où vit une communauté de religieux, qu'on appelle des « moines ». Les monastères sont composés de plusieurs bâtiments dont une église, un couvent, des ateliers, une bibliothèque, un **réfectoire** et une hôtellerie.

La vie des moines s'organise autour de la prière. Ils participent à huit messes chaque jour. Le reste du temps, ils font du travail artisanal, cultivent la terre et transcrivent des livres religieux, dont la Bible, qui demeurera en latin pendant plusieurs siècles. Les moines font aussi l'aumône aux pauvres et offrent l'hospitalité aux pèlerins.

Réfectoire

Salle où les membres d'une communauté prennent leurs repas.

1. Lequel des énoncés suivants ne correspond pas à une activité des moines ? Coche la bonne réponse.

○ a) Offrir l'hospitalité aux pèlerins.

○ b) Conserver et transcrire des livres.

○ c) Accueillir des militaires en période de guerre.

○ d) Prier plusieurs fois par jour.

2. Selon toi, à quoi sert l'hôtellerie dans un monastère ? Coche la bonne réponse.

○ a) À la célébration des messes.

○ b) À l'hébergement des pèlerins et des voyageurs de passage.

○ c) À l'administration des affaires du monastère.

○ d) Au logement de l'abbé.

3. Indique si les énoncés ci-dessous sont vrais ou faux.

VRAI ○   FAUX ○   a) Les moines ne cultivent pas la terre.

VRAI ○   FAUX ○   b) Le réfectoire est la salle où les moines prennent leurs repas.

L'éducation

Les monastères servent aussi d'écoles. Les moines transmettent leur savoir en particulier aux fidèles qui veulent devenir religieux. À partir du 12e siècle, les écoles monastiques sont concurrencées par des universités. Dans certaines paroisses, il existe des écoles pour apprendre à lire et à compter. Une grande partie de la population est cependant analphabète.

La **science** et les mathématiques

Les contacts entre les commerçants arabes musulmans et les commerçants chrétiens facilitent une certaine diffusion en Occident de la culture des Arabes. Ainsi, l'Occident adopte les chiffres arabes. Ceux-ci, contrairement aux chiffres romains, permettent de faire des opérations complexes.

Grâce à ce «renouveau mathématique», les architectes peuvent désormais créer des structures qui repoussent les limites des principes physiques connus. Par exemple, ils élèvent des voûtes à des hauteurs encore jamais vues. Ils réussissent ces exploits en inventant de nouveaux systèmes de supports, d'arcs et de piliers.

Science

Ensemble des connaissances et des études liées à certains phénomènes ou objets et qui sont vérifiées par des expériences.

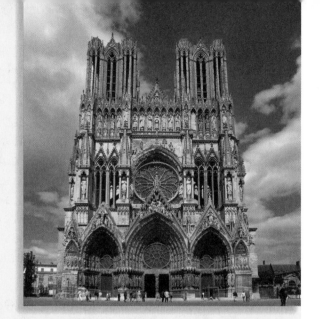

5.18

La cathédrale Notre-Dame de Reims, en France
La construction de la cathédrale de Reims commence en 1211 et se termine au 15ᵉ siècle seulement. La nef mesure 38 mètres de haut.

5.19

L'architecture de style roman
Les premières églises d'Occident sont de style roman. Leurs arcs et leurs voûtes en berceau s'inspirent des arches des modèles romains. Des piliers massifs et des murs épais soutiennent la lourde toiture.

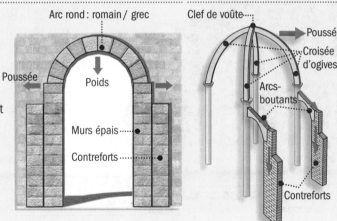

Arc rond : romain / grec
Clef de voûte
Poussée
Poids
Poussée
Croisée d'ogives
Arcs-boutants
Murs épais
Contreforts
Contreforts

5.20

L'architecture de style gothique
Ce style apparaît au milieu du 12ᵉ siècle. Les églises sont plus vastes, plus hautes et plus lumineuses : les cathédrales voient le jour. Ces améliorations sont rendues possibles grâce à la croisée d'ogives (deux arcs brisés qui se croisent), qui permet une meilleure répartition du poids de la voûte, et aux arcs-boutants, qui renforcent la structure à l'extérieur.

1. Indique si les énoncés ci-dessous sont vrais ou faux.

VRAI　FAUX　　a) Les moines enseignent à tous les gens de leur paroisse.

VRAI　FAUX　　b) Les arcs-boutants caractérisent l'architecture de style roman.

VRAI　FAUX　　c) Les chiffres arabes sont plus simples à utiliser que les chiffres romains.

VRAI　FAUX　　d) Les écoles monastiques seront concurrencées par des universités.

2. Observe l'illustration de la cathédrale Notre-Dame de Reims. De quel style est cet édifice, roman ou gothique ? Pourquoi ?

_____

_____

❻ Les lieux de culte

Au Moyen Âge, les lieux de culte chrétiens se multiplient. Ils ont plusieurs noms. La *cathédrale* est le bâtiment où se trouve le siège d'un évêque. Elle est habituellement plus grande qu'une église paroissiale. La cathédrale est d'abord un lieu de culte et de prière. Mais elle joue aussi un rôle social. Elle peut servir à des assemblées. À l'occasion, son **parvis** se transforme en scène de théâtre. La *basilique* est, quant à elle, une église bâtie sur le modèle des basiliques civiles de la Rome antique. L'*église abbatiale* est le lieu de culte des monastères et des **abbayes**. L'église est le lieu habituel de rassemblement des chrétiens au moment de la messe du dimanche.

Parvis

Espace situé devant un édifice.

Abbaye

Monastère ou couvent dirigé par un abbé ou une abbesse.

Tympan

Paroi en pierre sculptée située au-dessus du portail d'une église.

La langue du culte

Toutes les messes sont célébrées en latin. Cet usage de la langue latine permet sa diffusion partout dans la chrétienté. Par le fait même, l'Église s'assure d'une certaine unification de la pensée chrétienne.

L'Église et l'art

L'Église devient un centre de développement des arts. Pour la construction de ses lieux de culte, elle fait appel à de nombreux artistes et artisans. La plupart des grandes œuvres d'art européennes du Moyen Âge font d'ailleurs leur apparition dans les églises.

5.21

Le **tympan** de l'église de l'abbaye de Moissac, en France, un chef-d'œuvre de l'art roman

---

1. Observe l'illustration ci-dessous. Elle représente une cathédrale.

Nomme trois fonctions de ce lieu au Moyen Âge :

_____

_____

_____

2. Au Moyen Âge, les messes sont célébrées en latin. L'usage de cette langue dans l'Église chrétienne remonte à quel moment dans l'histoire ? Souligne la bonne réponse.

a) Au paléolithique.   c) À la Grèce antique.

b) Au néolithique.   d) À la Rome antique.

1. Sur la carte géographique suivante :

a) inscris, sur les filets prévus à cet effet, le nom de la religion implantée dans chacun des territoires désignés :

- religion chrétienne catholique,
- religion chrétienne orthodoxe,
- islam ;

b) colorie chaque territoire religieux d'une couleur différente ;

c) entoure les noms de deux lieux de pèlerinage chrétiens.

5.22

Le christianisme et l'islam à la fin du 11ᵉ siècle

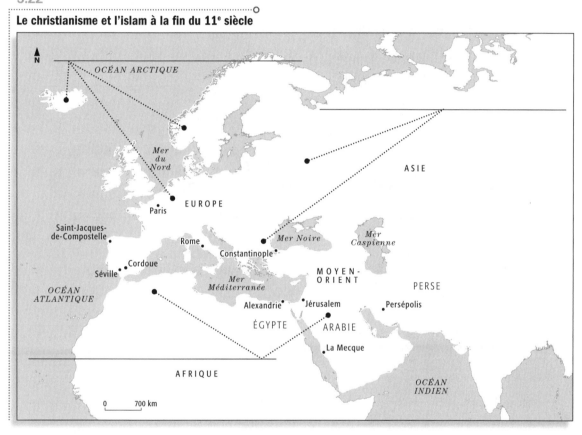

2. Qui suis-je ou que suis-je ?

a) Homme à cheval qui combat dans l'armée d'un seigneur. _____

b) Partie du domaine qu'un seigneur concède à un paysan. _____

c) Personne qui ne peut pas quitter une seigneurie. _____

d) Établissement où vit une communauté de religieux. _____

e) Livre qui regroupe des textes sacrés de la religion chrétienne. _____

f) Langue dans laquelle est célébrée la messe. _____

g) Édifice où se trouve le siège d'un évêque et qui sert
de lieu de culte et de prière. _____

3. a) Trouve l'année qui correspond à chacun des événements ou des faits suivants.

    1. Sacre de Pépin le Bref par le pape Étienne II : _____

    2. Disparition de l'Empire romain d'Occident : _____

    3. Création du Saint Empire romain germanique : _____

    4. Premier voyage de Christophe Colomb en Amérique : _____

    5. Début de la poursuite des conquêtes
       de Pépin le Bref par son fils Charlemagne : _____

    6. Baptême de Clovis, roi des Francs : _____

    7. Division de l'Église entre catholiques et orthodoxes : _____

    8. Pillage des trésors de Constantinople par des
       chevaliers catholiques en croisade : _____

b) Place ces événements ou ces faits en ordre chronologique en reportant les chiffres correspondants dans les cercles ci-dessous :

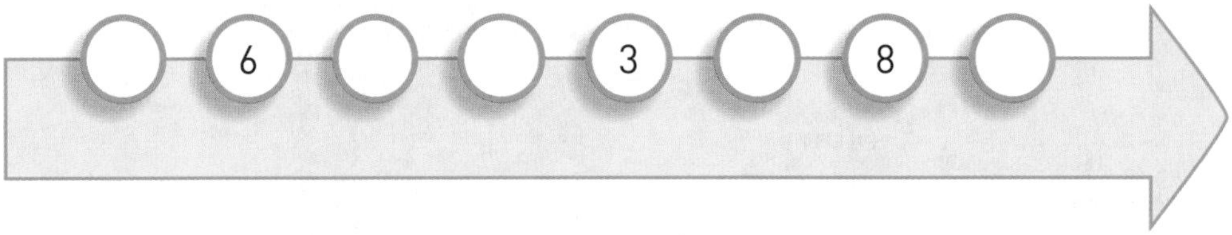

c) Quels chiffres correspondent au début du Moyen Âge et à la fin de celui-ci ?

Début du Moyen Âge : _____   Fin du Moyen Âge : _____

d) Quel nom porte la période historique…

   – qui précède le Moyen Âge ? _____

   – qui succède au Moyen Âge ? _____

4. L'Église a joué un grand rôle dans le développement de l'Occident. Explique de quelle manière, dans un texte d'environ cinq lignes. Dans ta réponse, utilise les mots suivants : *Occident*, *croisade*, *éducation*, *Église* et *pouvoir*.

_____

_____

_____

_____

_____

_____

5. Associe chacun des énoncés ci-dessous au concept approprié. Inscris la lettre correspondant à l'énoncé dans le cercle prévu à cet effet.

Énoncés

a) Contre la possibilité de cultiver un morceau de terre et de trouver refuge au château en cas d'invasion, le paysan remet une partie de sa récolte au propriétaire terrien.

b) Les moines transmettent leur savoir dans les monastères, qui servent aussi d'écoles.

c) Grâce au « renouveau mathématique », les architectes repoussent les limites des principes physiques connus.

d) À partir des années 1070 jusqu'à la fin du Moyen Âge, l'Église et les souverains ne cesseront de se quereller pour l'autorité suprême.

e) La langue latine, le droit romain et la religion catholique sont les principaux piliers de la société romaine.

f) Le clergé séculier comprend l'ensemble des prêtres et les diacres, et le clergé régulier comprend les communautés religieuses.

g) L'Église réclame la fin des combats entre chrétiens et propose aux seigneurs de lutter plutôt contre les musulmans, qui gouvernent des territoires où se trouvent des lieux considérés comme sacrés par le christianisme.

h) Le christianisme est bien implanté dans quelques régions d'Europe occidentale.

i) Au Moyen Âge, l'ancien Empire romain et l'ensemble de l'Europe correspondent à la partie ouest du monde.

Concepts

- ◯ Chrétienté
- ◯ Croisade
- ◯ Culture
- ◯ Éducation
- ◯ Église
- ◯ Féodalité
- ◯ Occident
- ◯ Pouvoir
- ◯ Science

5.23

L'abbaye de Cluny

En 910, l'ordre religieux des bénédictins fonde une abbaye à Cluny, en France, en réaction aux dérapages et aux abus des membres du clergé. Ces moines désirent retourner aux grands principes de la vie monastique : se comporter avec dignité et vivre simplement. Avec le temps, l'abbaye deviendra le centre d'un réseau d'environ 800 monastères.

AILLEURS

L'**islam** est une autre grande religion monothéiste qui connaît une expansion considérable au Moyen Âge. Il va s'étendre sur une grande partie de l'ancien Empire romain, principalement au nord de l'Afrique et au Moyen-Orient. Aujourd'hui, l'islam a des fidèles sur tous les continents.

5.24

La religion musulmane naît environ 600 ans après le début de la christianisation. Comme le christianisme, elle a des lieux saints. Le plus important est l'endroit où se trouve la Kaaba, un édifice en forme de cube situé au centre de la grande mosquée de La Mecque, en Arabie saoudite. La Kaaba contiendrait la Pierre noire apportée par l'ange Gabriel à Abraham. C'est dans sa direction que les fidèles se tournent pour prier.

Les religions musulmane et catholique partagent plusieurs croyances. Par exemple, les personnages d'Abraham, de Noé, de l'ange Gabriel et de Jésus sont présents dans les récits de ces deux religions. L'ange Gabriel qui a parlé à Marie, la mère de Jésus, est le même qui a révélé à Mahomet la parole de Dieu. Dans les deux camps, on croit que Dieu a créé les êtres humains et qu'ils peuvent ressusciter après leur mort.

1. Remplis le tableau ci-dessous à l'aide des mots suivants.

- La Mecque • Mahomet • Tombeau de Jésus • Bible • Coran
- Kaaba • Dieu • Jésus • Allah • Saint-Jacques-de-Compostelle

	RELIGION MUSULMANE	RELIGION CATHOLIQUE
Être suprême		
Lieu de pèlerinage		
Livre sacré		
Prophète		
Monument ou relique		

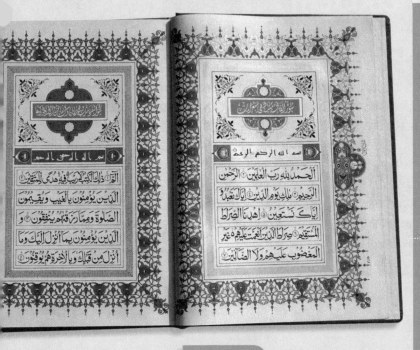

Islam

5.25
Le prophète Mahomet est né à La Mecque, en Arabie saoudite, en 570. En 610, l'ange Gabriel lui révèle les premiers messages de Dieu. En langue arabe, le mot *Dieu* se traduit par « Allah ». Des messages seront ainsi livrés à Mahomet pendant 23 ans. Ces révélations divines sont mises par écrit dans un livre sacré appelé le « Coran ». Ce mot signifie « lecture, récitation ».

CONTINENTS L'Asie, l'Afrique et l'Europe

TERRITOIRES L'Espagne, le Maghreb, l'Égypte, l'Arabie, la Syrie et la Perse

PRINCIPAUX LIEUX DE CULTE La Mecque et Médine (en Arabie saoudite), Jérusalem (en Israël), Bagdad (en Irak), Damas (en Syrie), Cordoue (en Espagne), Boukhara (en Ouzbékistan) et Kairouan (en Tunisie)

DEUX GRANDES DIVISIONS DE L'ISLAM Sunnisme et chiisme

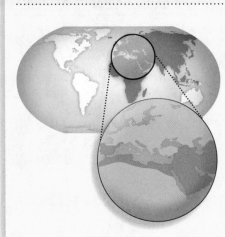

Les grandes règles de l'islam ressemblent à celles du catholicisme. Les fidèles doivent honorer un seul Dieu et le prier, être charitables envers les plus pauvres, jeûner une fois l'an (le ramadan chez les musulmans et le carême chez les chrétiens) et tenter de faire un pèlerinage au cours de leur vie.

1. Crois-tu qu'il est important pour les fidèles, qu'ils soient musulmans ou catholiques, de pouvoir se rendre dans des lieux de rassemblement qui leur sont propres ? Pourquoi ?

_____

_____

_____

_____

_____

DOSSIER 6

L'essor urbain au Moyen Âge

De nombreux villages européens se transforment en importantes villes au Moyen Âge. Ces villes se situent sur les territoires des seigneurs, des comtes, des ducs ou du roi. Jusqu'alors, les gens qui ont du pouvoir sont ceux qui possèdent des terres. Avec le développement des villes, tout change. Ceux qui ont beaucoup d'argent, mais pas de terres, comme les grands commerçants, commencent à avoir de plus en plus de pouvoir. Que s'est-il passé pour que le pouvoir de l'argent devienne aussi grand que celui associé à la possession des terres ? Comment cela provoque-t-il peu à peu la disparition de la féodalité ?

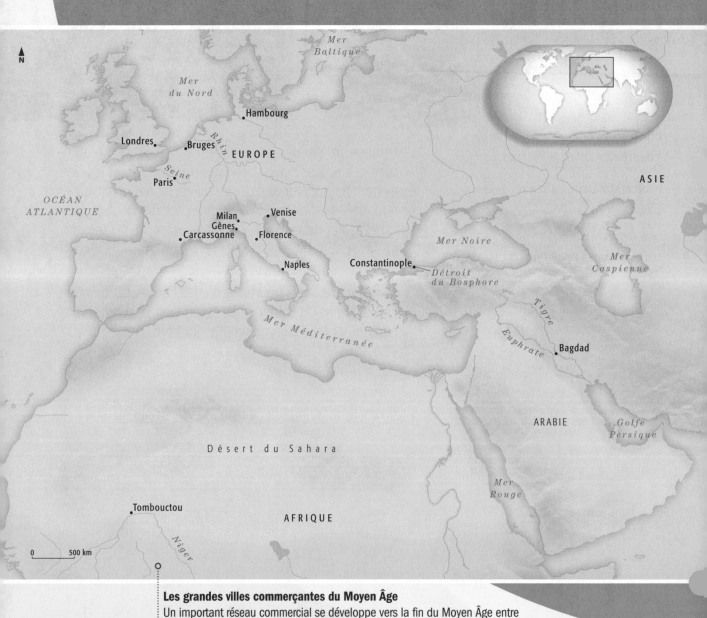

Les grandes villes commerçantes du Moyen Âge
Un important réseau commercial se développe vers la fin du Moyen Âge entre des grandes villes très éloignées les unes des autres. Des commerçants s'enrichissent rapidement. Leur pouvoir financier devient si important que les rois commencent à leur accorder plus de pouvoirs.

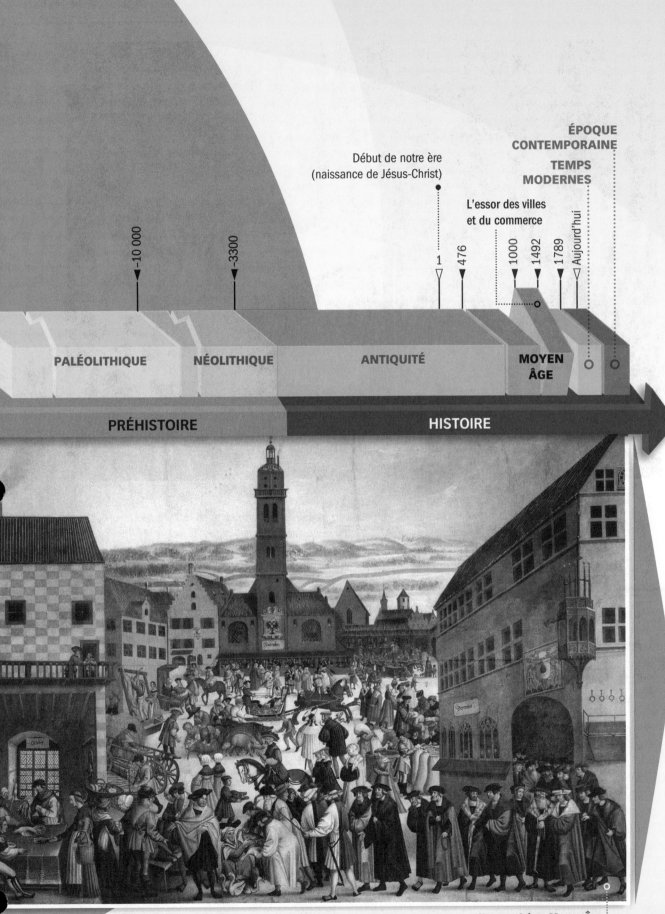

ÉPOQUE
CONTEMPORAINE

TEMPS
MODERNES

Début de notre ère
(naissance de Jésus-Christ)

L'essor des villes
et du commerce

-10 000

-3300

1

476

1000

1492

1789

Aujourd'hui

PALÉOLITHIQUE

NÉOLITHIQUE

ANTIQUITÉ

MOYEN
ÂGE

PRÉHISTOIRE

HISTOIRE

Un marché au Moyen Âge

L'activité commerciale est très intense sur la place du marché, au centre de la ville. De nombreux marchands
viennent des régions avoisinantes pour y vendre des biens de toutes sortes.

6.1 **Des bourgeois européens au Moyen Âge**
Au Moyen Âge, les habitants riches des bourgs, les bourgeois, acquièrent beaucoup de pouvoir lorsque le roi commence à compter sur leur richesse pour se défendre contre les seigneurs qui menacent son trône.

EN UN **COUP D'ŒIL**

1. Dans la société actuelle, les individus ne produisent plus nécessairement eux-mêmes ce dont ils ont besoin.

   a) Indique où les individus se procurent désormais les quelques biens de consommation ci-dessous.

      1. Des aliments : _____

      2. Des médicaments : _____

      3. Des meubles : _____

      4. Des vêtements : _____

   b) Qu'ont en commun tous ces endroits où l'on se procure les biens de consommation ?

   _____

2. À l'aide des énoncés de l'encadré ci-dessous, précise :

   ● ce que chaque document illustre ;   ◆ de quel aspect du commerce il s'agit.

  A L'utilité du commerce dans notre société

  B Les impacts du commerce sur l'organisation des villes

  1 La création d'emplois

  2 L'aménagement d'artères de circulation routières

  3 La production de biens (produits)

  4 Un stationnement commercial

3. Nomme des biens de consommation importés au Québec.

   _____

   _____

4. À l'aide d'un trait, associe chaque définition liée au commerce entre deux pays au mot ou au groupe de mots correspondant.

   a) Le fait pour un pays d'acheter des produits et des marchandises d'un autre pays.

                                       ● Tarifs douaniers

   b) Les taxes appliquées sur les produits ou les marchandises provenant d'un autre pays.

                                         ● Quotas

   c) Le fait pour un pays de limiter les quantités de produits ou de marchandises provenant d'un autre pays.

                                         ● Importation

❶ Le grand bouleversement dans les seigneuries

Au Moyen Âge, le besoin des seigneurs de trouver des sources d'argent entraîne des changements importants dans les seigneuries. Les seigneurs, propriétaires de grands domaines, luttent très souvent entre eux pour agrandir leur territoire. Ils cherchent ainsi à augmenter leur pouvoir et leur richesse. Mais ces combats les appauvrissent. Leur pouvoir diminue peu à peu. Ils participent alors à de plus grandes guerres, celles des rois. Toutes ces guerres nuisent à la production de nourriture.

Le prix des guerres de seigneurs

Les guerres entre seigneurs exigent de grandes dépenses. Les armures en métal des chevaliers, les armes et les chevaux coûtent cher. Les pertes humaines sont nombreuses. De guerre en guerre, le seigneur dispose de moins en moins d'hommes dans son armée. Les seigneurs vaincus s'appauvrissent davantage. Ils perdent une partie de leur trésor et doivent en plus reconstruire leurs fortifications endommagées. Leur capacité à défendre leur territoire diminue.

Vilain

Nom donné aux gens libres qui ne sont pas des nobles. Les vilains sont des paysans ou des artisans.

Serf

Paysan non libre qui cultive un morceau de terre d'une seigneurie. Il n'a pas le droit de quitter la seigneurie.

Pendant ces guerres, les femmes des **vilains** et des **serfs** obligés de combattre aux côtés du seigneur se retrouvent seules avec leurs enfants pour cultiver la terre. Avec moins de main-d'œuvre, les récoltes sont moins abondantes. La capacité de payer les impôts au seigneur est donc réduite. Certains seigneurs appauvris décident, malgré la baisse de revenus des paysans, de hausser les impôts pour regarnir leurs coffres. Mais, en faisant cela, ils perdent des paysans : lorsque l'impôt dépasse une certaine limite de grains, de légumes et d'argent, les paysans n'ont plus assez de nourriture pour eux-mêmes. Ils fuient alors vers la ville.

6.2

Une seigneurie au Moyen Âge
Les seigneuries ont pour point central le château fortifié du seigneur. Autour du château, les terres sont cultivées par des paysans, et on trouve de petits villages.

Le prix de la guerre de Cent Ans

De 1337 à 1453, plusieurs pays d'Europe se trouvent mêlés à la guerre de Cent Ans que l'Angleterre et la France se livrent. Cette guerre s'étire en fait sur 116 ans, mais les trêves sont très longues et fréquentes. Pendant ces trêves, la France vit des révoltes paysannes et des guerres civiles, parce que le fardeau de l'impôt devient trop lourd. C'est qu'en plus des impôts réguliers, certains rois prélèvent un impôt spécial : l'impôt sur la guerre. Ce fardeau financier, les champs dévastés par les batailles et le manque de nourriture poussent de nombreuses familles à chercher du travail en ville.

Les seigneurs qui sont devenus trop pauvres pour mener leurs propres guerres s'engagent dans celles du roi dans l'espoir de faire des prisonniers. Lorsqu'ils capturent des ennemis importants, ils exigent des **rançons**. La capture d'un seigneur ou d'un roi rapporte beaucoup. Par exemple, en 1356, l'Angleterre capture le roi de France, Jean le Bon, et exige une rançon de 3 millions d'écus, l'équivalent de 12 tonnes d'or (10 888 kg). Les impôts de rançon constituent un énorme fardeau financier pour les paysans.

6.3

La révolte des Jacques
En France, les nobles donnent le surnom de «Jacques» aux paysans. Au milieu du 14e siècle, des milliers de ces paysans se révoltent puisque les seigneurs exigent des impôts toujours plus élevés.

Rançon
Somme d'argent ou de biens qu'un kidnappeur exige pour libérer une personne qu'il détient prisonnière.

---

1. Au Moyen Âge, les guerres ont de nombreuses conséquences sur les seigneuries. À l'aide d'une flèche, indique si chaque phénomène énoncé ci-dessous augmente (▲) ou diminue (▼).

a) La capacité de protéger le territoire de plusieurs seigneuries ◯.

b) Avec beaucoup d'hommes à la guerre, les récoltes ◯.

c) La population des seigneuries ◯.

d) Les seigneurs ◯ les impôts pour ◯ leurs revenus.

2. Aux 14e et 15e siècles, les paysans quittent de plus en plus les seigneuries. Identifie à l'aide d'un «X» les causes à l'origine de ce phénomène.

◯ Les serfs sont libérés par leur seigneur. ◯ Des logis gratuits en ville.

◯ Un manque de nourriture. ◯ La baisse des impôts des seigneurs.

◯ La lourdeur des impôts.

3. Réponds aux questions suivantes.

a) Comment nomme-t-on la somme d'argent exigée par un kidnappeur en échange de la libération d'une personne ?

_____

b) Comment se nomme la guerre qui a opposé la France et l'Angleterre pendant un peu plus d'un siècle au Moyen Âge ?

_____

Enclosure

Mot anglais référant à l'action d'entourer un terrain d'une clôture. Il est spécifiquement utilisé en français pour désigner la clôture des pâturages par les seigneurs anglais au Moyen Âge.

6.4

Les clôtures des terres communes
Certaines clôtures érigées par les seigneurs au Moyen Âge sont encore bien visibles aujourd'hui.

La politique d'*enclosure* : la clôture des pâturages

Même lorsque les peuples sont en guerre, le commerce continue de se développer. En Europe, la laine devient une marchandise très demandée. Les seigneurs comprennent qu'ils peuvent en tirer de grands profits. Mais, pour produire beaucoup de laine, il faut de grands pâturages. Les seigneurs anglais trouvent une solution : ils clôturent les pâturages communs et interdisent l'accès aux bêtes des paysans. Seuls leurs propres moutons ont accès à ces zones. Les seigneurs produisent alors beaucoup de laine et s'enrichissent.

La situation des paysans, déjà très difficile, va s'aggraver dramatiquement pour des milliers d'entre eux. Leurs récoltes diminuent à cause des guerres entre seigneurs et entre rois. Ils ont ainsi moins à manger, moins de surplus à vendre au marché et moins d'argent pour acheter des semences pour l'année suivante. Ils s'appauvrissent. Les clôtures installées par les seigneurs accroissent encore davantage leur misère. Des milliers de paysans ne peuvent plus pratiquer l'élevage, à cause des moutons des seigneurs qui sont les seuls à pouvoir manger. Comme ils ne peuvent plus faire d'élevage, ils ne tirent plus d'argent de la vente de viande, de lait, de laine ou de cuir. En plus, ils sont privés d'une partie de leur nourriture (viande, lait) et de la matière grasse animale qui leur sert à s'éclairer, le suif. La survie de milliers de paysans anglais est menacée. Les paysans

commencent à fuir en très grand nombre leur campagne. Ils se réfugient en ville, où ils tentent de trouver du travail pour réussir à acheter de quoi se nourrir.

La fuite des paysans vers les villes

Les familles paysannes s'élargissent au fil des ans. Il devient de plus en plus difficile de nourrir un nombre croissant de personnes à partir d'un même lopin de terre. Ainsi, la croissance des familles, les guerres, l'interdiction d'accès aux pâturages, les impôts de guerre et de rançon, en plus des impôts réguliers dus au seigneur, au roi et à l'Église poussent les paysans libres à quitter la campagne. Les hommes espèrent trouver du travail en ville comme **journaliers** ; les femmes, comme domestiques.

6.5

Des paysannes allant au moulin à eau
Le seigneur met à la disposition des paysans un moulin à moudre les grains de céréales.

Le boum de la production agricole

Le seigneur tente d'augmenter ses revenus en agrandissant son territoire. Il cède donc des terres à défricher. Comme le défrichement est difficile, il exige moins de redevances pour ces terres. Les vilains qui ont un peu d'économies en acquièrent. Ils achètent aussi les terres d'autres vilains partis en ville. Plusieurs vilains parviennent à augmenter leur productivité agricole. Leurs récoltes se vendent bien, car les villes grossissent et dépendent de celles-ci pour manger. Des vilains s'enrichissent et développent un esprit d'entrepreneuriat.

Les innovations techniques

La hausse de la productivité des vilains est aussi liée aux innovations agricoles. Un nouveau type de harnais pour les bêtes de trait (le collier d'épaule) et la charrue à soc de fer facilitent le labourage. On trouve également le moyen de tirer de lourdes charges en alignant des chevaux sur un même rang. On cloue des fers aux sabots des chevaux pour ralentir leur usure. On perfectionne aussi les moulins à vent et à eau.

Journalier
Ouvrier qui est embauché pour une journée.

Les paysans pratiquent aussi la rotation des cultures. Cette technique empêche l'appauvrissement des sols. Les terres ont une certaine quantité de minéraux pour faire pousser les végétaux. Les différents végétaux n'absorbent pas tous les mêmes minéraux. En changeant chaque année l'emplacement des céréales et des légumes, le sol refait ses minéraux. Aussi, tous les trois ans, on laisse un morceau de terre en jachère, c'est-à-dire qu'on n'y plante rien. Avec cette technique, les sols restent riches et les cultures abondantes.

1. Quel est le principal problème auquel font face les paysans et qui provoque un bouleversement dans les seigneuries au Moyen Âge?

_____

_____

_____

2. Indique si chaque énoncé suivant est vrai ou faux. Si un énoncé est faux, trace un trait sur le passage erroné et reformule-le correctement au besoin.

VRAI FAUX   a) Les pâturages clôturés sont réservés aux moutons du seigneur et aux bêtes
◯   ◯   des paysans d'une même seigneurie.

_____

VRAI FAUX   b) Les clôtures de pâturage permettent au seigneur de diminuer ses revenus.
◯   ◯

_____

VRAI FAUX   c) Comme les paysans ne peuvent plus faire l'élevage de leurs bêtes, ils ne
◯   ◯   tirent plus d'argent de la vente de viande, de lait, de laine ou de cuir.

_____

3. Explique pourquoi et comment des vilains acquièrent de nouvelles terres agricoles. Complète le schéma suivant à l'aide des éléments de réponse ci-dessous.

- Des vilains développent un esprit d'entrepreneuriat.
- Des économies. • Les revenus des vilains augmentent.

Causes ou facteurs explicatifs	**Les vilains acquièrent de nouvelles terres agricoles.**	**Conséquences**
• Le seigneur exige moins de redevances pour les nouvelles terres non défrichées qu'il cède. • _____ _____ _____ _____		• La vente de produits aux habitants des villes augmente. • _____ _____ _____ _____ • _____ _____ _____

4. Observe le document ci-dessous. Quel autre terme désigne cette technique agricole ?

Année **1**	Année **2**	Année **3**
Avoine	Aucune plantation	Blé
Blé	Orge	Aucune plantation
Aucune plantation	Blé	Avoine

▢ Récolte

6.6
Un exemple de rotation des cultures

➋ La multiplication et la croissance des villes

Les paysans pauvres sont si nombreux à quitter la campagne que les villes se développent et se multiplient. Ce phénomène s'appelle l'« urbanisation ». Les villes naissent surtout près des monastères ou des châteaux forts. Au départ, on donne le nom de **bourg** à ces agglomérations. Ce terme, qui vient de l'allemand, désigne d'abord un grand village qui a plusieurs caractéristiques d'une ville. On y trouve de 300 à 500 maisons, construites autour d'une place de marché.

Bourg
Grand village dans lequel il y a une place de marché, où se rendent les habitants et les commerçants des villages avoisinants.

Le doublement de la population européenne

Rapidement, la population de l'Europe double, et de très grandes villes apparaissent. Par exemple, au début des années 1200, Londres compte 30 000 habitants. Elle en a le double 150 ans plus tard. Les autres grandes villes européennes se situent principalement entre deux fleuves, la Seine et le Rhin, ainsi qu'en Italie. Les villes d'Italie sont les plus populeuses. Vers la fin du 14ᵉ siècle, les villes de Naples, Milan, Venise et Paris comptent de 100 000 à 150 000 habitants ; Gênes, Londres, Florence, près de 50 000 ; Bruges, 40 000 ; Hambourg, 30 000.

6.7
Un plan de la ville de Bruges au Moyen Âge
Comme plusieurs villes d'Europe au Moyen Âge, Bruges est entourée de hauts murs pour se protéger contre les attaques.

1. Lis les deux questions suivantes. Elles décrivent l'urbanisation, un important phénomène au Moyen Âge.

> **1.** Pourquoi y a-t-il de plus en plus de villes ?
>
> **2.** Pourquoi la taille des villes s'accroît-elle rapidement ?

Parmi les choix suivants, encercle l'énoncé qui répond correctement à ces deux questions.

a) Parce qu'il y a de nouveaux commerces.

b) Parce qu'il y a beaucoup de paysans pauvres qui quittent les campagnes.

c) Parce qu'il y a plus d'églises dans les villes.

d) Parce que l'agriculture est permise en ville.

2. Comment nomme-t-on les premières villes qui naissent près des monastères ou des châteaux forts et qui s'organisent autour d'une place de marché ?

_____

3. Complète le diagramme à bandes suivant afin de comparer la population de certaines grandes villes au Moyen Âge.

Nombre approximatif d'habitants

- Naples : 125 000
- Venise : 125 000
- Florence : 50 000
- Gênes : 50 000
- Bruges : 40 000
- Hambourg : 30 000

a) Inscris le nom des villes sous l'axe horizontal.

b) Reporte ensuite les données de la légende dans le diagramme. Attention, la bande illustrée pour chaque ville doit correspondre à son nombre d'habitants.

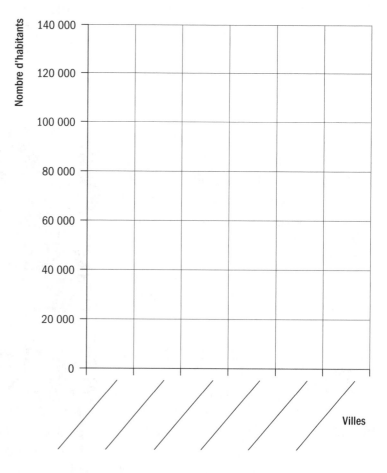

**La population
de grandes villes européennes
vers la fin du 14ᵉ siècle**

Nombre d'habitants

140 000
120 000
100 000
80 000
60 000
40 000
20 000
0

Villes

Les bourgeois du bourg

Les **bourgeois** sont les habitants du bourg. Ce sont des gens libres, qui possèdent des biens immobiliers ou des terres. Depuis le début du régime seigneurial, les seigneurs, c'est-à-dire les grands propriétaires terriens, ont toujours eu plus de pouvoirs que les gens riches qui ne possédaient pas de terres. Désormais, les bourgeois acquièrent de plus en plus de pouvoirs, car ils jouent un rôle déterminant dans la croissance des villes. La richesse venant des échanges commerciaux devient aussi grande, et parfois plus, que la richesse liée à la possession de terres. L'importance sociale des bourgeois augmente et leur place change dans la hiérarchie sociale. Auprès de certains rois, les bourgeois commencent à occuper une place plus importante que les nobles qui possèdent des terres.

Bourgeois

Au début du Moyen Âge, habitant d'un bourg (grand village). Plus tard, personne riche de la ville ou qui exerce une fonction importante dans l'administration de la ville.

Les métiers et professions de la ville

Les **artisans** composent une grande partie de la population des villes. Ils fournissent aux campagnes les outils agricoles et aux bourgs les équipements et matériaux pour la construction des maisons, des commerces, des banques, des églises et des bateaux. Ils fabriquent aussi les objets utilisés par les habitants : ustensiles, fourneaux, récipients, échelles, métiers à tisser, étaux de boucher.

Des **artistes** travaillent à l'embellissement des églises. Ils créent des vitraux, des peintures, des mosaïques ou des sculptures.

Les femmes pauvres travaillent souvent comme **domestiques** chez les bourgeois.

Une grande masse d'hommes sont **journaliers**, c'est-à-dire que des bourgeois, des artisans ou le clergé les embauchent à la journée pour différents travaux. Ces hommes doivent donc, chaque matin, quémander un travail. Ceux qui n'en trouvent pas mendient pour nourrir leur famille.

Le **clergé** s'occupe de la religion et de l'éducation.

Les **serfs** ont habituellement un fief et paient des impôts au seigneur en argent, en récolte et en corvée. Ils ne peuvent pas quitter la seigneurie. La condition de serf est héréditaire.

6.8

Quelques métiers du Moyen Âge

Charpentier	Menuisier	Drapier	Tisserand	Pelletier
Tailleur	Potier	Teinturier	Forgeron	Boulanger

1. Indique quel métier est représenté dans chacun des visuels ci-dessous.

_____   _____

2. a) Complète la pyramide sociale d'une grande ville typique de cette époque à l'aide des termes de l'encadré.

- Les journaliers
- Les esclaves
- Les femmes pauvres
- Les grands commerçants
- La noblesse
- Les artisans
- Les mendiants
- Les artistes

_____

Le clergé

Les bourgeois

_____
_____   _____

Le peuple

_____   _____
_____   _____

b) Toujours à l'aide des mots de l'encadré, complète les énoncés suivants.

1. Ils fabriquent différents outils et objets utiles : _____

2. De plus en plus riches, ils achètent des seigneuries : _____

3. Ils doivent chercher un nouveau travail presque tous les jours : _____

De nouvelles professions

Au fur et à mesure que le commerce s'intensifie, de nouvelles professions se développent, comme celle des légistes, des bourgeois formés dans les universités et qui se spécialisent dans l'élaboration et l'interprétation des lois, ou celle des notaires, qui rédigent les contrats commerciaux. Dans la ville française de Carcassonne seulement, on compte 63 notaires en 1304.

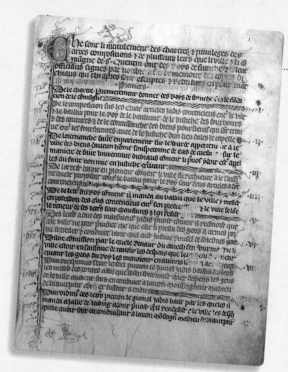

6.9

La charte accordée par Philippe Auguste
La ville de Saint-Quentin, au nord de Paris, est une des premières à obtenir une charte. En 1080, une charte communale lui est accordée et établit la liste de ses libertés. Ce document n'a jamais été retrouvé. Les historiens ont pu apprendre son existence en lisant un document signé en 1195 par le roi de France, Philippe Auguste, qui reconnaît le statut de commune à Saint-Quentin.

Les revendications des bourgs

Un bourg est situé sur le territoire d'un seigneur. Ses habitants sont donc soumis aux impôts du seigneur et au service de l'armée. Plus les bourgs grossissent, plus leur pouvoir de négociation augmente. Leur richesse croît tandis que celle de beaucoup de seigneurs diminue. Dès le 12e siècle, les bourgeois commencent à exiger l'abolition de certains impôts seigneuriaux. Ils réclament aussi des pouvoirs économiques, politiques et juridiques. Ils veulent administrer eux-mêmes leur ville.

Les premières chartes de ville

Peu à peu, les villes obtiennent une certaine autonomie. Leur degré d'autonomie dépend cependant du résultat de la négociation de chaque ville avec son seigneur ou son roi. Ceux-ci énumèrent dans une **charte** les pouvoirs confiés à une ville. Une ville qui a sa charte est souvent appelée « commune ». En général, les grandes villes obtiennent les pouvoirs suivants :

- ériger un **beffroi** et des remparts pour se défendre ;
- juger les crimes ;
- faire respecter les lois par une police ;
- contracter des alliances avec d'autres villes ;

- fixer le prix de la nourriture ;
- établir la durée de la journée de travail ;
- administrer les hôpitaux ;
- frapper la monnaie ;
- choisir ses administrateurs.

Charte

Document écrit dans lequel une autorité définit et garantit les droits et les pouvoirs qu'elle accorde à une entreprise ou à une institution, comme un bourg ou une ville.

Beffroi

Haute tour d'une ville fortifiée, où des gardes surveillent les environs. La tour est munie d'une cloche.

Comme il faut de l'argent pour administrer, les villes obtiennent le droit de taxer leurs habitants. En retour de ces concessions, le seigneur exige parfois un impôt annuel. Malgré ce lien avec leurs anciens seigneurs, la multiplication des villes mettra peu à peu fin au système féodal.

1. Le pouvoir des bourgs augmente rapidement. Associe chaque question suivante à la réponse de l'encadré ci-contre.

a) Quelles sont les trois principales demandes des bourgs aux seigneurs ? ___ ___ ___

b) Pourquoi les bourgs peuvent-ils se permettre de faire de telles demandes à leur seigneur ? ___

c) Qu'ont les bourgs qui était auparavant réservé aux seigneurs ? ___

1. À cause de leur richesse grandissante.

2. L'abolition de certains impôts seigneuriaux.

3. Administrer eux-mêmes leur ville.

4. De l'argent, des richesses et du pouvoir.

5. Des pouvoirs économiques, politiques et juridiques.

2. Complète le texte suivant à l'aide des mots de l'encadré ci-dessous.

- document - roi - seigneur - commune - système féodal

Une _____ est une ville qui a obtenu une charte. Une charte est un _____ écrit qui énumère les pouvoirs que le _____ ou le _____ accorde à la commune. Peu à peu, les villes ne font plus partie du _____, qui disparaît graduellement.

3. Les pouvoirs accordés aux communes appartiennent à différents domaines. Identifie à l'aide d'un «X» le domaine auquel appartient chacun des pouvoirs suivants.

POUVOIR	DOMAINES				
	Social	Économique	Politique	Judiciaire	Militaire
Fixer les heures de travail.					
Gérer les hôpitaux.					
Construire un beffroi et des remparts.					
Choisir ses administrateurs.					
Juger et punir les crimes.					
Créer des alliances avec d'autres villes.					
Frapper sa monnaie.					

4. Observe la photo de la Grand-Place de Bruges.

a) Quelle caractéristique du beffroi le rend utile à la défense de la ville ?

_____

_____

b) À ton avis, quel espace public se dressait devant le beffroi au Moyen Âge ?

_____

Les diverses institutions de la ville

Les administrateurs de la ville s'installent dans un bâtiment nommé l'« hôtel de ville ». Parfois, cet édifice est si prestigieux qu'on le nomme le « palais communal ». C'est là que les conseillers municipaux se réunissent. Certains sont élus, ou nommés par le seigneur, mais ils proviennent tous de la bourgeoisie. Le sceau et les armoiries deviennent deux symboles par lesquels la ville affiche son indépendance par rapport au seigneur.

Si la ville abrite un évêque, on y trouve une cathédrale ; sinon, il y a une église. Certaines villes ont un monastère, un hôpital, une université ou des écoles. Les tribunaux peuvent avoir un bâtiment réservé. Plusieurs villes tentent de retirer au clergé la responsabilité de l'éducation. L'Église leur accorde parfois le droit d'ouvrir des écoles.

6.11

Des sceaux

Un sceau est une empreinte faite par un objet sur lequel on a gravé un symbole identifiant une autorité. Le sceau permet de vérifier si un document est authentique ou s'il s'agit d'un faux. Chaque commune a son sceau, tout comme le roi a le sien.

Les lois du vivre-ensemble

Lorsqu'une ville obtient sa Charte, on y trouve déjà plusieurs infrastructures : maisons, ateliers, églises, fontaine publique, canaux d'égout à ciel ouvert, etc. Ces installations ont toutefois été construites un peu n'importe où et avec n'importe quels matériaux. Lorsqu'un incendie se déclare, la ville est menacée de destruction. Les déchets humains ou animaliers dans les rues présentent un risque pour la santé. On réalise que l'établissement de règles d'**urbanisme** peut réduire les problèmes de santé et de sécurité.

Urbanisme

Moyens mis en place dans une ville pour répondre aux différents besoins de la population : transport, santé, sécurité, etc.

Les conseillers municipaux établissent donc des règles pour les domaines public et privé. La population s'attend à ce que ses dirigeants justifient chaque règlement en s'appuyant sur l'un ou l'autre de ces critères : l'utilité publique ou l'intérêt général. Par exemple, la ville peut imposer une amende aux personnes qui se promènent la nuit dans les rues en criant. Certaines villes interdisent aux citoyens qui possèdent des cochons de les laisser aller librement dans les rues.

La plupart des villes déterminent qui peut être citoyen. Comme le commerce amène de nombreux étrangers, certaines villes n'accordent le titre de citoyen qu'à ceux qui résident dans la ville avec leur famille ou qui y vivent depuis plusieurs années.

1. Observe les images ci-dessous. Elles représentent un bâtiment et un symbole de la ville de Bruges. Associe chaque image à la description correspondante dans la colonne de droite.

1. Un ours tenant les armoiries de la ville

   ● Sa présence indique qu'un évêque réside dans la ville.

2. L'hôtel de ville (1356)

   ● Endroit où se réunissent les dirigeants de la ville.

3. La cathédrale Saint-Sauveur

   ● Symbole d'indépendance de la ville vis-à-vis du seigneur.

2. a) Comment nomme-t-on les règles mises en place par une ville pour répondre aux besoins de la population ?

_____

b) Les villes fixent des conditions aux étrangers qui veulent en devenir citoyens. Nomme une de ces conditions.

_____

_____

_____

③ Le boum du commerce

Le commerce est source de profits. Par exemple, un commerçant achète de la laine à un seigneur en Angleterre. Il la revend à un drapier de Bruges (aujourd'hui en Belgique) plus cher qu'il l'a payée. Un autre commerçant achète les draperies de ce drapier et les revend à un tailleur de Venise (Italie) plus cher qu'il les a payées. Un bourgeois vénitien paie encore plus cher pour acheter un habit de ce tailleur. Ainsi, à chaque étape de la fabrication d'un vêtement, une nouvelle personne fait des **profits**.

Les commerçants utilisent leur **capital** pour augmenter leur production. Par exemple, ils achètent plus d'outils ou de machines et embauchent plus de travailleurs. Plus ils produisent de biens, plus ils en vendent et plus ils augmentent leurs profits. Ainsi, ils s'enrichissent.

Profit

Somme d'argent correspondant à la différence entre le prix auquel on achète un bien (ou le coût pour le produire) et le prix auquel on le revend.

Capital

Ensemble des richesses (monétaires ou autres) qu'une personne ou une entreprise investit pour produire encore plus de richesses.

6.12

Des commerçants du Moyen Âge

Le commerce dans la ville

En ville, les gens dépendent les uns des autres. Les artisans y trouvent donc leur première clientèle. Une fois la semaine, ils vont sur la place du marché vendre une partie de leur production. Comme la ville dépend des fermiers avoisinants pour survivre, les paysans viennent aussi au marché vendre leurs aliments. Des commerçants d'autres villes viennent également proposer des marchandises ou en acheter pour les revendre ailleurs.

Surveillance et entraide des artisans

Une grande ville compte plusieurs artisans d'un même domaine. Une forte concurrence aurait de graves conséquences pour plusieurs d'entre eux. Pour éviter cela, les artisans inventent les corporations. Il s'agit d'une association d'artisans d'un même domaine qui établit des règles pour ses membres et pour défendre leurs intérêts.

La corporation indique le prix de vente des biens que l'artisan produit. Pour que les artisans ne se volent pas leurs meilleurs ouvriers, la corporation détermine le salaire et les horaires des employés. Ceux qui ne respectent pas les obligations communes ont des pénalités. Certaines corporations ont des mesures d'entraide : elles nourrissent leurs membres malades ou leurs veuves.

La corporation d'un métier établit des normes de qualité de production. La formation doit aussi être semblable d'un atelier à l'autre. Cette formation est obligatoire, ce qui limite le nombre d'entrées dans la profession.

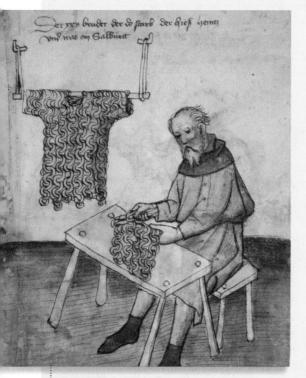

6.13

Un armurier

Les armuriers fabriquent entre autres les vêtements en cote de maille. Ces vêtements en fil de fer protégeaient les chevaliers lors des combats.

QUELQUES CORPORATIONS D'ARTISANS AU MOYEN ÂGE

Bouchers • Forgerons • Maçons • Orfèvres • Tisserands

Le grand commerce : importations et exportations

Les villes aussi deviennent interdépendantes. Souvent, une ville se spécialise dans un secteur d'activité. Par exemple, Bruges devient un important centre de fabrication des draperies. Des commerçants anglais vont donc y vendre de grandes quantités de laine. Venise importe une partie de la production de Bruges en raison de la renommée de ses tissus. Des marchands de plusieurs régions se rencontrent à l'occasion de grandes foires commerciales. Des villes forment des associations pour favoriser les échanges commerciaux entre elles. Mais le développement de ce **grand commerce** entre villes éloignées pose un défi : le transport et la sécurité des marchandises.

Grand commerce

Ensemble des échanges commerciaux réguliers et biens structurés établis entre des régions très éloignées.

1. a) Le commerce est source de profits. Complète les énoncés ci-dessous à l'aide des mots de l'encadré ci-contre.

- seigneur
- Bruges
- commerçant
- tissu
- laine
- habit
- bourgeois vénitien

1. Un _____ anglais produit de la _____

   qu'il vend à un commerçant.

2. Le _____ revend la laine à un drapier

   de _____.

3. Le drapier vend le _____ à un tailleur de Venise.

4. Le tailleur vend un _____ à un _____.

b) En les encerclant, identifie les quatre personnes qui ont réalisé un profit lors de ces échanges commerciaux.

2. a) Dans les villes médiévales, à quel endroit les gens trouvent-ils des produits à vendre ?

_____

b) À quelle fréquence se déroule cet événement commercial ?

_____

c) Nomme trois groupes de personnes qui vendent des marchandises.

- _____
- _____
- _____

3. Voici une liste qui établit les diverses fonctions des corporations. Complète-la à l'aide de l'information trouvée à la page 244.

Les fonctions des corporations

- Défendre les intérêts de ses membres.
- _____
- Indiquer le prix de vente des biens produits par les membres.
- _____
- Donner des pénalités aux membres qui ne respectent pas les obligations communes.
- Offrir des mesures d'entraide en nourrissant les membres malades ou leurs veuves.
- _____
- Offrir une formation obligatoire qui limite le nombre d'entrées dans la profession.

Les chantiers navals et les entrepôts

Un des principaux facteurs de l'essor commercial est l'amélioration des bateaux. Un nouveau type de gouvernail rend les navires plus maniables. On invente des voiles permettant la navigation avec des vents contraires. Les navires sont plus grands. Ils transportent donc plus de produits et de matières premières. La croissance du commerce maritime tient aussi à de nouveaux instruments : boussole, astrolabe, sextant et cartes de navigation.

La construction navale devient une importante activité économique, et les villes portuaires s'enrichissent. On y construit d'immenses entrepôts pour les arrivages. Sur les quais, des centaines d'ouvriers embarquent et débarquent les marchandises.

6.14

Le port de Bruges au Moyen Âge
Parmi les villes portuaires du nord de l'Europe, Bruges est l'une des principales. L'activité commerciale est intense avec l'Angleterre, pour la laine ; et la France, pour les fromages et le vin.

6.15

Les principales villes et routes commerciales vers 1300
Un vaste réseau maritime et terrestre relie les plus grandes villes du Moyen Âge. Chacune a une place de marché qui offre souvent des produits venus de régions très éloignées.

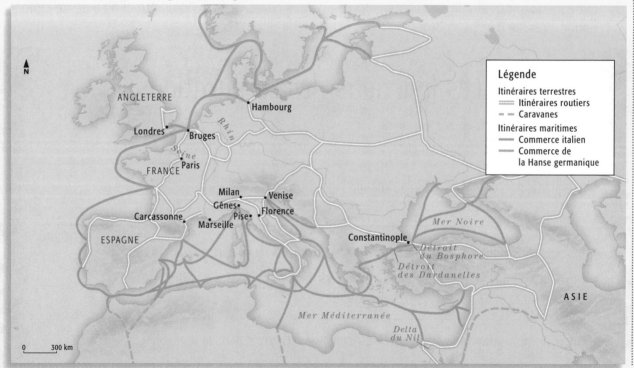

Les foires

Le transport de marchandises par voies terrestres connaît aussi des améliorations. On installe une bande de fer autour des roues des charrettes. Avec leurs nouveaux harnais et les fers cloués à leurs sabots, les chevaux peuvent tirer des charges plus lourdes. Malgré ces innovations, le transport terrestre reste plus difficile que par bateau. Les ponts sont rares, les routes sont souvent boueuses. Tirer une charrette exige de nombreux relais pour changer les chevaux , les ânes ou les bœufs. La quantité de marchandises transportée est très limitée, et le temps de transport est long.

En conséquence, les villes à l'intérieur des terres, comme Carcassonne, ont plus de difficulté à attirer des commerçants que les villes portuaires. Ainsi, chaque année, elles organisent une foire, soit un immense marché public qui peut durer jusqu'à six semaines. Une foire est un lieu d'échange pour le grand commerce entre des villes européennes.

Monopole

Domination d'un secteur du marché par une seule personne, entreprise, guilde ou hanse. Là où il y a un monopole, il n'y a pas de concurrence.

Les associations de commerçants

Les commerçants d'une même région fréquentent souvent les mêmes marchés. Ils font face aux mêmes difficultés : des voleurs pillent le contenu de leurs charrettes. Aussi, ils sont obligés de verser de l'argent aux postes de péage que des seigneurs ne cessent de multiplier sur leur territoire.

Pour mieux se défendre, des commerçants forment des associations, qu'on nomme « guildes ». Ils se regroupent pour payer les péages et faire pression auprès du roi pour leur abolition.

Les hanses

Les guildes entraînent un mouvement de solidarité entre commerçants. Plusieurs guildes s'associent. On nomme ces nouveaux regroupements les « hanses ». Il s'agit d'un groupe de guildes d'un même secteur commercial ou de divers secteurs qui établissent un **monopole** sur un territoire.

6.16

La Hanse germanique
La Hanse germanique, formée de 100 villes, est maître du commerce dans la région des mers du Nord.

1. a) À l'aide de la carte *Les principales villes et routes commerciales vers 1300* à la page 234, complète le nom des cinq villes commerciales du Moyen Âge ci-dessous.

V __ __ __ __ e   C __ __ __ __ __ __ __ __ __ __ e

F __ __ __ __ __ __ e   H __ __ __ __ __ __ g

B __ __ __ __ s

b) Par quel moyen les marchandises peuvent-elles circuler d'une ville à l'autre sans passer par les voies maritimes ?

_____

2. L'amélioration des transports est l'un des facteurs de l'essor commercial au Moyen Âge.

a) Sur l'illustration ci-dessous, indique quelles améliorations sont apportées aux bateaux.

Un navire de marchandises

● Le gouvernail : _____

_____

● La voile : _____

_____

● La capacité du navire : _____

_____

_____

b) Sur l'illustration ci-dessous, indique quelles améliorations sont apportées aux charrettes et aux attelages.

● Les roues : _____

_____

● Les sabots : _____

_____

● Les harnais : _____

_____

3. a) Décris en quelques mots une foire du Moyen Âge.

_____

_____

b) Nomme une ville médiévale qui organise des foires. _____

c) Indique la fonction des foires au Moyen Âge.

_____

4. a) Les associations de commerçants que l'on appelle «guildes» ont plusieurs fonctions. Quelle est leur utilité :

- face aux voleurs ?

_____

_____

- en ce qui concerne les postes de péage ?

_____

_____

b) Comment appelle-t-on un regroupement de plusieurs guildes ? _____

c) Nomme le regroupement de guildes le plus important en Europe à cette époque.

_____

④ Les produits du grand commerce

Au Moyen Âge, les produits alimentaires et les matières premières, comme le fer et le bois, sont encore au cœur des échanges commerciaux. Ce qui est nouveau, c'est que les Européens découvrent des produits de l'Orient et du Moyen-Orient qui ont une grande utilité, comme les épices, ou qui permettent d'afficher sa richesse, comme la soie. Mais les marchands ne transportent pas que du bon et du beau en Europe. Leurs navires importent aussi de graves maladies.

6.17

Le port de Venise au Moyen Âge
L'achalandage commercial du port de Venise est parmi les plus importants d'Europe.

La peste

Lorsque les contacts entre les populations éloignées sont rares, les maladies se propagent peu. Les guerres et le commerce changent cette situation. Les guerriers et les marchands rapportent chez eux des microbes et des bactéries.

Pendant 6 ans, de 1346 à 1353, une bactérie venue d'Asie centrale tue 25 millions d'Européens. La maladie qu'elle provoque se nomme « la peste ». Elle est très contagieuse. Les victimes ont une forte fièvre et des douleurs dans tout le corps. La bactérie s'attaque aux ganglions, un des principaux systèmes de défense du corps. Lorsque son système de défense est vaincu, la personne contaminée meurt.

Cette bactérie est transmise aux humains et aux animaux par la piqûre d'une puce. Cette puce se propage en voyageant dans le poil d'animaux comme les chameaux, les chevaux et les rongeurs.

Au 14e siècle, lors d'une guerre entre des Asiatiques et des Européens, la bactérie tue un grand nombre de guerriers en quelques jours. Les rares survivants européens rembarquent sur leurs navires. Mais ils sont contaminés. Les puces qu'ils transportent se trouvent un nouveau véhicule à bord du navire : les rats. En débarquant au port de Gênes, les marins et les rats apportent la mort à un tiers de la population de l'Europe.

Les routes commerciales de la peste

Les commerçants qui viennent vendre ou acheter des produits à Gênes transportent avec eux la maladie vers d'autres régions. Les villes le long des routes commerciales et les villes portuaires sont rapidement infestées. Venise est parmi les villes les plus touchées : 60 % de ses habitants meurent.

Lorsque les paysans et leurs animaux meurent par milliers, les villes n'ont presque plus rien à manger. Des famines commencent.

Les épices, la soie et les « infidèles »

Les épices de l'Inde et du Sri Lanka sont de plus en plus utilisées en Europe. Comme le sel, certaines épices aident à la conservation des aliments. Les propriétés médicinales d'épices comme le gingembre et la cannelle sont aussi reconnues. La soie de Chine est très à la mode chez les rois, les nobles et les bourgeois.

Au cours de leurs croisades en territoires musulmans, les chrétiens d'Europe goûtent à de nouveaux produits, comme les épices. Des croisés pillent des caravanes marchandes entre l'Égypte et la Syrie. La guerre que l'Église livre à ceux qu'elle appelle les « infidèles » rend difficile le commerce avec les musulmans. Pour se rendre en Asie, les Européens devaient traverser des territoires musulmans. Les routes de la soie et des épices leur sont donc bloquées.

6.18

Les médecins et la peste
Au 14e siècle, la notion de contagion n'est pas connue. Ce n'est qu'au 17e siècle que les médecins porteront une longue robe ainsi qu'un masque rempli de substances odorantes pour se protéger.

1. Remplis la fiche suivante qui décrit une maladie mortelle ayant fait des ravages au Moyen Âge.

Maladie : _____

Provenance : _____

Facteurs de dispersion de la maladie dans toute l'Europe : • _____

• _____

Symptômes : • _____

• _____

Nombre de victimes en Europe : _____

2. Indique à l'aide d'un « X » si les énoncés suivants sont vrais ou faux.

VRAI ○ FAUX ○ a) Au 14e siècle, lors d'une guerre entre des Asiatiques et des Européens, une bactérie tue un grand nombre de guerriers en quelques jours seulement.

VRAI ○ FAUX ○ b) Cette bactérie est transmise aux humains et aux animaux par la piqûre d'une puce.

VRAI ○ FAUX ○ c) Les puces, provenant d'Afrique, sont transportées en Europe à bord des navires dans le poil des rats.

VRAI ○ FAUX ○ d) À cause de cette puce, le quart de la population européenne meurt.

VRAI ○ FAUX ○ e) La puce se répand rapidement dans les villes portuaires comme Venise.

3. a) Complète le tableau suivant.

LES PRODUITS D'ASIE ÉCHANGÉS DANS LE GRAND COMMERCE		
Produits	**Provenance**	**Utilité**
_____	• Inde	• _____
	• _____	• _____
_____	_____	Confection de vêtements à la mode chez les rois, les nobles et les bourgeois

b) Explique pourquoi les Européens ont de la difficulté à commercer avec l'Asie au Moyen Âge.

_____

_____

La puissance des villes d'Italie

Des villes d'Italie comme Venise, Gênes et Florence sont de véritables cités-États. Elles sont si puissantes qu'elles affirment leur indépendance par rapport aux directives du pape, même si elles sont catholiques. Par exemple, elles se donnent le droit d'établir des contacts commerciaux avec les peuples non chrétiens du Moyen-Orient et de l'Asie. Elles servent de pont commercial entre l'Orient et l'Occident pendant quelques siècles.

Venise, la plus puissante ville

Contrairement aux villes européennes nouvellement nées, Venise a depuis longtemps établi de solides liens commerciaux avec des régions lointaines, comme le Moyen-Orient et l'Afrique du Nord. Au Moyen Âge, elle est la plus grande puissance navale de l'Europe et domine le commerce maritime.

La démonstration de sa puissance s'affiche encore davantage en 1284 lorsqu'elle commence à frapper sa propre monnaie, appelée le « ducat ». Pendant environ trois siècles, le ducat constitue, avec le florin de Florence, la référence monétaire de l'Occident.

Venise profite des croisades pour s'enrichir. En retour de son aide pour le transport des croisés, Venise obtient des rois ou de l'Église un quartier dans plusieurs villes de Palestine et de Syrie. De là, elle développe un intense commerce avec les musulmans. Les marchands vénitiens importent alors en Europe l'essentiel des épices et de la soie. Ils exportent vers l'Orient des produits européens comme les draperies de Bruges, le bois et le fer.

Venise a des ententes avec les territoires tant chrétiens que musulmans. Elle obtient le droit de franchir deux détroits qui lui ouvrent la porte sur le commerce des esclaves. Les marchands vénitiens franchissent les détroits des Dardanelles et du Bosphore pour accéder à la mer Noire. Sur les rives de cette mer, ces marchands embarquent de force des personnes capturées par des kidnappeurs. Ils vendent ensuite ces personnes sur les marchés des grandes villes méditerranéennes.

6.19

Les armoiries de Venise
Les armoiries de Venise représentent le lion de saint Marc, emblème de noblesse et de force.

---

1. Pourquoi dit-on que les cités-États de Venise, de Gênes et de Florence sont si puissantes ? Donne deux raisons.

- _____
  _____

- _____
  _____

2. Parmi les énoncés suivants, lesquels correspondent à la ville de Venise au Moyen Âge ? Encercle les trois bonnes réponses.

a) Venise est une puissance navale de l'Europe.

b) Venise profite des croisades pour s'appauvrir.

c) Venise a sa propre monnaie : le florin.

d) Venise développe un intense commerce avec les musulmans.

e) Venise vend des esclaves.

3. Associe chaque énoncé ci-dessous au mot ou au groupe de mots approprié dans l'encadré de droite. Inscris le numéro dans le cercle prévu à cet effet.

○ a) Venise en profite pour s'enrichir.

○ b) Les marchands vénitiens en importent en Europe.

○ c) Les marchands vénitiens en exportent vers l'Orient.

○ d) Monnaie frappée à Venise.

○ e) Véritable cité-État.

○ f) Les marchands vénitiens les vendent dans les grandes villes méditerranéennes.

> **1.** Épices et soie
> **2.** Esclaves
> **3.** Croisades
> **4.** Ducat
> **5.** Venise
> **6.** Draperies de Bruges

❺ Vers une nouvelle économie

C'est au Moyen Âge que l'on crée les instruments qui vont permettre, un peu plus tard, l'apparition du capitalisme tel qu'on le connaît dans nos sociétés aujourd'hui. Le crédit, c'est-à-dire le prêt d'argent en retour d'une promesse ou d'un espoir de remboursement, prend naissance sous diverses formes : la lettre de change, la banque et la Bourse.

La lettre de change

Un commerçant anglais qui revient en Angleterre après avoir livré une cargaison de laine à Bruges transporte une immense et pesante quantité d'argent en métaux précieux. Les pirates le savent. Ils attaquent souvent les navires marchands. L'invention de la lettre de change, l'ancêtre du chèque, offre une sécurité aux commerçants.

6.20

Une lettre de change
La lettre de change devient une des armes les plus efficaces contre les pirates. Les pirates peuvent toujours voler les cargaisons de marchandises, mais ils ne repartent plus avec l'argent des commerçants.

Désormais, le marchand de laine se rend immédiatement dans une banque après avoir vendu sa cargaison chez un drapier de Bruges. Il remet son argent au banquier. Celui-ci lui donne un papier, soit la lettre de change. Le banquier indique la somme, reçue du marchand, qu'il garde en sécurité dans ses coffres. De retour en mer, le commerçant ne risque plus de se faire voler par des pirates. Une fois sur le sol anglais, le marchand se rend dans une banque pour récupérer son argent. Il n'a qu'à présenter la lettre de change du banquier de Bruges.

Les banques et l'Église

La banque est une institution qui fait le commerce de l'argent. Elle exige des intérêts élevés pour l'argent qu'elle prête. Avec ces intérêts élevés, elle verse des intérêts plus petits aux épargnants qui lui confient leur argent.

Par exemple, un commerçant espagnol veut acheter du cuir à Florence. Il doit louer un navire, embaucher des marins et acheter une grande quantité d'aliments pour les nourrir au cours du voyage. Il doit aussi verser de l'argent au vendeur de cuir. Il a donc besoin de beaucoup d'argent. La banque lui en prête. Lorsqu'il revient en Espagne, il vend le cuir plus cher qu'il l'a payé. Avec les profits de cette vente, il rembourse à la banque l'argent qu'elle lui a prêté et une somme supplémentaire en guise d'intérêts. Les banquiers tirent leur salaire de ces intérêts.

6.21

Des banquiers
Les banquiers prêtent de l'argent en échange de la promesse de remboursement de toute la somme prêtée.

La Bourse

Les Van der Burse, une famille de banquiers de Bruges, auraient donné leur nom à une institution qu'ils mettent sur pied et qui révolutionne le financement des expéditions commerciales : la Bourse. On rassemble l'argent de nombreux petits épargnants, qu'on appelle les « actionnaires ». Ceux-ci prennent le risque de tout perdre ou de gagner énormément.

Par exemple, une centaine d'artisans de Londres investissent chacun 10 pence dans une expédition pour aller chercher de la soie. Si le commerçant revend la soie à un prix élevé, chaque artisan retrouve ses 10 pence plus quelques pence d'intérêt. Par contre, si des pirates coulent le navire, l'artisan perd ses 10 pence.

Benedetto Cotrugli : un marchand contre le crédit

Benedetto Cotrugli, un marchand de Naples, est connu comme le père de la comptabilité d'entreprise. À la fin du Moyen Âge, il écrit un livre sur l'importance du commerce dans la vie sociale : *Le commerce et le marchand idéal*. Cet ouvrage explique la nécessité pour le commerçant d'être honnête et de tenir une comptabilité rigoureuse de ses marchandises. Selon lui, le commerçant qui veut connaître en tout temps l'état de ses finances doit noter toutes ses dépenses et tous ses revenus dans un tableau sur deux colonnes. Cotrugli résiste cependant aux nouvelles pratiques financières qui se développent avec la multiplication des banques et l'apparition de la Bourse. Il est contre le crédit. Il affirme qu'emprunter de l'argent risque de conduire à la faillite. Son ouvrage, écrit en 1458, est publié environ 100 ans plus tard en 1573. À ce moment, le crédit est généralisé.

La grande innovation avec la Bourse est le partage du risque. Lorsqu'il emprunte à la banque, le commerçant doit rembourser sa dette même s'il perd sa marchandise. S'il ne rembourse pas, il déclare faillite et va en prison. Avec la Bourse, le commerçant n'est plus seul à assumer le risque d'une perte. Les actionnaires partagent aussi ce risque.

Les assurances

Une autre invention diminue les risques du commerce : les assurances. Un marchand paie une somme d'argent à une compagnie d'assurance. En retour, l'assureur garantit au marchand qu'il va lui rembourser le prix de sa marchandise en cas de brigandage, de piraterie ou de naufrage.

❻ En route vers l'Amérique

Le Moyen Âge dure peu longtemps comparativement à d'autres périodes de l'histoire, mais il est marqué par d'importantes transformations et, surtout, un nombre incalculable de guerres. Pour la première fois, une religion, le christianisme, s'étend à toute l'Europe. Une guerre de pouvoir commence entre les dirigeants de cette Église et les rois. Au sein même de l'Église, des conflits éclatent. Les chrétiens se divisent en deux groupes. Puis l'Église catholique s'associe à des rois pour mener des guerres contre les gens qui ne sont pas chrétiens. Pendant ce temps, des royaumes d'Europe se font la guerre. Au cœur de ces royaumes, de petites guerres éclatent aussi entre seigneurs.

La fin de la féodalité et du Moyen Âge

À l'intérieur du domaine des seigneurs, d'autres conflits surgissent : les villes réclament leur autonomie. Des bourgeois des villes deviennent aussi puissants que des seigneurs des campagnes. Le régime féodal tire à sa fin.

Cependant, en 1453, la simple prise d'une ville va transformer l'Europe. Les Turcs deviennent maîtres de Constantinople, une des principales voies vers l'Orient. Ils imposent des taxes si élevées sur les marchandises que plusieurs pays européens ne peuvent les payer. Ces pays cherchent alors une autre route vers les épices et la soie. Ils prennent la haute mer et se retrouvent... en Amérique ! C'est la fin du Moyen Âge.

1. Replace en ordre chronologique les éléments de l'histoire ci-dessous à propos de la lettre de change en inscrivant les lettres manquantes dans les cercles appropriés.

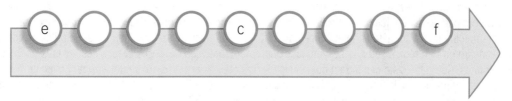

a) Le marchand retourne chez lui en bateau. Il ne craint pas les pirates.

b) Le marchand remet son argent au banquier de Bruges.

c) Le banquier met en sécurité dans ses coffres l'argent reçu du marchand.

d) Après la vente de sa marchandise, le marchand se rend immédiatement dans une banque.

e) Un marchand anglais vend de la laine à un drapier de Bruges.

f) Sur présentation de la lettre de change de Bruges, le banquier anglais remet au marchand son argent.

g) De retour en Angleterre, le marchand se rend dans une banque.

h) Le banquier indique sur un papier, la lettre de change, la somme reçue du marchand.

i) Le banquier remet au marchand la lettre de change.

2. À l'aide des réponses ci-dessous, complète le tableau suivant en indiquant le rôle de chaque institution du Moyen Âge.

- Financer les expéditions commerciales.
- Diminuer les risques liés au commerce.
- S'enrichir avec le commerce.

INSTITUTION	RÔLE	FONCTIONNEMENT
Banque		La banque exige des intérêts élevés pour l'argent qu'elle prête. Avec ses intérêts élevés, elle verse des intérêts plus petits aux épargnants qui lui confient leur argent.
Bourse		On y rassemble l'argent de nombreux petits épargnants (actionnaires). Ceux-ci investissent dans une expédition commerciale. Si le commerçant fait de l'argent, les actionnaires en font eux aussi. Par contre, si le commerçant perd sa marchandise, les actionnaires perdent leur montant investi.
Assurances		Un marchand paie une somme d'argent à une compagnie d'assurances et en retour, celle-ci garantit au marchand le prix de sa marchandise en cas de brigandage, de piraterie ou de naufrage.

1. a) Trouve l'année ou la période qui correspond à chacun des événements suivants.

    1. La guerre de Cent Ans entre la France et l'Angleterre :

    de _____ à _____.

    2. L'épidémie de peste en Europe : de _____ à _____.

    3. La prise de Constantinople par les Turcs : _____.

  b) Replace en ordre chronologique ces événements sur la ligne du temps en inscrivant les années et les numéros aux endroits appropriés. **BAO**

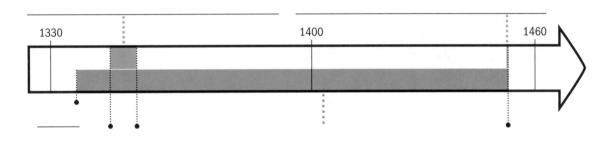

2. Sur la carte géographique suivante :

  a) Situe l'Europe, l'Afrique du Nord et le Moyen-Orient. **BAO**

  b) Situe les principales villes commerciales du Moyen Âge : Bruges, Carcassonne, Constantinople, Florence, Gênes, Hambourg, Londres, Milan, Naples, Paris, Venise.

  c) Situe les mers et les océans et colorie-les en bleu.

  d) Donne un titre à la carte.

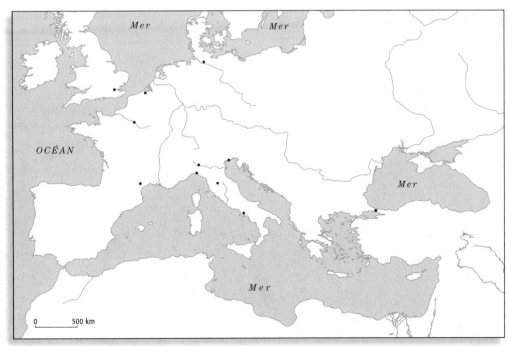

3. À l'aide d'un trait, associe chaque énoncé suivant au concept approprié.

Énoncés	Concepts

Énoncés

a) Les seigneurs ou les rois y énumèrent les pouvoirs confiés à une ville.

b) Ce terme, qui vient de l'allemand, désigne d'abord un grand village qui a plusieurs caractéristiques d'une ville. On y trouve de 300 à 500 maisons, construites autour d'une place de marché.

c) Les gens riches de la ville qui ne sont ni artisans ni ouvriers et ceux qui exercent une fonction importante dans l'administration de la ville.

d) Des marchands de plusieurs régions se rencontrent à l'occasion de grandes foires commerciales.

e) Avec les échanges commerciaux, l'importance sociale des bourgeois augmente de plus en plus.

f) Certaines villes ont un monastère, un hôpital, une université ou une banque.

g) Les commerçants achètent plus d'outils ou de machines et embauchent plus de travailleurs. Plus ils produisent de biens, plus ils en vendent et plus ils augmentent leurs profits. Ainsi, ils s'enrichissent.

h) Les paysans pauvres sont si nombreux à quitter la campagne que les villes se développent et se multiplient.

Concepts

• Bourgeoisie

• Bourg

• Capital

• Charte

• Grand commerce

• Hiérarchie sociale

• Institution

• Urbanisation

4. Réponds aux questions suivantes.

a) Où les paysans qui n'arrivent plus à cultiver leur terre
   et à nourrir leur famille se réfugient-ils ? _____

b) Quelle technique agricole consiste à faire
   une rotation des cultures ? _____

c) À quel endroit précis de la ville au Moyen Âge
   les artisans et les paysans peuvent-ils vendre
   leur production ? _____

d) Comment nomme-t-on l'association d'artisans
   d'un même domaine qui établit des règles pour
   ses membres et défend leurs intérêts ? _____

e) Quel événement commercial entre les villes
   européennes peut durer quelques semaines ? _____

f) Comment nomme-t-on maladie très contagieuse venue
   d'Asie qui tue des millions d'Européens au 14e siècle ? _____

g) Quel produit d'Asie très en demande en Europe sert
   à la conservation des aliments ? _____

h) Quel papier, ancêtre du chèque, permet aux marchands
   d'aller dans une banque afin de recevoir leur argent
   en toute sécurité ? _____

5. Comment le commerce a-t-il favorisé le développement des villes au Moyen Âge ?
Réponds à cette question en rédigeant un court texte d'environ cinq lignes.

_____

_____

_____

_____

_____

_____

_____

_____

_____

_____

▼ AILLEURS

L'essor urbain apparaît simultanément dans plusieurs régions du monde. Plusieurs villes deviennent d'importants lieux d'échanges. C'est le cas de **Tombouctou**, en Afrique; de **Constantinople**, à la frontière entre l'Europe et l'Asie; et de **Bagdad**, au Moyen-Orient.

6.22

Les caravanes et les «hommes bleus» du désert
Au sud du désert du Sahara, Tombouctou est un important centre d'échanges commerciaux, fondé par les Touaregs. La traversée du désert dure un mois, ou plus lorsqu'il y a des tempêtes de sable. Pour se protéger du soleil et du sable, les Touaregs couvrent leur visage d'un tissu teint avec l'indigotier. Le bleu de l'indigo déteint sur leur visage d'où leur surnom d'*hommes bleus du désert*.

Tombouctou est une ville du Mali située dans la vallée du fleuve Niger, dans le nord de l'Afrique. Fondée dans les années 1100 et islamisée vers la fin du Moyen Âge, elle est un important centre religieux et universitaire. Elle prospère grâce au commerce du sel, de l'or et des esclaves. Les luttes sont vives pour le contrôle de cette ville. L'empire du Mali supplante les Touaregs, puis est remplacé par l'Empire songhaï.

Tombouctou

CONTINENT   Afrique

PAYS   Mali

RÉGIME POLITIQUE   Monarchie impériale

PRINCIPALES DIVISIONS SOCIALES
Empereur
Fonctionnaires
Soldats
Commerçants
Artisans
Paysans

PRINCIPALES ACTIVITÉS ÉCONOMIQUES
Commerce
Enseignement universitaire
Extraction minière
Agriculture

RELIGION   Islam (fin du Moyen Âge)

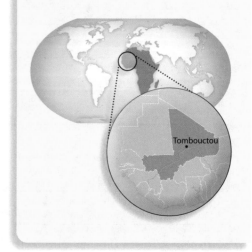

1. Pourquoi Tombouctou est-elle une ville convoitée par les autres empires?

_____

_____

_____

_____

_____

Constantinople

CONTINENTS Europe et Asie

PAYS Empire romain d'Orient jusqu'en 1453

RÉGIME POLITIQUE : Monarchie impériale

PRINCIPALES DIVISIONS SOCIALES :
Empereur
Nobles
Fonctionnaires
Soldats
Commerçants
Artisans
Paysans
Esclaves

PRINCIPALES ACTIVITÉS ÉCONOMIQUES :
Commerce
Construction
Agriculture
Artisanat
Art

RELIGION : Christianisme

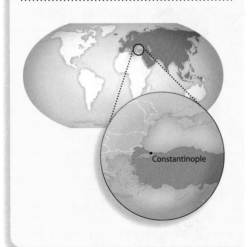

Constantinople

Ailleurs

Plusieurs villes du Moyen-Orient constituent aussi d'importants carrefours commerciaux internationaux.

▶ La ville de Bagdad

6.23

Un temple pour deux religions
La basilique Sainte-Sophie est située au cœur de Constantinople (Istanbul). Pendant près d'un millénaire, elle est le plus grand monument de la chrétienté, et sa coupole est considérée comme la plus audacieuse prouesse architecturale. Dès la prise de la ville par des musulmans en 1453, l'église devient une mosquée.

Constantinople est la ville la plus convoitée pendant des siècles. Sa position géographique lui donne un avantage commercial sur toute autre ville. Située au carrefour de trois continents, elle contrôle d'importantes routes commerciales terrestres et maritimes. Les marchandises les plus recherchées y transitent : l'or et l'ivoire d'Afrique ; les fourrures et les métaux de Russie, les pierres précieuses et les épices de l'Inde et du Sri Lanka ; la soie de Chine ; les draperies d'Europe.

1. En quoi les divisions sociales à Constantinople sont-elles différentes de celles que l'on trouve en Europe ?

_____

_____

_____

_____

_____

_____

BOÎTE À OUTILS

La ligne du temps

Comment interpréter une ligne du temps ?

Observe la ligne du temps ci-dessous qui montre les événements qui ont marqué l'histoire de Rome, depuis sa fondation jusqu'à la chute de l'Empire romain.

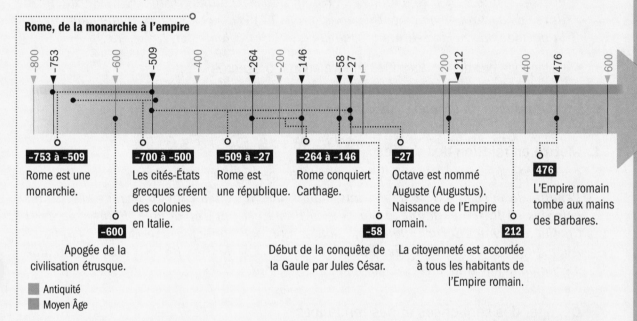

Rome, de la monarchie à l'empire

−753 à −509
Rome est une monarchie.

−700 à −500
Les cités-États grecques créent des colonies en Italie.

−509 à −27
Rome est une république.

−264 à −146
Rome conquiert Carthage.

−27
Octave est nommé Auguste (Augustus). Naissance de l'Empire romain.

476
L'Empire romain tombe aux mains des Barbares.

−600
Apogée de la civilisation étrusque.

−58
Début de la conquête de la Gaule par Jules César.

212
La citoyenneté est accordée à tous les habitants de l'Empire romain.

▪ Antiquité
▪ Moyen Âge

Suis les étapes suivantes pour interpréter la ligne du temps.

1. Décoder l'échelle chronologique

Pose-toi la question suivante : Quelle est l'unité de temps utilisée ? S'agit-il de décennies (10 ans), de siècles (100 ans), de millénaires (1000 ans) ou d'une autre unité de temps ?

▶ Calcule la différence entre les deux extrémités de la ligne.
Si tu calcules la différence entre −800 et 600, tu obtiens une durée totale de 1400 ans (600 − (−800)) = 1400.

▶ Pour obtenir la durée représentée par chaque intervalle, divise le total de cette durée par le nombre d'intervalles.
−800 à −600 ; −600 à −400 ; −400 à −200 ; −200 à 0 ; 0 à 200, 200 à 400 ; 400 à 600 = 7 intervalles. Chaque intervalle représente 200 ans, puisque 1400 ÷ 7 = 200.

▶ Mesure la distance entre chaque intervalle.
La mesure de chaque intervalle est de 2,3 cm. L'échelle est 2,3 cm : 200 ans.

2. Relever l'information

▶ Le titre d'une ligne du temps indique le sujet de la chronologie qu'elle représente.

Le titre m'informe sur la naissance d'un empire : Rome.

▶ La façon dont les données sont inscrites sur la ligne du temps te renseigne sur la durée des faits ou des événements illustrés. Il peut s'agir d'événements ponctuels ou d'événements inscrits dans une durée déterminée.

Certaines gradations de la ligne du temps correspondent à un fait précis. Dans ces cas, il s'agit d'événements ponctuels (par exemple, l'apogée de la civilisation étrusque, Jules César conquiert Carthage, etc.). D'autres gradations marquent la durée de certains événements (par exemple, la période où Rome est une monarchie, la période où les cités-États grecques créent des colonies en Italie, etc.).

▶ La légende permet de déchiffrer l'information représentée.

Le code de couleurs me permet de comprendre les différentes étapes qui ont marqué la naissance de l'Empire romain pendant l'Antiquité.

3. Mettre en relation des durées

Compare la durée de certains événements présentés sur la ligne du temps.

Pendant la période où Rome est une monarchie, les cités-États grecques créent des colonies en Italie. Pendant la période où Rome est une république, Rome conquiert Carthage, et Jules César conquiert la Gaule. À la fin de cette période, Octave est nommé Auguste ; c'est la naissance de l'Empire romain. La période où Rome est une république s'échelonne sur une durée plus longue que celle où elle est une monarchie.

4. Dégager des séquences et des tendances

Observe la ligne du temps pour voir si des événements ou des faits se répètent fréquemment ou pas du tout.

Dans cette ligne du temps, il n'y a pas d'événement qui se répète.

5. Dégager la continuité et le changement

Observe la ligne du temps pour dégager certains faits ou événements semblables d'une période à l'autre (continuité) ou différents (changement).

Rome est d'abord une monarchie et devient ensuite une république.

● Comment réaliser une ligne du temps ?

Suis les étapes suivantes pour créer une ligne du temps qui illustrera l'obtention du droit de vote des femmes au Québec et l'élection de la première femme à l'Assemblée nationale.

1. Déterminer l'intention

Détermine d'abord le but recherché. À quoi cette ligne du temps servira-t-elle ?

Le but est de situer l'élection de la première femme au gouvernement du Québec par rapport à l'obtention du droit de vote des femmes.

2. Sélectionner l'information

Recherche des renseignements qui serviront à dresser une chronologie. La liste des faits ou des événements relatifs à ton sujet, y compris leurs dates et les principaux personnages.

1916-1922	*Obtention du droit de vote pour les femmes dans toutes les provinces, sauf au Québec*
1918	*Obtention du droit de vote au fédéral*
1922-1940	*Mouvement pour le droit de vote des femmes au Québec*
1940	*Obtention du droit de vote pour les femmes au Québec*
1961	*Élection de la première femme députée et ministre au Québec, Claire Kirkland-Casgrain*

3. Tracer et orienter un axe

Trace un axe horizontal orienté (pointe de flèche).

4. Déterminer une mesure, établir l'échelle chronologique et calculer la durée à représenter

Pour faire la graduation de ton axe, tu dois d'abord choisir l'échelle appropriée en tenant compte de la durée totale que ta ligne du temps devra couvrir.

▶ Pour calculer la durée totale, tu dois d'abord arrondir les nombres correspondant aux années de ta chronologie. Pour la première date, soit celle représentant le fait ou l'événement le plus lointain dans le temps, tu arrondis le nombre vers le bas.

Dans le cas présent, 1916 est arrondi à 1910.

Pour la date la plus récente, tu arrondis le nombre vers le haut.

Ici, par exemple, 1961 est arrondi à 1970.

▶ Pour obtenir la durée totale de la chronologie que la ligne du temps représentera, tu soustrais la date la plus ancienne de la date la plus récente.

Dans cet exemple, tu dois soustraire 1910 de 1970.

La durée totale de ta chronologie est donc de 60 ans.

Puisque la durée totale de ta chronologie est de 60 ans, l'intervalle de temps le plus approprié est la décennie (10 ans).

5. Inscrire les segments

Divise l'axe en segments égaux que tu identifieras par de courts traits verticaux (gradations). Effectue la graduation de ton axe en utilisant seulement les dates pertinentes (nombres repères) de ta chronologie. Au besoin, indique l'année de naissance de J.-C.

Dans l'exemple, comme il y a 6 périodes de 10 ans dans 60 ans, tu dois diviser ton axe en 6 segments égaux (intervalles). Par exemple, si ton axe est de 12 cm, tu obtiens une longueur de 2 cm pour chaque intervalle de 10 ans, et ton échelle se lira 2 cm : 10 ans.

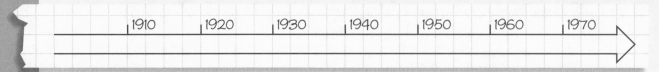

6. Inscrire l'information sur l'axe

Inscris les renseignements concernant les faits ou les événements que tu souhaites représenter. Écris les dates et les renseignements pertinents de façon succincte, le long de l'axe, en respectant l'échelle choisie. Si un événement se prolonge au-delà d'une année, il faut le représenter par un trait.

7. Donner un titre qui exprime l'intention

Formule le titre de ta ligne du temps de sorte que ton sujet soit clairement énoncé.

La première femme élue au gouvernement du Québec et le mouvement pour le droit de vote des femmes

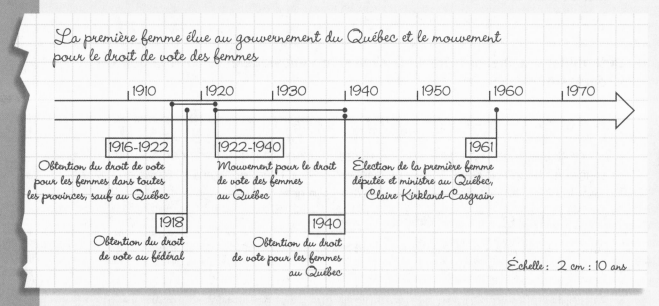

La cartographie

Comment interpréter une carte ?

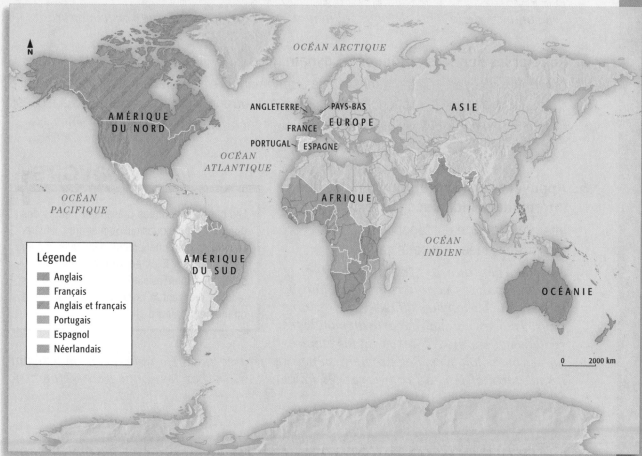

Source : François HUDON et Michel VERVAIS, *Réalités 2A*, Saint-Laurent, ERPI, 2006, p. 102.

Suis les étapes suivantes pour interpréter la carte.

1. Lire le titre

Lis le titre de la carte : il donne une idée de son contenu (le territoire représenté et le sujet traité). Vérifie également, quand c'est possible, la date où la carte a été réalisée.

Le sujet de la carte est la langue utilisée par les conquérants. La date où cette carte a été réalisée n'est pas indiquée.

2. Prendre connaissance de l'échelle et de l'orientation

L'échelle est de 1 cm pour 2 000 km, et l'ensemble du territoire couvert est le monde. Sur cette carte, le nord est indiqué.

Savoirs +

Dans le cas de la carte historique, le titre situe la carte dans le temps.

3. Situer l'espace cartographié

Examine la carte pour déterminer le type de carte et l'espace géographique représenté.

Il s'agit d'une carte thématique. Tous les continents et les océans du monde y sont illustrés.

4. Décoder les signes et les symboles de la légende

Lis bien la légende et repère les signes et les symboles sur la carte.

Les couleurs de la légende nous indiquent les langues parlées par les conquérants.

5. Repérer les données statiques ou dynamiques

Détermine si la carte présente des faits à un moment précis (données statiques) ou si elle illustre la progression d'un phénomène dans le temps ou dans l'espace (données dynamiques).

Cette carte fournit des informations statiques. Elle donne des indications sur les langues parlées par les conquérants.

6. Appuyer son interprétation à l'aide des informations indiquées sur la carte

Interprète la carte en t'appuyant sur des informations indiquées sur cette carte.

Tu observes que les langues parlées à l'époque par les conquérants sont encore aujourd'hui les langues officielles de certains pays. Tu peux voir sur la carte du monde les régions qui ont été colonisées et les empires qui les ont colonisées. Par exemple, tu peux constater que le Canada a été colonisé par l'Angleterre et par la France, car les langues parlées par les conquérants étaient le français et l'anglais.

Savoirs +

Les cartes historiques présentent parfois des données dynamiques qui permettent d'illustrer l'évolution d'un phénomène dans le temps ou dans l'espace. Elles peuvent également présenter des données statiques qui illustrent des faits ou dressent le portrait d'une situation à un moment précis de l'histoire.

● Comment réaliser une carte?

Suis les étapes suivantes pour réaliser une carte qui illustrera l'interdépendance énergétique entre les pays du golfe Persique et les pays industrialisés.

1. Déterminer l'intention

Détermine le but recherché. À quoi cette carte servira-t-elle?

Mon intention est d'illustrer l'interdépendance énergétique entre les pays du golfe Persique et les pays industrialisés.

2. Sélectionner l'information

Consulte plusieurs sources d'information (cartes, tableaux et documents divers) et relève les informations pertinentes.

Les informations à rechercher sont les suivantes: un fond de carte de planisphère, des données relatives aux exportations de pétrole à partir du golfe Persique (quantités exportées et régions du monde importatrices) et les routes du pétrole (la circulation du pétrole entre le golfe Persique et les régions importatrices).

3. Selon l'intention, dégager les éléments essentiels

Détermine les éléments essentiels à représenter sur la carte.

Éléments retenus pour la carte : les limites du territoire du golfe Persique ; les quantités de pétrole exportées à partir du golfe Persique dans trois grandes régions du monde (Asie : 50 % ; Europe de l'Ouest : 20 % ; et États-Unis : 20 %) ; les routes du pétrole vers ces trois grandes régions.

4. Tracer la carte

Trace le fond de la carte ou utilise un fond de carte qui illustre bien les zones géographiques à représenter.

5. Concevoir une légende

À l'aide des signes ou des symboles que tu as choisis pour représenter les éléments que tu désires illustrer, conçois la légende.

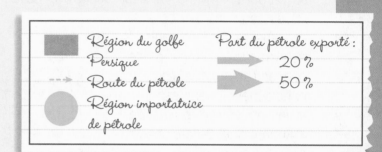

6. Indiquer l'échelle

Indique l'échelle appropriée.

Mon échelle est de 1 cm : 2000 km.

7. Représenter les éléments essentiels à l'aide de signes et de symboles

Dessine sur le fond de carte les éléments à cartographier à l'aide des symboles et des signes choisis dans la légende.

8. Donner un titre qui exprime l'intention

Donne un titre à la carte qui annonce le but ou la problématique liée au sujet de l'étude.

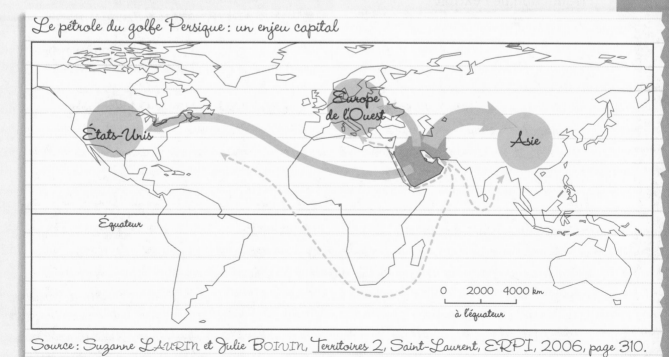

Source : Suzanne LAURIN et Julie BOIVIN, *Territoires 2*, Saint-Laurent, ERPI, 2006, page 310.

Les documents écrits

● Comment interpréter un document écrit?

Voici un exemple d'un document écrit historique:

Anne Frank est une jeune juive allemande exilée aux Pays-Bas pendant l'occupation par l'Allemagne durant la Seconde Guerre mondiale. Au moment où elle écrit son journal intime du 12 juin 1942 au 1er août 1944, Anne Frank est cachée avec sa famille et quatre amis dans un appartement secret.

Après deux ans passés dans ce refuge, ils seront trahis et déportés vers les camps de concentration nazis. Le journal s'achève quelques jours avant l'arrestation de la famille d'Anne Frank. Celle-ci meurt à 15 ans du typhus au camp de concentration en mars 1945. Anne n'a pas vraiment d'amie. Elle écrit donc ce journal pour raconter ce qui lui arrive en s'adressant à des amies imaginaires.

Un extrait du journal d'Anne Frank en néerlandais

Traduction de l'extrait

Vendredi.   16 oct. 1942.

Chère Jet,

Si Emmy a eu droit à un petit mot de plus, tu ne seras pas non plus laissée pour compte, alors, comment ça va? Un peu remise de tes émotions, j'espère. Ici, heureusement, tout est encore comme avant. Aujourd'hui, j'ai fait des listes de verbes irréguliers français. C'est un travail minutieux et ennuyeux, mais j'ai envie de le terminer. Je n'ai pas encore travaillé ma sténo, ce soir peut-être, mais c'est vendredi donc ce n'est plus trop le moment. Maman est une fois de plus de mauvais poil. Nous avons appris que la famille Kohnke s'est cachée, tant mieux. En ce moment, je lis Körner, j'aime vraiment ce qu'il écrit. Bon, à la prochaine fois, ma chère petite Jettie,

Anne Frank

Dimanche   18 oct. 1942.

Chère Marianne,

Hier, j'ai encore sacrifié l'écriture. D'abord parce que je voulais terminer la liste des verbes français, et ensuite parce que j'avais d'autres occupations. Kleiman m'a encore apporté 2 livres, l'Arcadia. Ça parle d'un voyage au Spitzberg et La Cure, ils m'ont l'air bien. Il a apporté aussi Les révoltés. [...] Papa veut maintenant me faire lire Hebbel et des livres d'autres auteurs allemands célèbres. J'arrive maintenant assez bien à lire en allemand. Seulement, la plupart du temps, je chuchote au lieu de lire en silence. [...]

Les Journaux d'Anne Frank, d'Anne Frank.
Traduit du néerlandais par Philippe Noble et Isabelle Rosselin-Bobulesco.
© 1986, ANNE FRANK-Fonds, Bâle/Suisse, pour tous les textes d'ANNE FRANK.
© CALMANN-LEVY, 1950-1989, 1994, pour la traduction française de la version C.

Suis les étapes suivantes pour interpréter le document écrit.

1. Lire le titre

Repère le titre du document. Le titre donne-t-il des indications sur l'intention de l'auteur ?

Tu peux supposer qu'il s'agit d'un journal intime.

2. Repérer le nom de l'auteur et sa fonction

Qui est l'auteur de ce document ? Cette personne occupe-t-elle une fonction particulière ? S'agit-il, par exemple, d'un journaliste, d'une historienne ou d'un personnage politique ? Que nous révèle l'identité de l'auteur du document ?

L'auteure se nomme Anne Frank. C'est une jeune fille juive qui écrit dans un but personnel.

3. Déterminer la nature du document

De quel type de document s'agit-il ? Est-ce une lettre, un article de journal ou un autre type de document ? Est-ce un extrait ou une reproduction intégrale ? Est-ce que le texte présente des faits ou des opinions ?

Il s'agit d'un extrait d'un journal personnel. Il présente des faits et des opinions.

4. Repérer la source et la date ou d'autres repères de temps

À quel moment ce document a-t-il été écrit ? Quelle est la source de ce document ?

Ce texte a été écrite le 16 et le 18 octobre 1942.

5. Établir s'il s'agit d'un texte d'époque ou non

Est-ce un document original, une copie ou une traduction ?

Il s'agit d'un texte d'époque écrit en néerlandais.

6. Déterminer le sujet principal

Quelle est l'idée principale du texte ? Résume-la brièvement.

Elle raconte ce qu'elle a fait dans sa journée. Elle parle surtout de son travail scolaire et de ses lectures.

7. Prendre en note les idées principales

Y a-t-il d'autres idées importantes ? Au besoin, trace un schéma permettant de mettre les informations en relation et d'illustrer le niveau des idées, des faits, des opinions, des causes, des conséquences ou de tout autre aspect important des renseignements présentés dans le document.

L'auteure est le personnage principal. Elle écrit dans son journal à des amies imaginaires. Elle raconte ce qu'elle fait comme travail scolaire. Tu peux en déduire qu'elle étudie l'allemand et le français. Elle lit surtout des ouvrages allemands. Il semble que pour le père d'Anne, la lecture soit importante.

8. Regrouper les idées importantes et les synthétiser

Fais un bref résumé du texte.

9. Mettre en relation et comparer l'information tirée de plusieurs documents

Après avoir analysé un document écrit, il est utile d'en comparer l'information avec d'autres documents portant sur le même sujet. Cette comparaison permet de confirmer si les faits sont rapportés de la même façon et si les auteurs en ont la même perception ou s'ils expriment des opinions différentes.

Les documents iconographiques

Suis les étapes suivantes pour interpréter le document iconographique.

1. Lire le titre

Lis le titre du document.

Les Émigrants. *Le départ d'émigrants italiens vers l'Amérique à la fin du 19ᵉ siècle.*

Les Émigrants d'Adolfo Tommasi (1851-1933)
Cette toile, peinte en 1908, représente la grande vague d'immigration italienne à la fin du 19ᵉ siècle. Ces émigrants italiens, c'est-à-dire ces personnes qui quittent l'Italie, espèrent trouver en Amérique une vie meilleure.

2. Déterminer la nature du document

Identifie le type de document dont il s'agit (peinture, gravure, photographie, affiche, fresque, caricature, etc.). Est-ce une image directe de la réalité (par exemple, une photographie prise sur le fait), une représentation d'une réalité ou une reconstitution d'un fait ou d'un événement ?

Il s'agit d'une peinture. Le matériau n'est pas indiqué.

3. Repérer la source et la date

Quelle est l'origine du document ? Quelle est la date ou l'époque ? Qui est l'auteur ? Quelle en est la provenance ? Si la légende ne fournit pas ces renseignements, tente de les déduire en observant le document.

Adolfo Tommasi a peint cette représentation de l'événement en 1908.

4. Déterminer le sujet principal

Dégage le sujet principal de l'œuvre et l'intention de l'artiste. L'intention peut être diverse : représenter fidèlement la réalité, proposer une vision personnelle ou poser un regard critique ou humoristique sur une certaine réalité, etc.

La toile représente la grande vague d'immigration italienne à la fin du 19ᵉ siècle en Amérique. De nombreux Italiens ont quitté l'Italie pour l'Amérique. Le peintre s'est sans doute inspiré de photos ou a peut-être lui-même assisté à un départ dans un port, puisque la peinture a été réalisée en 1908.

5. Déterminer des lieux, des acteurs, des circonstances et l'époque

Décris ce que tu vois sur le document, les renseignements que tu peux y relever (par exemple, les lieux, les circonstances et les personnages).

De nombreuses personnes attendent l'arrivée du bateau, accompagnées de leur famille et de leurs bagages.

Les bagages sont nombreux et volumineux, indiquant que les gens apportent tous leurs biens pour un grand voyage vers l'Amérique.

Les **tableaux** et les **diagrammes**

● Comment interpréter un tableau et un diagramme ?

Le tableau

Observe le tableau suivant.

L'accroissement de la population américaine au 19e siècle

Année	Population totale (en millions d'habitants)	Population noire (en millions d'habitants)	Nombre d'immigrants dans l'année
1830	12 866	2328	23 000
1840	17 069	2873	84 000
1850	23 191	3638	369 000
1860	31 443	4441	153 000
1870	39 818	5392	387 000

Source : Roger Caratini, *L'époque contemporaine*, Paris, Éditions Fernand Nathan, 1984, page 80.

Suis les étapes suivantes pour interpréter les données du tableau.

1. Lire le titre

Lis le titre du tableau afin d'en dégager le sujet et l'intention des auteurs.

Le tableau présente l'accroissement de la population aux États-Unis au 19e siècle.

2. Prendre connaissance des titres des colonnes et des rangées

Repère les titres des colonnes et des rangées du tableau.

Les titres des colonnes indiquent la population totale américaine, la population noire et le nombre d'immigrants de 1830 à 1870 (rangées).

3. Prendre connaissance de l'échelle

Identifie l'unité de mesure utilisée pour présenter les données.

La population totale et la population noire sont indiquées en millions d'habitants.

4. Prendre connaissance de la nature de l'information

Identifie le type ou le genre d'information utilisé dans le tableau.

Le tableau présente des populations en habitants.

5. Relever des données

▶ Lis chaque ligne en reliant la donnée au titre de la colonne.

Les populations sont présentées tous les 10 ans.

▶ Lorsque le tableau comporte plus d'une colonne, établis des comparaisons en faisant une lecture verticale (lecture des colonnes) et une lecture horizontale (lecture des lignes).

En 1830, par exemple, la population noire représente près de 20 % de la population totale des États-Unis. En 1870, elle représente moins de 15 %.

Par ailleurs, le nombre d'immigrants a connu une hausse fulgurante en 1850, pour ensuite baisser en 1860 et augmenter en 1870.

▶ Analyse les données du tableau pour en tirer des conclusions.

On peut constater que la population totale a plus que triplé pendant la période étudiée. Le nombre d'immigrants qui arrivent aux États-Unis a connu un essor important, alors que le pourcentage d'habitants noirs a diminué.

Le diagramme

Suis les étapes suivantes pour interpréter les données du diagramme.

1. Lire le titre

Lis le titre du diagramme afin d'en dégager le sujet et l'intention.

Le diagramme représente la population européenne au 16e et au 17e siècle.

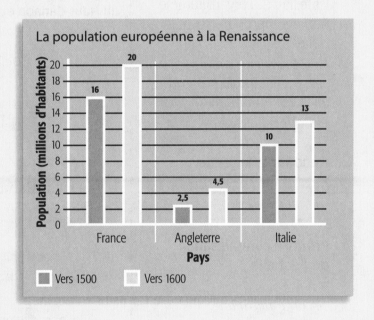

2. Décoder la légende

Lis la légende.

La légende indique que les bandes orange et les bandes jaunes représentent respectivement les données sur la population vers 1500 et vers 1600.

3. Prendre connaissance de l'échelle

Dans un diagramme circulaire, tu détermines si les données sont exprimées en pourcentages ou en unités. Dans les autres types de diagrammes (à bandes, à ligne brisée, etc.), tu dois évaluer l'ordre de grandeur des données en fonction de l'échelle de graduation de l'axe vertical.

L'échelle de graduation de l'axe vertical est de deux millions d'habitants.

4. Prendre connaissance de la nature de l'information

Identifie le type ou le genre d'information utilisé dans le diagramme.

Le diagramme présente des pays (France, Angleterre, Italie), deux époques (1500 et 1600) et la population de ces pays.

5. Relever des données

Dans un diagramme circulaire, tu examines la répartition des données et les rapports de grandeur entre ces données. Dans les autres diagrammes, tu détermines la valeur de chaque donnée à partir de la hauteur de chaque bande ou de chaque point.

Vers 1500, la France comptait 16 millions d'habitants, l'Angleterre, 2,5 millions d'habitants, et l'Italie, 10 millions d'habitants. Vers 1600, leur population respective était de 20 millions d'habitants, de 4,5 millions d'habitants et de 13 millions d'habitants.

L'organigramme

Suis les étapes suivantes pour interpréter les informations de l'organigramme.

1. Lire le titre

Lis le titre de l'organigramme pour comprendre le sujet traité.

Le titre de l'organigramme sert à indiquer la structure des institutions politiques du Canada, en 1791.

2. Décoder la légende

Les flèches signifient «nomme».

3. Prendre connaissance de l'échelle

Il n'y a pas d'échelle pour cet organigramme.

4. Prendre connaissance de la nature de l'information

L'organigramme présente des institutions constituées d'une ou de plusieurs personnes. Chaque institution a un rôle à jouer.

Les institutions politiques du Haut-Canada et du Bas-Canada en 1791

Conjointement avec le premier ministre du Canada, le premier ministre du Québec nomme le lieutenant-gouverneur. Le conseil législatif a été aboli en 1968.

Légende : La flèche signifie « nomme ».

Source : Andrée THIBEAULT et Jean-Pierre CHARLAND, *Repères,* manuel B, 1re année du 2e cycle, Saint-Laurent, ERPI, 2007, page 233.

5. Relever des données

L'organigramme montre que le Conseil exécutif et le Conseil législatif se trouvent au même niveau hiérarchique. Il montre aussi que le roi de la Grande-Bretagne est l'instance suprême des institutions politiques du Canada, en 1791. C'est le roi qui nomme le gouverneur général. À son tour, le gouverneur général nomme le lieutenant-gouverneur de chacun des deux Canadas. Le lieutenant-gouverneur nomme le Conseil exécutif et le Conseil législatif. Les membres de la Chambre d'assemblée sont choisis par l'électorat et soumis au Conseil exécutif et au Conseil législatif.

● Comment construire un tableau et un diagramme ?

Le tableau

Suis les étapes suivantes pour construire un tableau qui présente la répartition de la population selon la langue maternelle et la région de résidence.

1. Déterminer l'intention

Précise le sujet du tableau ainsi que ton intention.

Sujet : La population du Québec selon la langue maternelle et la région de résidence, de 1971 à 2001.

Intention : Montrer que la population dont la langue maternelle est autre que le français et l'anglais a augmenté davantage dans la région de Montréal que dans l'ensemble du Québec, tout particulièrement dans l'île de Montréal.

2. Sélectionner l'information

Rassemble l'information en prenant note des données précises et en notant leurs sources.

3. Tracer et nommer chacune des entrées

Prépare les colonnes et les rangées de ton tableau. Détermine le nombre de colonnes et le type de données que les colonnes présenteront.

La première colonne contiendra les régions sur lesquelles le tableau fournit de l'information. La deuxième colonne traitera de la langue maternelle, soit le français, l'anglais ou toute autre langue maternelle de la population pour la période considérée. Les autres colonnes contiendront les pourcentages de la population selon la langue maternelle et la région de résidence.

4. Établir l'échelle

Détermine l'unité de mesure que tu utiliseras pour présenter tes données.

Les données seront exprimées en pourcentages.

5. Inscrire les données

Reporte les données recueillies dans le tableau. Inscris les données dans le tableau en t'assurant qu'elles figurent dans les bonnes cases et qu'elles sont exprimées dans l'unité de mesure appropriée. S'il s'agit de proportions, les données doivent être exprimées sous la forme de pourcentages.

6. Donner un titre qui exprime l'intention

Donne un titre précis au tableau en indiquant l'année ou les années couvertes par les données qui y sont présentées. Ajoute la source des données sous le tableau.

Exemple de tableau terminé : données, titre et source

L'évolution de la population du Québec selon la langue maternelle, de 1971 à 2001

Région	Langue maternelle	1971 (en %)	2001 (en %)
Ensemble du Québec	Français	80,7	81,4
	Anglais	13,1	8,3
	Autre	6,2	10,3
	Total	**6 028 000**	**7 126 000**
Région métropolitaine de Montréal	Français	66,3	68,1
	Anglais	21,7	12,8
	Autre	12	19,1
	Total	**2 743 000**	**3 381 000**
Île de Montréal	Français	61,2	53,2
	Anglais	23,7	17,7
	Autre	15,1	29,1
	Total	**1 959 000**	**1 783 000**

Source : Secrétariat à la politique linguistique, gouvernement du Québec, 2002.

Le diagramme

Suis les étapes suivantes pour construire un diagramme qui présente l'évolution de la population canadienne.

1. Déterminer l'intention

Précise le sujet de ton diagramme et ton intention.

Sujet : L'évolution de la population canadienne de 1956 à 2006.

Intention : Montrer que le nombre de personnes âgées de 80 ans et plus a augmenté continuellement au cours de cette période.

2. Sélectionner l'information

Rassemble l'information dans un tableau : relève des données précises en notant bien leur source.

Échelle de graduation : 10 ans.

Tableau de données

Années	Nombre de personnes
1956	182 000
1966	280 000
1976	385 000
1986	537 000
1996	932 000
2006	1 167 000

Source : Statistique Canada, Recensement de 2006 : Portrait de la population canadienne [en ligne]. (Consulté le 19 décembre 2010.)

3. Choisir le type de diagramme approprié

En fonction des données recueillies et de ce que tu désires représenter, choisis le type de diagramme que tu utiliseras.

4. Tracer et nommer chacune des entrées

Détermine d'abord le type de données représentées par chaque axe. Ensuite, trace l'axe vertical et l'axe horizontal du diagramme en indiquant leur titre et les unités de mesure utilisées, s'il y a lieu.

Axe vertical : Nombre de personnes (milliers)

Axe horizontal : Années

5. Établir l'échelle

▶ D'abord, détermine l'échelle de graduation de l'axe vertical. Pour ce faire, arrondis les valeurs de tes données, estime le nombre de gradations requises, puis divise la valeur la plus élevée des données par ce nombre.

▶ Ensuite, détermine le nombre de bandes nécessaires sur l'axe horizontal. (Il s'agit du nombre de données à représenter.) À l'aide de traits, divise l'axe en autant de segments égaux. Inscris les étiquettes des bandes sous ces segments.

6. Inscrire la légende

Si nécessaire, construis une légende pour présenter tes données.

7. Inscrire les données

Trace la hauteur de chaque bande en fonction des données recueillies et de la légende, s'il y a lieu.

8. Donner un titre qui exprime l'intention

Donne un titre précis au diagramme en indiquant l'année ou les années qu'il couvre. Ajoute la source des données sous le diagramme.

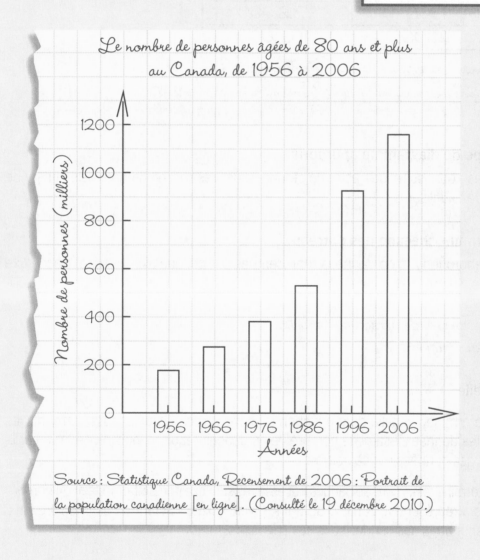

Le nombre de personnes âgées de 80 ans et plus au Canada, de 1956 à 2006

Source: Statistique Canada, Recensement de 2006 : Portrait de la population canadienne [en ligne]. (Consulté le 19 décembre 2010.)

Le diagramme circulaire

Suis les étapes suivantes pour construire un diagramme circulaire.

1. Déterminer l'intention

L'intention est de montrer la composition de la population autochtone selon divers groupes d'âge.

2. Sélectionner l'information

Rassemble les données dans un tableau. Exprime les données en pourcentage en t'assurant que le total des données est bien égal à 100. N'oublie pas de noter la source des données.

Tableau de données

Groupe d'âge	Population autochtone	Proportion de la population autochtone totale (en %)
0 à 9 ans	286 500	22*
10 à 19 ans	278 176	21
20 à 59 ans	674 334	51
60 ans et plus	80 880	6
Total	1 319 890	100

*Le pourcentage exact est de 21,7 %. Les nombres ont été arrondis vers le haut et à l'entier le plus près.
Source : Statistique Canada, Recensement de 2001 [en ligne]. (Consulté le 11 avril 2011.)

3. Établir l'échelle

Calcule la mesure de chaque angle que tu devras tracer. Pour ce faire, multiplie chaque pourcentage que tu as noté dans ton tableau par 360.

La première donnée est de 22 %. Comme elle constitue 22 % du total, elle sera représentée par un secteur ayant un angle au centre de 79°.

(22/100 × 360 = 79,2). En d'autres mots, 22 % équivaut à dire 0,22. On fait 0,22 × 360 = 79,2 ▶ on arrondit à 79. Si le pourcentage est 43 %, on fait 0,43 × 360 = 154,8 ▶ 155.

4. Tracer et nommer chacune des entrées

▸ Trace un point sur une feuille. À l'aide d'un compas, trace un cercle autour de ce point. Dessine le cercle suffisamment grand pour pouvoir y inscrire les données.

▸ À l'aide d'un rapporteur d'angles, et en partant du centre du cercle, trace les angles dont tu as noté les mesures.

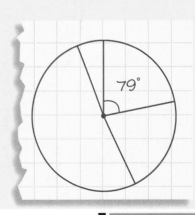

5. Inscrire les données

Colorie chaque secteur du cercle d'une couleur différente (de préférence une couleur pâle pour pouvoir y lire l'information présentée) et inscris pour chaque secteur le pourcentage correspondant. S'il n'y a pas suffisamment d'espace dans un secteur, inscris le pourcentage à l'extérieur et relie-le au secteur par un trait.

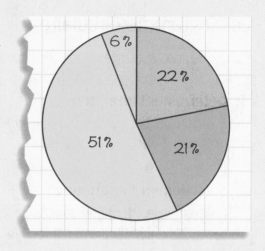

6. Inscrire la légende

Dresse la légende du diagramme. Il faut être très précis sur la signification attribuée à chaque couleur.

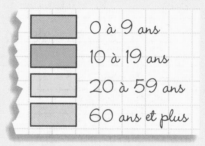

0 à 9 ans

10 à 19 ans

20 à 59 ans

60 ans et plus

7. Donner un titre qui exprime l'intention

Donne un titre précis au diagramme en indiquant l'année ou les années qu'il couvre. Ajoute la source des données sous le tableau.

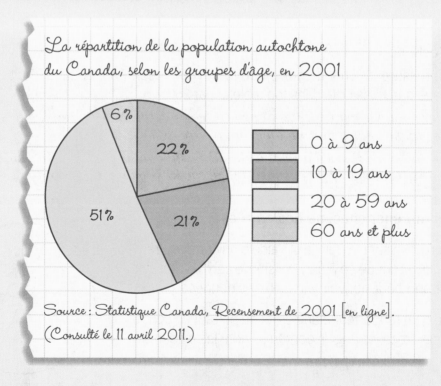

La répartition de la population autochtone du Canada, selon les groupes d'âge, en 2001

0 à 9 ans

10 à 19 ans

20 à 59 ans

60 ans et plus

Source : Statistique Canada, *Recensement de 2001* [en ligne]. (Consulté le 11 avril 2011.)

Le schéma causes-conséquences

Suis les étapes ci-dessous pour réaliser un schéma causes-conséquences.

1. Lire le texte

Lis attentivement le texte pour bien identifier le fait, le phénomène ou l'événement qui en constitue le sujet principal.

Le texte traite des changements survenus en éducation au cours de la révolution tranquille.

2. Repérer les causes et les conséquences

Surligne d'une couleur différente les causes et les conséquences ou dresses-en la liste sur une feuille. Repère les marqueurs de relation (donc, parce que, à cause de, étant donné que, etc.) et les verbes qui expriment une cause ou une conséquence (entraîne, résulte, dépend, etc.).

J'encercle les mots exprimant une cause ou une conséquence des changements survenus en éducation. Je surligne les causes en rose, les conséquences, en bleu.

L'éducation et la Révolution tranquille au Québec

L'expression « Révolution tranquille » désigne les changements importants survenus au Québec au cours des décennies 1960 et 1970. Plusieurs de ces changements concernaient le domaine de l'éducation : la prise en charge des écoles et des programmes d'enseignement par l'État, la création d'un ministère de l'Éducation, la mise sur pied des polyvalentes et des cégeps, l'accès gratuit à l'enseignement. Mais qu'est-ce qui explique ces changements ?

Une cause souvent mentionnée par les historiens est le besoin de main-d'œuvre spécialisée qui nécessite la formation de travailleurs scolarisés et spécialisés. Le rapport Parent a aussi démontré la nécessité de moderniser le système d'éducation québécois.

Les effets de ces changements furent nombreux et majeurs. Le nombre de personnes instruites augmenta rapidement au Québec. Les gens provenant de toutes les couches sociales eurent accès à des emplois plus diversifiés et mieux payés. Le nombre de filles augmenta dans les écoles et les établissements d'enseignement supérieur.

3. Déterminer le type de schéma à utiliser

Choisis le type de schéma qui conviendrait le mieux aux causes et aux conséquences relevées.

Le schéma le plus approprié est un tableau. Je le construis en utilisant des mots précis.

4. Tracer le schéma

Trace le schéma en résumant chaque cause et chaque conséquence avec précision. Utilise des flèches de façon appropriée si nécessaire.

Les changements survenus sur le plan de l'éducation au cours de la Révolution tranquille	
Causes des changements	Conséquences des changements
Besoin de main-d'œuvre spécialisée	Augmentation du nombre de personnes instruites au Québec
Nécessité de moderniser le système d'éducation québécois	Accès à des emplois plus diversifiés et mieux payés
	Augmentation du nombre de filles dans les écoles et les établissements d'enseignement supérieur

La démarche de recherche

1. Prendre connaissance du problème

▶ Définis le problème dans tes propres mots;

▶ Pense à ce que tu connais déjà sur ce sujet;

▶ Pense à une stratégie de recherche qui pourrait mener à la solution.

2. S'interroger

▶ Formule les questions qui te viennent spontanément à l'esprit;

▶ Organise ces questions en catégories;

▶ Choisis les questions utiles.

3. Planifier une recherche

▶ Établis un plan de recherche en pensant aux différentes étapes;

▶ Repère des sources d'information pertinentes et fiables;

▶ Choisis ou conçois des outils pour la collecte de tes données.

4. Recueillir l'information, traiter l'information

▶ Recueille les données;

▶ Classe ces données en catégories;

▶ Distingue les faits des opinions;

▶ Utilise ton jugement pour critiquer les données;

▶ Distingue les documents pertinents des documents non pertinents;

▶ Compare les données que tu as recueillies.

5. Organiser l'information

▶ Choisis un moyen pour transmettre ton information;

▶ Conçois un plan;

▶ Sélectionne l'essentiel de l'information;

▶ Organise tes données sous forme de tableaux, de listes, de graphiques ou présente-les sous forme de texte;

▶ Rassemble les documents pertinents qui appuient ton information;

▶ Indique tes sources d'information.

6. Communiquer les résultats de ta recherche

▶ Choisis le vocabulaire approprié pour présenter ta recherche;

▶ Présente tes résultats;

▶ Utilise différents moyens pour faire ta présentation.

7. Revenir sur ta démarche

Cette étape peut être faite après chacune des étapes précédentes pour évaluer le travail accompli chaque fois.

▶ Effectue un retour sur ta démarche pour vérifier si tu peux améliorer certaines choses;

▶ Évalue la qualité de ta communication;

▶ Détermine ce que tu as appris;

▶ Imagine ce que tu pourrais faire différemment pour améliorer ton travail.

Glossaire

A

Abbaye
Monastère ou couvent dirigé par un abbé ou une abbesse.

Acanthe
Plante qui a des épines et dont les feuilles sont très dentelées.

Accord amiable
Entente intervenue entre deux personnes pour régler un conflit, sans l'intervention d'un tribunal.

Affranchi
Esclave à qui son maître rend la liberté.

Amphithéâtre
Grand bâtiment circulaire avec une arène de sable au centre. L'arène est entourée de plusieurs étages de gradins et elle sert aux spectacles de gladiateurs.

Apôtre
Chacune des 12 personnes choisies par Jésus pour propager ses idées.

Apprenti
Personne qui apprend un métier, une technique, sous la direction d'un maître.

Aristocratie
Groupe social de privilégiés. Forme de gouvernement qui réserve le pouvoir aux privilégiés.

Aveu
Serment d'obéissance que le vassal venu d'une autre seigneurie doit prêter à son nouveau seigneur.

B

Baliste
Machine de guerre qui lance des projectiles légers, comme des flèches, de l'autre côté des fortifications ennemies.

Basalte
Roche volcanique de couleur sombre.

Basilique
Église chrétienne dont l'architecture rappelle celle des basiliques de l'Antiquité, des édifices rectangulaires destinés à des usages publics : justice, commerce, etc.

Beffroi
Haute tour d'une ville fortifiée, où des gardes surveillent les environs. La tour est munie d'une cloche.

Bélier
Machine de guerre faite d'une longue poutre de bois. Elle est portée à l'horizontale par plusieurs soldats, qui l'enfoncent contre les portes d'une ville ou d'un campement ennemi. Le bout de la poutre est souvent fait d'une tête de bélier sculptée.

Bitume
Substance noirâtre et visqueuse, formée de composés organiques comme le pétrole.

Bourg
Grand village dans lequel il y a une place de marché, où se rendent les habitants et les commerçants des villages avoisinants.

Bourgeois
Au début du Moyen Âge, habitant d'un bourg (grand village). Plus tard, personne riche de la ville ou qui exerce une fonction importante dans l'administration de la ville.

Brique crue
Brique faite à partir de terre argileuse, d'eau et de paille, et séchée au soleil.

C

Capital
Ensemble des richesses (monétaires ou autres) qu'une personne ou une entreprise investit pour produire encore plus de richesses.

Catapulte
Machine de guerre utilisée pour lancer des projectiles lourds, comme de gros boulets. Les projectiles peuvent passer par-dessus les fortifications ennemies.

Charte
Document écrit dans lequel une autorité définit et garantit les droits et les pouvoirs qu'elle accorde à une entreprise ou à une institution, comme un bourg ou une ville.

Chevalier
Homme à cheval qui combat dans l'armée d'un seigneur. Les chevaliers sont issus de la noblesse.

Chrétienté

Ensemble des pays et des régions où la religion dominante est le christianisme.

Ciguë

Plante très toxique. Poison extrait de cette plante.

Cité

Grande ville qui s'administre seule et qui n'est soumise à aucun autre gouvernement extérieur.

Cité-État

Grande ville qui s'administre seule et qui n'est soumise à aucun autre gouvernement extérieur.

Citoyen

1. Dans la Grèce ancienne, homme libre qui habite une cité et qui a des droits civils et politiques.
2. Personne habitant une ville, une cité-État ou un pays à qui la loi accorde des droits, et qui, en retour, a certains devoirs.

Civilisation

Ensemble des caractéristiques communes à une ou plusieurs sociétés.

Communication

Action d'échanger de l'information entre au moins deux personnes.

Contrefort

Chaîne de montagnes qui borde une chaîne principale et qui est moins élevée que celle-ci.

Croisades

Expéditions militaires menées par des chrétiens d'Occident pour chasser les musulmans qui gouvernaient des territoires où se trouvent des lieux sacrés du christianisme.

Croisé

Personne qui participe à une croisade. Le mot *croisé* renvoie au tissu en forme de croix que le combattant doit coudre sur ses vêtements.

Culte

Ensemble des rites, ou pratiques, créés par une religion pour rendre hommage à une divinité.

Culture

Ensemble des connaissances, des traditions, des coutumes, des croyances, des formes d'art, du droit et des comportements que les membres d'une société partagent.

Cunéiforme

Qui présente des angles ressemblant à des coins (ou à des clous).

D

Démocratie

Régime politique dans lequel le peuple exerce le pouvoir directement ou par l'entremise de représentants qu'il choisit.

Devin

Personne qui prétend pouvoir prédire l'avenir, notamment en communiquant avec des esprits et des dieux.

Dictateur

À l'époque de la Rome antique, politicien à qui le sénat attribue des pouvoirs illimités en raison d'une crise sociale.

Division du travail

Mode d'organisation du travail dans une société qui permet de multiplier les types de travail. Ainsi, chaque type de travail est exécuté par différentes personnes.

Doctrine

Ensemble des principes et des croyances élaborés par une religion.

Dogme

Croyance ou principe présenté comme une vérité qui ne peut pas être contestée.

Domestication

Contrôle de la croissance et de la reproduction d'un animal ou d'une plante.

Domestique

Personne qui s'occupe de la cuisine et des tâches ménagères dans la maison d'une autre personne.

Droit (Le –)

Ensemble des lois et des règlements dans une société.

E

Échange

Fait, pour une personne, de remettre un bien à une autre personne qui, en retour, donne aussi un bien à cette personne. L'échange peut être lié à des biens ou à des services.

Écuyer

Homme issu de la noblesse, responsable des écuries d'un seigneur. Aussi, noble qui apprend le métier des armes en vue de devenir chevalier.

Éducation

Action de former et d'instruire une personne.

Église

Avec l'initiale majuscule, le mot *Église* désigne l'ensemble de la communauté chrétienne. Il sert aussi à désigner les hauts dirigeants de cette religion. Avec l'initiale minuscule, ce mot désigne le bâtiment qui sert au culte.

Empire

Gouvernement qui soumet plusieurs autres villes ou territoires étrangers à son autorité.

Enclosure

Mot anglais référant à l'action d'entourer un terrain d'une clôture. Il est spécifiquement utilisé en français pour désigner la clôture des pâturages par les seigneurs anglais au Moyen Âge.

Espace privé

Espace réservé à la vie privée, à la famille, aux loisirs.

Espace public

Espace où les citoyens participent à la vie de la cité. C'est là que se discutent les affaires publiques et que se prennent les décisions politiques.

État

Forme d'organisation sociale où l'autorité gouvernementale est la seule à décider des lois qui s'appliquent à la population sur son territoire.

Éthique

Qui concerne les principes de la morale et les règles de conduite.

Excommunier

Chasser un chrétien de l'Église catholique.

F

Féodalité

Forme d'organisation sociale basée sur un lien de dépendance des paysans envers de grands propriétaires terriens.

Fidèle

Personne qui adhère à une religion et qui croit à ses enseignements.

Fief

Morceau de son grand domaine qu'un seigneur concède à un paysan.

Fosse

Trou creusé par l'être humain dans le sol.

G

Glaive

Courte épée à double tranchant.

Grand commerce

Ensemble des échanges commerciaux réguliers et biens structurés établis entre des régions très éloignées.

Guerre civile

Guerre entre des groupes d'un même pays ou d'une même cité-État.

Guerres puniques

On nomme ainsi les trois longues guerres qui opposent Rome et Carthage entre 264 et 146 avant notre ère. Les Carthaginois viennent de Phénicie (actuellement le Liban, au Moyen-Orient).

Gynécée

Appartements réservés aux femmes dans les maisons grecques de l'Antiquité.

H

Hellade

Nom désignant la Grèce en langue grecque. *Hellènes* est le nom des habitants de la Grèce.

Hiérarchie sociale

Établissement d'un ordre de supériorité et d'infériorité entre les différents groupes qui composent une société.

Homo

Mot d'origine latine signifiant « homme » et désignant le genre auquel appartient notre espèce humaine, l'*Homo sapiens*.

Hymne

Chant ou poème composé pour célébrer la gloire de dieux ou la bravoure de héros.

I

Idolâtrie

Culte rendu à des idoles.

Infidèle

Personne qui a une religion autre que celle considérée comme vraie par un groupe.

Infrastructure

Ensemble des constructions et des équipements nécessaires pour le fonctionnement d'une société : routes, canaux de navigation, ponts, ports, fontaines publiques, aqueducs, égouts.

Inhumer

Mettre en terre le corps d'un mort.

Innovation

Chose nouvelle, nouveauté.

Institution

Structure politique établie par la loi ou la coutume pour servir les intérêts d'une société.

Irrigation

Arrosement artificiel des terres à des fins agricoles.

J

Journalier

Ouvrier qui est embauché pour une journée.

Justice

Application des règlements et des lois établis par un gouvernement.

L

Législateur

Personne chargée de faire des lois.

Limon

Particules de terre mêlées de débris organiques déposés par les eaux lors des inondations.

Loi du talion

Loi qui prévoit qu'un criminel doit subir les mêmes souffrances ou inconvénients qu'il a fait subir à sa victime. Le mot *talion* vient d'un terme latin qui signifie «tel, comme».

M

Médiéval

Qui concerne le Moyen Âge.

Maxime

Phrase courte qui présente une règle morale ou une vérité générale.

Mercenaire

Homme qui offre ses services comme soldat à un gouvernement étranger en échange d'un salaire.

Mineur

Personne qui n'a pas atteint l'âge de la majorité fixé par l'État et qui est sous la responsabilité de ses parents ou d'un tuteur.

Monarchie

Forme de gouvernement où le chef de l'État est un roi héréditaire, c'est-à-dire que le futur roi est le fils du roi.

Monopole

Domination d'un secteur du marché par une seule personne, entreprise, guilde ou hanse. Là où il y a un monopole, il n'y a pas de concurrence.

Monothéiste

Qui croit en l'existence d'un seul dieu.

Mortier

Récipient solide servant à broyer les grains pour en faire de la farine.

N

Nomadisme

Mode de vie des nomades. Ils vivent de la chasse et de la cueillette et n'ont pas d'habitation fixe.

O

Orateur

Personne qui sait parler en public, qui a l'art de persuader par son discours.

Orfèvre

Personne qui fabrique, à l'aide de métaux comme l'or, l'argent, l'étain ou le cuivre, des objets qui servent à ornementer.

I

Palissade

Clôture faite de pieux collés les uns sur les autres et servant de mur de défense.

Papyrus

Plante dont la tige contient une substance permettant de fabriquer des feuilles pour écrire. Elle pousse sur les bords du fleuve Nil, en Égypte.

Parchemin

Peau d'animal (mouton, âne, porc ou chèvre) que l'on fait sécher et qui sert de support pour l'écriture.

Parvis

Espace situé devant un édifice.

Pèlerinage

Voyage d'un fidèle vers un lieu considéré comme sacré par sa religion.

Peuple

Ensemble de personnes qui vivent sur un même territoire et qui ont des coutumes communes.

Philosophie

Mot d'origine grecque venant de *philo*, qui signifie «aimer», et de *sophia*, qui signifie «sagesse». La philosophie s'interroge sur le sens de la vie et les valeurs morales à l'aide de la raison.

Pilum

Arme semblable à un javelot, mais plus lourde. Le pilum sert dans les combats et peut aussi être projeté sur l'ennemi.

Pontifical

Qui se rapporte aux pontifes, c'est-à-dire aux hauts dirigeants de l'Église chrétienne.

Pouvoir

Capacité pour une personne ou un groupe de personnes de prendre des décisions qui ont des effets sur l'ensemble de leur communauté.

Pouvoir spirituel

Pouvoir qui est d'ordre moral

Pouvoir temporel

Pouvoir relatif aux choses matérielles.

Prédateur

Être humain ou animal qui se nourrit des proies qu'il chasse.

Production

Action de produire de la nourriture et des biens, ainsi que le résultat de cette action.

Profit

Somme d'argent correspondant à la différence entre le prix auquel on achète un bien (ou le coût pour le produire) et le prix auquel on le revend.

Propriété

Ce qu'une personne possède, par exemple des outils, une maison, des récoltes, une terre. La propriété peut aussi être collective.

R

Rançon

Somme d'argent ou de biens qu'un kidnappeur exige pour libérer une personne qu'il détient prisonnière.

Réfectoire

Salle où les membres d'une communauté prennent leur repas.

Régime politique

Mode d'organisation politique, juridique, sociale et économique d'un pays.

Redevance

Taxe que les serfs et les vilains versent au seigneur pour l'utilisation des services communs, comme la forge.

Religion

Croyances en un ou plusieurs dieux, qui montrent aux humains des façons d'agir et de penser.

Relique

Restes du corps d'un chrétien que l'Église catholique a élevé au rang de saint, ou objet lui ayant appartenu ou ayant servi à le torturer.

Révolution

Mouvement d'une planète autour de son étoile. Une révolution complète de la Terre autour du Soleil dure une année (365 jours).

Rhéteur

Personne qui enseigne l'art de bien parler et de convaincre les gens.

Roseau

Plante aquatique de grande taille et à tige épaisse.

Royaume

Territoire gouverné par une reine ou un roi.

S

Sacrer

Cérémonie religieuse chrétienne au cours de laquelle le pape ou un évêque approuve officiellement la souveraineté d'un roi ou d'un empereur.

Schisme

Rupture entre les membres d'une religion qui refusent de reconnaître la même autorité.

Science

Ensemble des connaissances et des études liées à certains phénomènes ou objets et qui sont vérifiées par des expériences.

Sédentarisation

Établissement d'un groupe de personnes de façon permanente dans un lieu.

Seigneur

Grand propriétaire terrien au Moyen Âge qui a un pouvoir politique, économique et judiciaire sur les paysans à qui il loue des terres.

Seigneurie

Vaste domaine sur lequel un seigneur règne au Moyen Âge. Une seigneurie comporte des terres concédées à des paysans, des terres réservées aux cultures du seigneur, des terres communes, ainsi qu'un cours d'eau auquel tous les habitants ont accès.

Sépulture

Lieu où le corps d'une personne décédée est déposé.

Serf

Paysan non libre qui cultive un morceau de terre d'une seigneurie. Il n'a pas le droit de quitter la seigneurie.

Silex

Pierre très résistante que l'on peut tailler afin d'obtenir des arêtes dures et tranchantes.

Société

Groupe assez important de personnes qui vivent dans un territoire et qui se donnent des règles de fonctionnement.

Soie

Fibre textile qui provient du ver à soie (larve du papillon bombyx).

Succession

Biens qu'une personne possède au moment où elle meurt.

Suzerain

Personne qui concède un territoire ou une terre à un vassal, tout en continuant d'en être propriétaire.

T

Territoire

Étendue de terre sur laquelle une autorité gouverne.

Tour de siège

Haute tour en bois montée sur des roues, qu'on pousse contre un mur de fortification. Les soldats grimpent sur le haut de la tour par des échelles et abaissent une passerelle qui s'appuie sur le dessus des fortifications.

Trêve

Cessation temporaire de toute activité guerrière.

Troc

Échange d'un bien ou d'un service contre un autre. Par exemple, une agricultrice échange des légumes contre un récipient d'un potier.

Tuf

Roche composée de matières projetées par les volcans et solidifiées par l'eau de pluie. Elle peut facilement être réduite en poudre.

Tutelle

Situation de dépendance légale d'une personne par rapport à une autre. Le tuteur prend toutes les décisions légales à la place de la personne sous tutelle.

Tympan

Paroi en pierre sculptée située au-dessus du portail d'une église.

Tyran

Personne qui prend le pouvoir par la force.

U

Urbanisation

Multiplication des villes et augmentation croissante du nombre d'habitants dans les villes.

Urbanisme

Moyens mis en place dans une ville pour répondre aux différents besoins de la population : transport, santé, sécurité, etc.

V

Vassal

Personne liée à une autorité supérieure, qui lui a concédé une terre.

Vatican

État dirigé par l'Église chrétienne catholique et situé au cœur de la ville de Rome.

Vide sanitaire

Espace vide entre le sol et le plancher permettant d'isoler la maison contre le froid et l'humidité.

Vilain

Nom donné aux gens libres qui ne sont pas des nobles. Les vilains sont des paysans ou des artisans.

Sources

AKG IMAGES

p. 79 (centre)
p. 119 (3.7)
p. 123 (3.9) : P. Connolly
p. 125 (3.11) : P. Connolly
p. 144 (3.26) : P. Connolly
p. 211
p. 227
p. 231 (6.3) : British Library
p. 238 (droite) : British Library
p. 238 (gauche) : British Library
p. 273 : Pirozzi

ALAMY

Couverture, avant-plan : Alamy /
    D. Sanger photography
p. 2 (bas, droite) : The Print Collector
p. 3 : M. Vautier
p. 4 : M. Brodie
p. 10 (droite) : Mary Evans Picture
    Library
p. 13 : World History Archive
p. 21 (0.9) : North Wind Picture
    Archives
p. 23 : Hemis
p. 24 (1.1) : C. Knapton
p. 25 (1.2) : ImageZoo
p. 26 (1.3) (gauche) : The Art Archive
p. 26 (1.3, droite), p. 55 (a), p. 64 :
    The Art Archive
p. 30 (haut) : F. Saurer
p. 34 (1.11) : T. Bean
p. 37 (1) : blickwinkel
p. 37 (2) : Sami Sarkis Underwater
p. 37 (3) : Billymac
p. 37 (4) : Mary Evans Picture Library
p. 39 (1.15, gauche) : Bon Appetit
p. 39 (1.15, droite) : C. Lupica
p. 42 (1.16) : The Art Gallery
    Collection
p. 45 (1.20) : John Elk III
p. 47 (1.22) : The Art Archive
p. 55 (b) : The Art Archive
p. 55 (d) : CarverMostardi
p. 59 (1.28) : Images & Stories
p. 60 (1.29) : The Art Archive
p. 60 (bas) : P. Horree
p. 63 : ImageState
p. 68 (2.1) : G. Diniz
p. 69 (bas) : Picture Contact BV
p. 72 (2.3) : The Art Archive
p. 74 (2.5) : INTERFOTO
p. 78 (2.9) : Images & Stories

p. 79 (haut, gauche) : Mary Evans
    Picture Library
p. 79 (haut, droite) : mediacolor's
p. 79 (centre, gauche) : Mary Evans
    Picture Library
p. 79 (centre, droite) : The Art Gallery
    Collection
p. 79 (bas, droite) : The Art Gallery
    Collection
p. 86 (2.16) : The Art Gallery
    Collection
p. 91 (2.22) : North Wind Picture
    Archives
p. 95 (2.24), 104 (gauche) : The Art
    Archive
p. 95 (2.25) : The Art Archive
p. 98 (2.28) : The Art Archive
p. 102 (2.32) : North Wind Picture
    Archives
p. 106 (2.34) : Stock Connection Blue
p. 111 (c) : Angela Hampton Picture
    Library
p. 111 (b) : imagebroker
p. 115 (3.4) : PjrStudio
p. 117 : J. Wlodarczyk
p. 121 (centre, gauche) : North Wind
    Picture Archives
p. 122, 140 (3.25) : International
    Photobank
p. 125 (3.12) : North Wind Picture
    Archives
p. 131 (haut) : The Art Archive
p. 131 (bas) : The Art Gallery
    Collection
p. 135 (gauche) : Ace Stock Limited
p. 135 (droite) : The Art Archive
p. 135 (centre, gauche) : World
    History Archive
p. 135 (centre, droite) : The Art Archive
p. 140 (3.24) : The Art Archive
p. 148 (4.1) : The Art Archive
p. 152 (bas, gauche) : D. Kilpatrick
p. 152 (bas, droite) : R. Bartee
p. 154 (4.6) : B. Brooks
p. 154 (4.7) : John Warburton-Lee
    Photography
p. 157 (4.10) : The Art Gallery
    Collection
p. 158 (4.11) : The Art Gallery
    Collection
p. 158 (4.12) : The Art Archive
p. 159 (4.13) : philipus
p. 161 (4.16) : Mary Evans Picture
    Library

p. 161 (4.17) : The Art Archive
p. 163 (4.19), p. 177 : V. Arcomano
p. 164 (4.20) : Robert Harding
    Picture Library Ltd
p. 165 (2) : CuboImages srl
p. 173 (4.27) : Mary Evans Picture
    Library
p. 174 : The Art Archive
p. 176 (4.29) : A. Laming
p. 178 (4.30) : Lebrecht Music and
    Arts Photo Library
p. 182 (4.33) : North Wind Picture
    Archives
p. 183 (4.35) : First Light
p. 193 (4.41) : G. Muratore
p. 196 (5.1) : Stock Connection
    Distribution / Alamy
p. 198 (5.2) : P. Barritt
p. 199 (5.3) : Ancient Art & Architecture
    Collection Ltd
p. 200 (haut) : dbimages
p. 204 (5.6) : J. Sullivan
p. 205 (bas) : Interfoto
p. 207 (5.9) : R. Watkins
p. 209 (5.10) : North Wind Picture
    Archives
p. 215 (5.14) : Prisma Archivo
p. 220 (5.21) : ICP-UK
p. 220 (bas) : JTB Photo
    Communications, Inc
p. 223 (5.23) : J. Kellerman
p. 225 (5.25) : Art Directors & TRIP
p. 228 (6.1) : The Print Collector
p. 229 (bas, gauche) : J. West
p. 230 (6.2) : Lebrecht Music and Arts
    Photo Library
p. 235 (6.7), p. 258 : The Art Archive
p. 241 (6.10) : CW Images
p. 241 (6.11) : E. Korsnes
p. 242 (1) : B. MacNeill
p. 242 (2) : H. Kurihara
p. 242 (3) : A. Fateev
p. 243 (6.12) : The Art Archive
p. 244 (6.13) : The Art Gallery
    Collection
p. 247 (6.16) : INTERFOTO
p. 249 (6.17) : The Print Collector
p. 249 (haut) : The Art Archive
p. 249 (bas) : World History Archive
p. 250 (6.18) : The Art Archive
p. 252 (6.19) : Stefano Politi
    Markovina
p. 260 (6.22) : blickwinkel
p. 262 : Radius Images

ART RESOURCE, NY

p. 77 (2.8) : Réunion des Musées Nationaux

p. 88 (2.19) : Réunion des Musées Nationaux

p. 92 (2.23) : Réunion des Musées Nationaux

p. 97 (2.27) : Réunion des Musées Nationaux

p. 109 : Réunion des Musées Nationaux

p. 112 (3.2, gauche), 126 (3.13) : Scala

p. 201 (5.4) : Réunion des musées nationaux

BIBLIOTHÈQUE NATIONALE DE FRANCE

p. 205 (5.7)

BIGSTOCK

p. 147, 152 (haut) : U. Wallmann

CENTRE DE RECHERCHE FRANÇAIS DE JÉRUSALEM

p. 44 (1.19)

p. 48 (3, gauche)

CORBIS

p. 28 (1.6) : Bettmann

p. 30 (1.8) : C. Boisvieux

p. 50 (1.26) : N. Benn, Ottochrome

p. 61 : A. Woolfitt

p. 81 (2.11), 104 (droite) : Gianni Dagli Orti

p. 133 (3.16)

p. 133 (3.17) : J. Kolesidis, Reuters

p. 136 (3.18) : Bettmann

p. 140 (3.23) : Bettmann

p. 145 (3.27)

p. 200 (bas) : Bettmann

Couverture : Grotte de Lascaux : Corbis

CP IMAGES

p. 88 (2.18) : Mario Beauregard

DORLING KINDERSLEY MEDIA LIBRARY

p. 49 (1.25) : D. Strodeur, Jerf el Ahmar, Institut de préhistoire orientale

p. 55 (c)

p. 67, 98 (2.29) : British Museum

p. 79 (bas, gauche) : Richard Bonson

p. 110 (3.1) : N. Nicholls, The British Museum

p. 155 (4.8)

p. 162 (4.18) : Angus McBride

p. 166 (d) : Andy Crawford, the Ermine Street Guard

p. 166 (f) : A. McBride

p. 212 (5.13)

p. 218 (5.17)

p. 253 (6.20) : © Museum of London

GETTY IMAGES

p. 150 (4.2) : DEA PICTURE LIBRARY

p. 270 : Photo by Anne Frank Fonds – Basel, Anne Frank House – Amsterdam

INSTITUT DE PRÉHISTOIRE ORIENTALE

p. 46 (1.21), 48 (3, droite) : D. Strodeur, Jerf el Ahmar

p. 47 (1.23) : D. Strodeur, Jerf el Ahmar

ISTOCKPHOTO

p. 166 (c) : D. Walker

p. 176 (a) : H. Gjerpen

p. 183 (4.34) : D. walker

p. 185 (4.36) : A. Beesley

LES COLLECTIONS DE L'UNIVERSITÉ LAVAL

p. 43 (1.18)

MICHEL ROULEAU

p. 210 (5.11)

OHIOCHANNEL.ORG

p. 112 (3.2, centre)

PHOTOTHÈQUE ERPI

p. 111 (a)

p. 139 (3.22)

POLYGONE STUDIO

p. 32

p. 58

SHUTTERSTOCK

p. 2 : F. Ekaterina

p. 7 (0.1) : K. Yolshin

p. 9 (0.2) : mary416

p. 12 (0.5) bas : K. Connes

p. 12 (0.5) haut : P. Mitrofanov

p. 19 : Yobidaba

p. 69 (haut) : R. Laschon

p. 69 (centre, haut) : Fica

p. 69 (centre, bas) : Losswen

p. 90 (2.21) : A. Bezov

p. 107 (2.35) : Ahui

p. 121 (gauche) : P. Karapanagiotis

p. 131 (centre) : P. Karapanagiotis

p. 138 (3.20) : kasa.dome

p. 149 : Jocicalek

p. 151 (4.3) : Javarman

p. 160 : O. V. D.

p. 165 (3) : D. Barbulat

p. 165 (4) : K. Eaves

p. 166 (e) : Lagui

p. 166 (a) : D. Eliuseev

p. 166 (b) : 3drenderings

p. 169 (4.23) : D. McKee

p. 175 (4.28) : R. Parkinson

p. 176 (c) : Sootra

p. 176 (b) : A. Khromushin

p. 184 : Kasadome

p. 190 : Rambleon

p. 192 (4.40) : J. G. Zarraonandia

p. 201 (5,4, cadre) : Kalim

p. 219 (5.18) : Pecold

p. 224 (5.24) : R. Hachicho

p. 229 (haut, gauche) : P. Matthew Photography

p. 229 (haut, droite) : B. Magierowski

p. 229 (bas, droite) : O. Lipatova

p. 232 (6.4) : upthebanner

p. 245, 251 : T. Irina

p. 261 (6.23) : M. Gorpenyuk

SPACE CHANNEL.ORG

p. 75 (2.6) : P. Saunders

THE BRIDGEMAN ART LIBRARY

p. 10 (0.4) : Noortman Master Paintings, Amsterdam

p. 18 : National Geographic Image Collection

p. 26 (1.4) : National Geographic Image Collection

p. 85 (2.15) : Ancient Art and Architecture Collection Ltd.

p. 142 : Look and Learn

p. 165 (1) : National Geographic Image Collection

p. 195 : Santa Maria Novella, Florence, Italy

p. 216 (5.15) : Biblioteca Capitolare, Padua, Italy, Giraudon

p. 233 (6.5) : Fitzwilliam Museum, University of Cambridge, UK

p. 254 (6.21)

THE GRANGER COLLECTION, NYC

p. 112 (3.2, droite), 116 (3.6)

p. 121 (droite)

p. 124 (3.10)

p. 246 (6.14)

VILLE DE SAINT-QUENTIN

p. 239 (6.9) : V. Rémy